새로운 도서,
다양한 자료
동양북스
홈페이지에서
만나보세요!

www.dongyangbooks.com
m.dongyangbooks.com

KB161582

홈페이지 도서 자료실에서 학습자료 및 MP3 무료 다운로드

PC

❶ 홈페이지 접속 후 **도서 자료실** 클릭
❷ **하단 검색 창에 검색어 입력**
❸ MP3, 정답과 해설, 부가자료 등 첨부파일 다운로드
　* 원하는 자료가 없는 경우 '요청하기' 클릭!

MOBILE

* 반드시 '인터넷, Safari, Chrome' App을 이용하여 홈페이지에 접속해주세요. (네이버, 다음 App 이용 시 첨부파일의 확장자명이 변경되어 저장되는 오류가 발생할 수 있습니다.)

❶ 홈페이지 접속 후 ☰ 터치

❷ **도서 자료실** 터치

❸ **하단 검색창에 검색어 입력**
❹ **MP3, 정답과 해설, 부가자료 등 첨부파일 다운로드**
　* 압축 해제 방법은 '다운로드 Tip' 참고

미래와 통하는 책

가장 쉬운 독학
일본어 첫걸음
14,000원

버전업! 굿모닝
독학 일본어 첫걸음
14,500원

일단 합격하고 오겠습니다
JLPT 일본어능력시험 N3
26,000원

일본어 100문장 암기하고
왕초보 탈출하기
13,500원

가장 쉬운 독학
중국어 첫걸음
14,000원

가장 쉬운 중국어
첫걸음의 모든 것
14,500원

일단 합격 新HSK
한 권이면 끝! 4급
24,000원

중국어
지금 시작해
14,500원

영어를 해석하지 않고
읽는 법
15,500원

미국식
영작문 수업
14,500원

세상에서 제일 쉬운
10문장 영어회화
13,500원

영어회화
순간패턴 200
14,500원

가장 쉬운 독학
베트남어 첫걸음
15,000원

가장 쉬운 독학
프랑스어 첫걸음
16,500원

가장 쉬운 독학
스페인어 첫걸음
15,000원

가장 쉬운 독학
독일어 첫걸음
17,000원

동양북스 베스트 도서

THE
GOAL 1
22,000원

인스타
브레인
15,000원

직장인, 100만 원으로
주식투자 하기
17,500원

당신의 어린 시절이
울고 있다
13,800원

놀면서 스마트해지는 두뇌 자극
플레이북 딴짓거리 EASY
12,500원

죽기 전까지
병원 갈 일 없는 스트레칭
13,500원

가장 쉬운 독학
이세돌 바둑 첫걸음
16,500원

누가 봐도 괜찮은 손글씨 쓰는
법을 하나씩 하나씩 알기 쉽게
13,500원

가장 쉬운 초등 필수 파닉스
하루 한 장의 기적
14,000원

가장 쉬운 알파벳 쓰기
하루 한 장의 기적
12,000원

가장 쉬운 영어 발음기호
하루 한 장의 기적
12,500원

가장 쉬운 초등한자 따라쓰기
하루 한 장의 기적
9,500원

세상에서 제일 쉬운
엄마표 생활영어
12,500원

세상에서 제일 쉬운
엄마표 영어놀이
13,500원

창의쑥쑥 환이맘의
엄마표 놀이육아
14,500원

📖 동양북스
www.dongyangbooks.com
m.dongyangbooks.com

최|신|개|정

일단 합격

新 HSK

한 권이면 ——끝!

한선영 지음

비법서

4급

동양북스

일단 합격
新HSK 4급
한 권이면──끝! 비법서

· 개정 3판 3쇄 | 2022년 4월 10일

지은이 | 한선영
발행인 | 김태웅
편 집 | 신효정, 양수아
디자인 | 남은혜, 신효선
마케팅 | 나재승
제 작 | 현대순

발행처 | (주)동양북스
등 록 | 제 2014-000055호
주 소 | 서울시 마포구 동교로22길 14 (04030)
구입 문의 | 전화 (02)337-1737 팩스 (02)334-6624
내용 문의 | 전화 (02)337-1762 dybooks2@gmail.com

ISBN 979-11-5768-606-3 13720

이 도서의 국립중앙도서관 출판예정도서목록(CIP)은 서지정보유통지원시스템 홈페이지(http://seoji.nl.go.kr)와
국가자료공동목록시스템(http://www.nl.go.kr/kolisnet)에서 이용하실 수 있습니다.
(CIP제어번호:CIP2020008833)

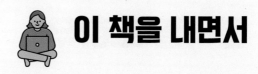

이 책을 내면서

新HSK 4급을 쉽고 재미있게 공부할 수 있는 책 좀 추천해 주세요!
학생들에게 자주 듣는 말이다. 그러나 지금까지 나와 있는 책은 대부분 모의고사 문제집으로, 유형별로 공부할 수 있는 교재가 부족했고, 그래서 HSK 강의 12년의 노하우와 급변하는 출제 경향의 변화를 밤낮으로 연구·분석한 결실을 바탕으로 이 책을 집필하기로 결심했다.

나에게 있는 달란트!
신은 모든 이에게 달란트를 주셨다. 하지만 나는 '왜 나에게는 특별한 달란트가 없을까?'라는 생각으로 힘들어 한 적이 있다. 그때 JRC 김효정 원장 선생님의 격려 한마디가 나를 가슴 벅차게 했다. "너에게는 다른 사람이 갖지 못한 열정이 있어. 가진 것의 120%를 발휘할 수 있는 네가 자랑스럽다." 그렇지! 나는 분명 다른 사람이 갖지 못한 것을 가졌다. 학생을 사랑하는 마음, 학생들의 눈높이에서 더 쉽게 가르치려는 열정, 그리고 문제를 분석하고 비법을 정리해 내는 능력이 바로 그것이다. 그래서 나는 신이 주신 나의 달란트를 이 책의 집필에 최대한 발휘하였다.

오아시스를 만나다!
'풍요 속의 빈곤'이라는 말처럼, 수많은 교재의 홍수 속에서도 마음에 드는 교재를 찾기란 쉽지 않다. 학생들은 마치 사막에서 헤매는 것처럼 '비법서'에 목말라하고 있다. 新HSK 4급 문제는 원리만 알면 풀 수 있는 '비법이 통하는' 유형이다. 이 책은 학습자들이 좀 더 빠른 시간 내에 급수를 획득할 수 있도록 많은 비법과 공부 방법을 소개함으로써 사막의 길잡이 역할을 해준다. 이 책을 펼치는 순간 여러분은 오아시스를 만날 것이며, 오랜 갈증이 속 시원히 해소될 것이다.

최신 4년 기출문제를 분석히다!
교재를 리뉴얼하기 위해 최신 기출문제 약 48회에 해당하는 문제들을 복원하고 분석하였다. 유형별로 문제를 분류하고 그중 가장 마음에 드는 문제를 고르는 작업은 여간 집중력을 요하는 일이 아니었다. 매번 이것이 최선이고 최고라고 생각하지만, 작업을 마치고 나면 항상 아쉬움이 남는다. 교재를 하루빨리 선보이고 싶어서 매일 밤샘 작업을 하던 지난 시간들을 떠올리면 감동스럽기도 하고 뿌듯하기도 하다. 앞으로도 여러분의 HSK 정복에 훌륭한 조력자가 되기 위해 끊임없이 연구하고 노력하여 새로운 모습으로 여러분 앞에 설 것을 약속한다.

이 책이 오랜 기간 독자들에게 사랑받을 수 있었던 것은 시간이 흘러도 변하지 않는 가장 핵심을 찌르는 분석력과 높은 퀄리티의 문제를 실었기 때문이 아닐까 싶다. 그동안 이 책을 통해 4급을 취득하고 많은 사랑을 보내 준 독자분들께 감사드리고, 좋은 교재를 만들기 위해 애써 주신 동양북스 여러분의 노고에도 머리 숙여 감사의 마음을 전한다.

한 선 영

영역별 노하우

1 듣기 听力

구성	문제 형식	문항 수	배점	시간
제1부분	단문 듣고 주어진 문장의 옳고 그름 판단하기	10		
제2부분	짧은 대화 듣고 질문에 알맞은 답 고르기	15	45	100점	약 30분
제3부분	대화문 또는 단문 듣고 질문에 알맞은 답 고르기	20		
듣기 영역 답안 작성 시간				5분

문제 풀이 노하우

1. '듣기'는 암기다!

녹음이 잘 안 들린다면 원인은 어휘량 부족에 있습니다. 공부한 문제와 핵심 단어 학습을 게을리하지 않아야 합니다.

2. 보기를 최대한 활용하라!

4개의 보기 중 하나는 분명히 정답이고, 나머지 3개의 보기에도 녹음에서 사용된 어휘가 등장할 가능성이 높습니다. 보기 분석을 통해 녹음에 나올 질문을 미리 간파하고, 핵심 포인트를 잡아낼 수 있는 능력이 필요합니다.

3. 첫 문장과 마지막 문장을 잘 들어라!

첫 문장에 있는 힌트를 놓쳤다면 그 문제는 아무리 열심히 들어도 답을 찾을 수 없습니다. 첫 문장부터 꼼꼼히 듣고, 대화의 결론이나 녹음 지문의 주제어는 맨 마지막 부분에 나올 수 있으니 끝까지 집중력을 발휘해야 합니다.

4. 긍정인지 부정인지를 파악하라!

대화문은 일반적으로 첫 번째 사람이 화제를 던지면 두 번째 사람이 자신의 생각을 말합니다. 반응이 긍정적인지 부정적인지만 알아도 50%는 성공입니다.

5. 성별을 구분하여 정보를 기억하라!

열심히 내용만 듣느라, 남자가 한 말인지 여자가 한 말인지 잊어버리는 경우가 있습니다. 들은 정보를 반드시 남/녀로 구분해서 기억합니다.

6. 노트에 정리해서 암기하라!

자신이 푼 문제가 맞았는지 틀렸는지 점수만 매기고 끝나면 안 됩니다. 중요한 표현은 시험 문제에서도 키워드로 제시될 수 있으므로 핵심어와 정답에 나온 표현법을 연결해서 암기해야 합니다.

2 독해 阅读

구성	문제 형식	문항 수		배점	시간
제1부분	빈칸에 알맞은 어휘 고르기	10	40	100점	40분
제2부분	주어진 A, B, C 3개의 보기를 순서에 맞게 배열하기	10			
제3부분	단문 읽고 질문에 알맞은 답 고르기	20			

문제 풀이
노하우

1. 시간과의 싸움이다!

독해에서 문제당 주어진 시간은 1분입니다. 독해 시험은 제한 시간 내에 속독하여 내용을 제대로 이해할 수 있는지를 테스트하는 것이 관건이므로, 항상 시간을 재면서 푸는 연습을 해야 합니다.

2. 제1부분 응시 대책!

보기에 주어진 5개 단어의 품사와 쓰임을 정확히 이해하고 문제를 푸는 것이 좋습니다. 한 문제만 답을 잘못 써도 두 문제가 연달아 틀리게 되는 형식이므로, 정신을 집중하고 만점에 도전해야 합니다.

3. 제2부분 응시 대책!

보기에 주어진 3개의 문장 중 첫 번째 문장만 잘 찾아내도 정답률은 50%가 됩니다. 먼저 주어가 있는 문장을 찾은 다음, 나머지 문장은 접속사나 부사를 통해 순서를 잡고, 마지막으로 의미가 통하는지 해석해 보고 마무리합니다.

4. 제3부분 응시 대책!

제3부분의 지문은 2~3줄 정도로 다른 문제에 비해 길이가 깁니다. 문제에는 ★표가 되어 있으니 반드시 지문보다 먼저 읽고 핵심어를 찾아내야 합니다. 정답이 지문에 직접 제시되는 경우도 많으므로, 01장의 '스캔 뜨기' 비법을 이용합니다.

5. 아는 문제부터 풀어라!

만약 40분 동안 40문제를 전부 풀 자신이 없다면, 문제 순서에 구애받지 말고 아는 문제부터 풀기 시작합니다. 모르는 문제를 계속 붙잡고 있으면 시간만 낭비됩니다. 속독 훈련은 시험장에서가 아니라, 평소에 미리 연습합니다.

3 쓰기 书写

구성	문제 형식	문항 수		배점	시간
제1부분	어휘 조합하여 문장 만들기	10	15	100점	25분
제2부분	사진과 어휘 보고 문장 쓰기	5			

문제 풀이
노하우

1. 반드시 정복하라!

독해는 40문제를 꼬박 풀어야 하지만, 쓰기는 15문제만 풀고도 100점을 받을 수 있습니다. 문항 수가 적다고 소홀히 하지 말고 반드시 정복해야 합니다.

2. 제1부분 응시 대책! (문제당 6점)

제시되는 단어와 어구는 4~5개 정도로, 어렵게 느껴질 수도 있지만, 주어나 목적어가 될 수 있는 명사 덩어리와 술어가 될 수 있는 동사나 형용사 덩어리로 2원화시키면 문제를 쉽게 풀 수 있습니다.

3. 어법 지식을 습득하라!

시험에서 어법 영역은 없어졌지만 어법 지식은 여전히 필요합니다. 주요 어법 포인트인 把, 被, 比, 연동문, 겸어문, 정도보어 등은 반드시 익혀 둡니다.

4. 제2부분 응시 대책! (문제당 8점)

문제당 배점이 큰 부분이므로, 어법 오류나 오자 없이 가장 자신 있는 답안과 평소에 이미 연습해봤던 답안을 써야 합니다. 창의성을 발휘하는 것은 평소에 연습하고, 시험에서는 모험하지 말고 신중하게 대처합니다.

5. 절대 포기하지 마라!

작문을 할 줄 모른다고 백지로 제출한다면 그야말로 빵점입니다. 하지만 제시된 동사나 형용사에 주어 하나만 써도 기본점수 2점은 받을 수 있습니다.

기본점수
공략하기!

散步(산책하다)와 같은 동사 제시어가 나오면, 부사 在(~하는 중이다)나 조동사 想(~하고 싶다)을 활용합니다.
예 我在散步。나는 산책하는 중이다. / 我想散步。나는 산책하고 싶다.

电脑(컴퓨터)와 같은 명사 제시어가 나오면, 어울리는 동사 有(있다), 买了(샀다) 등을 생각해 냅니다.
예 我有电脑。나는 컴퓨터가 있다. / 我买了电脑。나는 컴퓨터를 샀다.

高兴(기쁘다)과 같은 형용사 제시어가 나오면, 정도부사 非常(매우) 등으로 꾸며줍니다.
예 我非常高兴。나는 매우 기쁘다.

나에게 꼭 맞는 독학서 선택 비법

✓ **출제 경향을 얼마나 반영했는가?**

가장 신뢰할만한 HSK 문제는 기출문제입니다. 이 책은 근간에 실시된 모든 기출문제를 철저히 분석하여 출제 경향을 최대한 완벽하게 반영했습니다.

✓ **설명은 얼마나 친절하고 명쾌한가?**

이 책은 급수의 당락을 판가름하는 난이도 최상의 문제부터 너무 쉬워서 답이 뻔히 보이는 문제까지, 하나도 소홀히 하지 않고 학습자의 눈높이에서 알기 쉽게 설명했습니다.

✓ **단어는 충분히 정리되어 있는가?**

시험은 한 달밖에 남지 않았는데 책을 보자니 모르는 단어가 너무 많고, 단어부터 외우자니 막막하다면? 이 책은 4급에 처음 입문하는 초보자들도 쉽게 공부할 수 있도록 실제 문제에서 다뤄진 모든 단어를 총망라하여 사전이 필요 없을 정도로 친절하게 정리했습니다.

✓ **학습량은 적절한가?**

학습자가 소화할 수 없을 정도로 많은 양의 정보를 주입식으로 쏟아붓는 것은 정보를 주지 않느니만 못합니다. 이 책은 파트별로 가장 적절한 학습량을 구성하여 4급에서 꼭 필요한 수준으로 엑기스를 뽑아 정리했습니다.

✓ **비법은 얼마나 들어 있는가?**

수험서를 사서 공부하는 이유는 시험에서 가장 좋은 성적을 얻기 위해서입니다. 빠른 시간 안에, 좀 더 쉽고 재미있게 공부하기 위해서는 저자의 비법이 소개되어야 합니다. 이 책에서는 십수 년 베테랑 HSK 강사의 노하우와 비법을 숨김없이 공개했습니다.

✓ **좋은 책, 좋은 저자, 좋은 출판사인가?**

보기 좋은 책이 공부하기도 좋습니다. 이 책은 학습 의욕을 높여주고 효과를 극대화할 수 있도록 일목요연하게 디자인 및 구성되었을 뿐만 아니라, 오랜 강의 경력을 갖춘 열정적이고 실력 있는 저자와 좋은 책에 아낌없이 투자하는 역사와 전통을 갖춘 어학 전문 출판사의 경험을 통해 학습자에게 최적화될 수 있도록 만들어졌습니다.

✓ **본인에게 맞는 책인가?**

인터넷의 판매 순위나 정보에만 의존하여 책을 고르기보다는 서점에서 직접 펼쳐 보고 확인해 보는 것이 중요합니다. 다른 사람의 평가보다는 자신의 기준으로, 자신의 수준에 잘 맞는 책인지, 공부하고 싶어지는 책인지, 그 첫 설렘을 느껴보세요.

이 책의 구성

 비법서

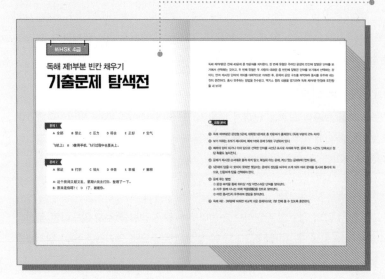

기출문제 탐색전

각 영역별, 부분별 문제 유형과 공략
방향을 보여 줍니다.

시크릿 백전백승

문제 해결에 가장 중요한 학습 내용을
모아 정리해 줍니다.

시크릿 확인학습

각 장에서 배운 비법을 예제에 적용해
풀어 봅니다.

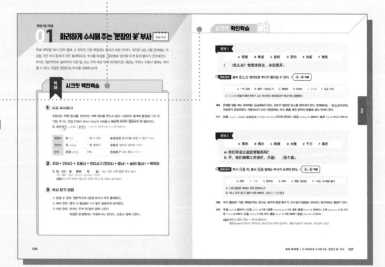

시크릿 보물상자

문제 해결에 가장 중요한 학습 내용을
모아 정리해 줍니다.

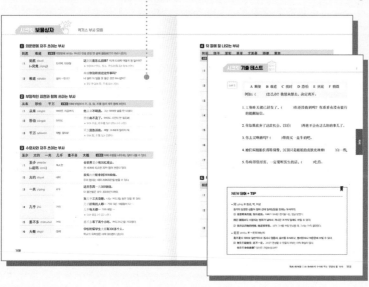

시크릿 기출테스트

기출문제를 100% 복원하여 만든 문제
들을 풀어 봅니다.

영역별 실전 모의고사

듣기, 독해, 쓰기 각 영역의 학습이 끝
나면 영역별 실전 모의고사를 풀어 보
면서 그동안 갈고닦은 실력을 체크할
수 있습니다.

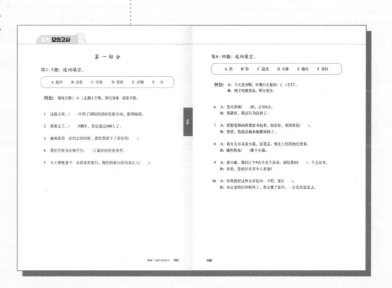

답안지 작성법

성적표

정답

시크릿 기출 테스트, 영역별 실전 모의고사의 정답을 확인할 수 있습니다.

📖 해설서

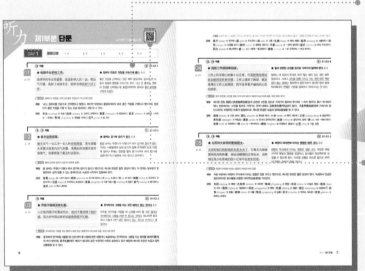

시크릿 기출 테스트와 실전 모의고사 문제에 대한 우리말 해석과 단어 해석, 문제 풀이 설명이 별책 해설집에 수록되어 있습니다.

▶ 01-03-5

👍 **해설서 전용 MP3 음원 제공!**

해설서 버전은 문제 별로 잘려 있어 복습하기 편리합니다.

부록

단어장

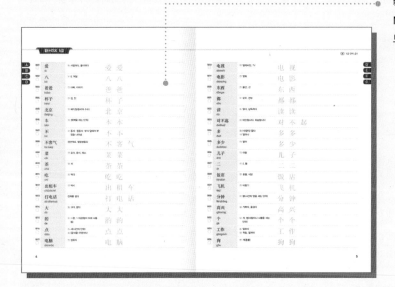

新HSK 4급 단어를 모아 놓았습니다.
MP3 파일을 들으며, 단어를 암기해
보세요.

MP3

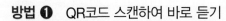

방법 ❶ QR코드 스캔하여 바로 듣기

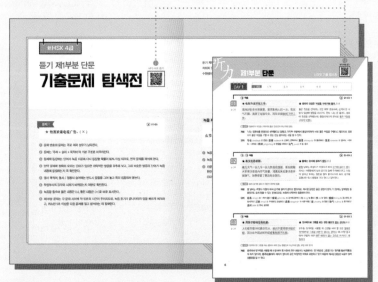

비법서(탐색전 페이지)와 해실서 듣기
파트의 QR을 스캔하면 바로 듣기가
가능합니다.

방법 ❷ 동양북스 홈페이지(www.dongyangbooks.com) 도서 자료실에서 다운로드

新HSK 4급 맞춤형 학습 플랜

듣기, 독해, 쓰기의 각 영역은 15개 장으로 구성되어 있고, 한 장에는 약 10문제가 들어 있습니다.
이 편성을 바탕으로 15일, 30일, 40일 학습 플랜을 세울 수 있습니다.

혼자서 학습하기에 부담스럽지도 않고 적지도 않은 학습량입니다. 꾸준히 공부한다면 누구나 '30일의 기적'을 이룰 수 있습니다.

첫째 날: 듣기, 독해, 쓰기를 영역별로 1장씩 공부한 다음, 홀수 DAY에 해당하는 문제를 풉니다.
다음 날: 전날 공부한 내용을 복습한 다음, 짝수 DAY에 해당하는 문제를 풉니다.

☐ DAY 1 ___월 ___일

듣기
• 제1부분 01 비법 학습
• DAY 1 기출 테스트
독해
• 제1부분 01 비법 학습
• DAY 1 기출 테스트
쓰기
• 제1부분 01 비법 학습
• DAY 1 기출 테스트

☐ DAY 2 ___월 ___일

듣기
• 제1부분 01 복습
• DAY 2 기출 테스트
독해
• 제1부분 01 복습
• DAY 2 기출 테스트
쓰기
• 제1부분 01 복습
• DAY 2 기출 테스트

☐ DAY 3 ___월 ___일

듣기
• 제2, 3부분 01 비법 학습
• DAY 9 기출 테스트
독해
• 제2부분 01 비법 학습
• DAY 11 기출 테스트
쓰기
• 제1부분 02 비법 학습
• DAY 3 기출 테스트

☐ DAY 4 ___월 ___일

듣기
• 제2, 3부분 01 복습
• DAY 10 기출 테스트
독해
• 제2부분 01 복습
• DAY 12 기출 테스트
쓰기
• 제1부분 02 복습
• DAY 4 기출 테스트

☐ DAY 5 ___월 ___일

듣기
• 제1부분 02 비법 학습
• DAY 3 기출 테스트
독해
• 제3부분 01 비법 학습
• DAY 21 기출 테스트
쓰기
• 제2부분 01 비법 학습
• DAY 19 기출 테스트

☐ DAY 6 ___월 ___일

듣기
• 제1부분 02 복습
• DAY 4 기출 테스트
독해
• 제3부분 01 복습
• DAY 22 기출 테스트
쓰기
• 제2부분 01 복습
• DAY 20 기출 테스트

☐ DAY 7 ___월 ___일

듣기
• 제2, 3부분 02 비법 학습
• DAY 11 기출 테스트
독해
• 제1부분 02 비법 학습
• DAY 3 기출 테스트
쓰기
• 제1부분 03 비법 학습
• DAY 5 기출 테스트

☐ DAY 8 ___월 ___일

듣기
• 제2, 3부분 02 복습
• DAY 12 기출 테스트
독해
• 제1부분 02 복습
• DAY 4 기출 테스트
쓰기
• 제1부분 03 복습
• DAY 6 기출 테스트

☐ DAY 9 ___월 ___일

듣기
• 제1부분 03 비법 학습
• DAY 5 기출 테스트
독해
• 제2부분 02 비법 학습
• DAY 13 기출 테스트
쓰기
• 제1부분 04 비법 학습
• DAY 7 기출 테스트

☐ DAY 10 ___월 ___일

듣기
• 제1부분 03 복습
• DAY 6 기출 테스트
독해
• 제2부분 02 복습
• DAY 14 기출 테스트
쓰기
• 제1부분 04 복습
• DAY 8 기출 테스트

☐ DAY 11 ___월 ___일

듣기
• 제2, 3부분 03 비법 학습
• DAY 13 기출 테스트
독해
• 제3부분 02 비법 학습
• DAY 23 기출 테스트
쓰기
• 제2부분 02 비법 학습
• DAY 21 기출 테스트

☐ DAY 12 ___월 ___일

듣기
• 제2, 3부분 03 복습
• DAY 14 기출 테스트
독해
• 제3부분 02 복습
• DAY 24 기출 테스트
쓰기
• 제2부분 02 복습
• DAY 22 기출 테스트

☐ DAY 13 ___월 ___일

듣기
• 제1부분 04 비법 학습
• DAY 7 기출 테스트
독해
• 제1부분 03 비법 학습
• DAY 5 기출 테스트
쓰기
• 제1부분 05 비법 학습
• DAY 9 기출 테스트

☐ DAY 14 ___월 ___일

듣기
• 제1부분 04 복습
• DAY 8 기출 테스트
독해
• 제1부분 03 복습
• DAY 6 기출 테스트
쓰기
• 제1부분 01 복습
• DAY 10 기출 테스트

☐ DAY 15 ___월 ___일

듣기
• 제2, 3부분 04 비법 학습
• DAY 15 기출 테스트
독해
• 제2부분 03 비법 학습
• DAY 15 기출 테스트
쓰기
• 제1부분 06 비법 학습
• DAY 11 기출 테스트

✓ 30일 플랜을 기준으로 하루에 DAY 2개씩 공부하면 15일 플랜이 됩니다.

✓ 15일 플랜은 대학교 수업 일수에 적절한 학습 플랜으로, 한 학기 15회에 걸쳐 완성할 수 있습니다.

✓ 홀수 DAY에 해당하는 문제를 수업 시간에 풀고, 짝수 day에 해당하는 문제를 과제로 풀 수 있습니다.

☐ DAY 16 ___월 ___일

듣기
• 제2, 3부분 04 복습
• DAY 16 기출 테스트
독해
• 제2부분 03 복습
• DAY 16 기출 테스트
쓰기
• 제1부분 06 복습
• DAY 12 기출 테스트

☐ DAY 17 ___월 ___일

듣기
• 제3부분 01 비법 학습
• DAY 23 기출 테스트
독해
• 제3부분 03 비법 학습
• DAY 25 기출 테스트
쓰기
• 제2부분 03 비법 학습
• DAY 23 기출 테스트

☐ DAY 18 ___월 ___일

듣기
• 제3부분 01 복습
• DAY 24 기출 테스트
독해
• 제3부분 03 복습
• DAY 26 기출 테스트
쓰기
• 제2부분 03 복습
• DAY 24 기출 테스트

☐ DAY 19 ___월 ___일

듣기
• 제2, 3부분 05 비법 학습
• DAY 17 기출 테스트
독해
• 제1부분 04 비법 학습
• DAY 7 기출 테스트
쓰기
• 제1부분 07 비법 학습
• DAY 13 기출 테스트

☐ DAY 20 ___월 ___일

듣기
• 제2, 3부분 05 복습
• DAY 18 기출 테스트
독해
• 제1부분 04 복습
• DAY 8 기출 테스트
쓰기
• 제1부분 07 복습
• DAY 14 기출 테스트

☐ DAY 21 ___월 ___일

듣기
• 제3부분 02 비법 학습
• DAY 26 기출 테스트
독해
• 제2부분 04 비법 학습
• DAY 17 기출 테스트
쓰기
• 제2부분 04 비법 학습
• DAY 25 기출 테스트

☐ DAY 22 ___월 ___일

듣기
• 제3부분 02 복습
• DAY 26 기출 테스트
독해
• 제2부분 04 복습
• DAY 18 기출 테스트
쓰기
• 제2부분 04 복습
• DAY 26 기출 테스트

☐ DAY 23 ___월 ___일

듣기
• 제2, 3부분 06 비법 학습
• DAY 19 기출 테스트
독해
• 제3부분 04 비법 학습
• DAY 27 기출 테스트
쓰기
• 제1부분 08 비법 학습
• DAY 15 기출 테스트

☐ DAY 24 ___월 ___일

듣기
• 제2, 3부분 06 복습
• DAY 20 기출 테스트
독해
• 제3부분 04 복습
• DAY 28 기출 테스트
쓰기
• 제1부분 08 복습
• DAY 16 기출 테스트

☐ DAY 25 ___월 ___일

듣기
• 제3부분 03 비법 학습
• DAY 27 기출 테스트
독해
• 제1부분 05 비법 학습
• DAY 9 기출 테스트
쓰기
• 제2부분 05 비법 학습
• DAY 27 기출 테스트

☐ DAY 26 ___월 ___일

듣기
• 제3부분 03 복습
• DAY 28 기출 테스트
독해
• 제1부분 05 복습
• DAY 10 기출 테스트
쓰기
• 제2부분 05 복습
• DAY 28 기출 테스트

☐ DAY 27 ___월 ___일

듣기
• 제2, 3부분 07 비법 학습
• DAY 21 기출 테스트
독해
• 제2부분 05 비법 학습
• DAY 19 기출 테스트
쓰기
• 제1부분 09 비법 학습
• DAY 17 기출 테스트

☐ DAY 28 ___월 ___일

듣기
• 제2, 3부분 07 복습
• DAY 22 기출 테스트
독해
• 제2부분 05 복습
• DAY 20 기출 테스트
쓰기
• 제1부분 09 복습
• DAY 18 기출 테스트

☐ DAY 29 ___월 ___일

듣기
• 제3부분 04 비법 학습
• DAY 29 기출 테스트
독해
• 제3부분 05 비법 학습
• DAY 29 기출 테스트
쓰기
• 제2부분 06 비법 학습
• DAY 29-30 기출 테스트

☐ DAY 30 ___월 ___일

듣기
• 제3부분 04 복습
• DAY 30 기출 테스트
독해
• 제3부분 05 복습
• DAY 30 기출 테스트
쓰기
• 제2부분 06 복습
• DAY 29-30 기출 테스트

학원 수업에 적합한 학습 플랜으로, 개강일에는 수업 방식과 강의 개요를 설명하는 등의 워밍업을 하고 진도는 점차 빨리 나갈 수 있습니다.

듣기 영역은 DAY 순서대로 공부하고, 독해와 쓰기 영역은 제1, 2, 3부분을 골고루 분배하여 수업을 진행할 수 있습니다.

첫째 달 20일

☐ DAY 1 ___월 ___일

[개강일]
- 수업 소개
- 단어장 암기 방법 소개 등
듣기
- 제1부분 01 비법 학습
- DAY 1 기출 테스트

☐ DAY 2 ___월 ___일

듣기
- 제1부분 01 복습
- DAY 2 기출 테스트
독해
- 제1부분 01 비법 학습
- DAY 1 기출 테스트

☐ DAY 3 ___월 ___일

독해
- 제1부분 01 복습
- DAY 2 기출 테스트
쓰기
- 제1부분 01 비법 학습
- DAY 1 기출 테스트

☐ DAY 4 ___월 ___일

듣기
- 제1부분 02 비법 학습
- DAY 3 기출 테스트
쓰기
- 제1부분 01 복습
- DAY 2 기출 테스트

☐ DAY 5 ___월 ___일

듣기
- 제1부분 02 복습
- DAY 4 기출 테스트
독해
- 제2부분 01 비법 학습
- DAY 11 기출 테스트

☐ DAY 6 ___월 ___일

독해
- 제2부분 01 복습
- DAY 12 기출 테스트
쓰기
- 제1부분 02 비법 학습
- DAY 3 기출 테스트

☐ DAY 7 ___월 ___일

듣기
- 제1부분 03 비법 학습
- DAY 5 기출 테스트
쓰기
- 제1부분 02 복습
- DAY 4 기출 테스트

☐ DAY 8 ___월 ___일

듣기
- 제1부분 03 복습
- DAY 6 기출 테스트
독해
- 제3부분 01 비법 학습
- DAY 21 기출 테스트

☐ DAY 9 ___월 ___일

독해
- 제3부분 01 복습
- DAY 22 기출 테스트
쓰기
- 제2부분 01 비법 학습
- DAY 19 기출 테스트

☐ DAY 10 ___월 ___일

듣기
- 제1부분 04 비법 학습
- DAY 7 기출 테스트
쓰기
- 제2부분 01 복습
- DAY 20 기출 테스트

☐ DAY 11 ___월 ___일

듣기
- 제1부분 04 복습
- DAY 8 기출 테스트
독해
- 제1부분 02 비법 학습
- DAY 3 기출 테스트

☐ DAY 12 ___월 ___일

독해
- 제1부분 02 복습
- DAY 4 기출 테스트
쓰기
- 제1부분 03 비법 학습
- DAY 5 기출 테스트

☐ DAY 13 ___월 ___일

듣기
- 제2, 3부분 01 비법 학습
- DAY 9 기출 테스트
쓰기
- 제1부분 03 복습
- DAY 6 기출 테스트

☐ DAY 14 ___월 ___일

듣기
- 제2, 3부분 01 복습
- DAY 10 기출 테스트
독해
- 제2부분 02 비법 학습
- DAY 13 기출 테스트

☐ DAY 15 ___월 ___일

듣기
- 제2, 3부분 02 비법 학습
- DAY 11 기출 테스트
독해
- 제2부분 02 복습
- DAY 14 기출 테스트
쓰기
- 제2부분 02 비법 학습
- DAY 21 기출 테스트

☐ DAY 16 ___월 ___일

듣기
- 제2, 3부분 02 복습
- DAY 12 기출 테스트
독해
- 제3부분 02 비법 학습
- DAY 23 기출 테스트
쓰기
- 제2부분 02 복습
- DAY 22 기출 테스트

☐ DAY 17 ___월 ___일

듣기
- 제2, 3부분 03 비법 학습
- DAY 13 기출 테스트
독해
- 제3부분 02 복습
- DAY 24 기출 테스트
쓰기
- 제1부분 04 비법 학습
- DAY 7 기출 테스트

☐ DAY 18 ___월 ___일

듣기
- 제2, 3부분 03 복습
- DAY 14 기출 테스트
독해
- 제3부분 03 비법 학습
- DAY 25 기출 테스트
쓰기
- 제1부분 04 복습
- DAY 8 기출 테스트

☐ DAY 19 ___월 ___일

듣기
- 제2, 3부분 04 비법 학습
- DAY 15 기출 테스트
독해
- 제3부분 03 복습
- DAY 26 기출 테스트
쓰기
- 제2부분 03 비법 학습
- DAY 23 기출 테스트

☐ DAY 20 ___월 ___일

듣기
- 제2, 3부분 04 복습
- DAY 16 기출 테스트
쓰기
- 제2부분 03 복습
- DAY 24 기출 테스트

둘째 달 20일

DAY 21 ___월___일
[개강일]
• 수업 소개
• 단어장 암기 방법 소개 등
쓰기
• 제1부분 05 비법 학습
• DAY 9 기출 테스트

DAY 22 ___월___일
듣기
• 제2, 3부분 05 비법 학습
• DAY 17 기출 테스트
쓰기
• 제1부분 05 복습
• DAY 10 기출 테스트

DAY 23 ___월___일
듣기
• 제2, 3부분 05 복습
• DAY 18 기출 테스트
독해
• 제1부분 03 비법 학습
• DAY 5 기출 테스트

DAY 24 ___월___일
독해
• 제1부분 03 복습
• DAY 6 기출 테스트
쓰기
• 제2부분 04 비법 학습
• DAY 25 기출 테스트

DAY 25 ___월___일
듣기
• 제2, 3부분 06 비법 학습
• DAY 19 기출 테스트
쓰기
• 제2부분 04 복습
• DAY 26 기출 테스트

DAY 26 ___월___일
듣기
• 제2, 3부분 06 복습
• DAY 20 기출 테스트
독해
• 제2부분 03 비법 학습
• DAY 15 기출 테스트
쓰기
• 제1부분 06 비법 학습
• DAY 11 기출 테스트

DAY 27 ___월___일
독해
• 제2부분 03 복습
• DAY 16 기출 테스트
쓰기
• 제1부분 06 복습
• DAY 12 기출 테스트

DAY 28 ___월___일
듣기
• 제2, 3부분 07 비법 학습
• DAY 21 기출 테스트
쓰기
• 제2부분 05 비법 학습
• DAY 27 기출 테스트

DAY 29 ___월___일
듣기
• 제2, 3부분 07 복습
• DAY 22 기출 테스트
독해
• 제3부분 04 비법 학습
• DAY 27 기출 테스트
쓰기
• 제2부분 05 복습
• DAY 28 기출 테스트

DAY 30 ___월___일
독해
• 제3부분 04 복습
• DAY 28 기출 테스트
쓰기
• 제1부분 07 비법 학습
• DAY 13 기출 테스트

DAY 31 ___월___일
듣기
• 제3부분 01 비법 학습
• DAY 23 기출 테스트
독해
• 제1부분 04 비법 학습
• DAY 7 기출 테스트
쓰기
• 제1부분 07 복습
• DAY 14 기출 테스트

DAY 32 ___월___일
듣기
• 제3부분 01 복습
• DAY 24 기출 테스트
독해
• 제1부분 04 복습
• DAY 8 기출 테스트
쓰기
• 제2부분 06 비법 학습
• DAY 29~30 기출 테스트

DAY 33 ___월___일
독해
• 제2부분 04 비법 학습
• DAY 17 기출 테스트
쓰기
• 제2부분 06 복습
• DAY 29~30 기출 테스트

DAY 34 ___월___일
듣기
• 제3부분 02 비법 학습
• DAY 25 기출 테스트
독해
• 제2부분 04 복습
• DAY 18 기출 테스트
쓰기
• 제1부분 08 비법 학습
• DAY 15 기출 테스트

DAY 35 ___월___일
듣기
• 제3부분 02 복습
• DAY 26 기출 테스트
독해
• 제1부분 05 비법 학습
• DAY 9 기출 테스트
쓰기
• 제1부분 08 복습
• DAY 16 기출 테스트

DAY 36 ___월___일
독해
• 제1부분 05 복습
• DAY 10 기출 테스트
쓰기
• 제2부분 06 복습
• DAY 29~30 기출 테스트

DAY 37 ___월___일
듣기
• 제3부분 03 비법 학습
• DAY 27 기출 테스트
독해
• 제2부분 05 비법 학습
• DAY 19 기출 테스트
쓰기
• 제2부분 06 복습
• DAY 29~30 기출 테스트

DAY 38 ___월___일
듣기
• 제3부분 03 복습
• DAY 28 기출 테스트
독해
• 제2부분 05 복습
• DAY 20 기출 테스트
쓰기
• 제1부분 09 비법 학습
• DAY 17 기출 테스트

DAY 39 ___월___일
듣기
• 제3부분 04 비법 학습
• DAY 29 기출 테스트
독해
• 제3부분 05 비법 학습
• DAY 29 기출 테스트
쓰기
• 제1부분 09 복습
• DAY 18 기출 테스트

DAY 40 ___월___일
듣기
• 제3부분 04 복습
• DAY 30 기출 테스트
독해
• 제3부분 05 복습
• DAY 30 기출 테스트

목차

듣기 听力

제1부분 단문

제2·3부분 대화문

제3부분 긴 지문

실전 모의고사 · 97

독해 阅读

제1부분 빈칸 채우기

쓰기 书写

듣기

듣기 제1부분 단문
기출문제 탐색전

MP3 바로 듣기

문제 1 ▶ 01-00

★ 他喜欢看电视广告。（ × ）

❶ 문제 번호와 문제는 주로 여자 성우가 낭독한다.

❷ 문제는 '주어 + 술어 + 목적어'의 기본 구조로 이루어진다.

❸ 문제에 등장하는 단어가 녹음 지문에 다시 등장할 확률이 80% 이상 되므로, 먼저 문제를 해석해 본다.

❹ 만약 문제에 정확히 모르는 단어가 있으면 대략적인 발음을 유추해 보고, 그와 비슷한 발음의 단어가 녹음 내용에 등장하는지 꼭 확인한다.

❺ 명사 목적어, 동사 / 형용사 술어에는 반드시 밑줄을 그어 놓고 특히 집중해서 듣는다.

❻ 부정부사의 유무와 시제가 바뀌었는지 여부도 확인한다.

❼ 녹음을 들으며 옳은 내용은 (∨), 틀린 내용은 (×)로 바로 표시한다.

❽ 제1부분 문제는 각 문제 사이에 약 10초의 시간이 주어지므로, 녹음 듣기가 끝나지미지 답을 빠르게 체크하고, 최소한 5초 이상은 다음 문제를 읽고 분석하는 데 힐애한다.

듣기 제1부분은 전체 45문제 중 10문제를 차지한다. 녹음을 듣고 지문 속에 언급되는 내용과 일치하는지 일치하지 않는지를 판단하는 문제다. 제2 · 3부분에 비해 점수 확보가 쉬운 부분이니, 4급에 합격하고자 하는 수험생이라면 반드시 만점을 목표로 학습해야 하는 부분이다.

녹음 지문

현在我很少看电视其中一个原因是广告太多了。广告太多了，不管什么时间，也不管什么节目，只要你打开电视，总能看到那么多的广告，浪费我的时间。

★ 他喜欢看电视广告。

① 녹음 지문은 보통 4~5절(2줄)로 이루어진다.

② 녹음 지문은 주로 남자 성우가 낭독한다.

③ 지문 내용의 난이도만 놓고 보았을 때는 어렵다고 느낄 수 있으나, 문제와 일치하는지 여부는 어렵지 않게 판단할 수 있다.

> **Tip** 총 10문제 중 옳은 내용(∨)으로 이루어진 것과 틀린 내용(×)으로 이루어진 것이 대략 5문제씩 출제되므로, 비율은 50:50으로 보면 된다.

01 对(∨)가 정답인 문제

듣기 문제를 풀 때는 먼저 두려운 마음을 없애자. 녹음을 듣고 나서 '도대체 무슨 소리를 하는지 모르겠다' 라고 생각하며, 답답한 가슴을 쥐어뜯는 친구도 있을 것이다. 그러나 괜찮다. 아무리 길고 어려운 문장이 나와도 겁먹지 말자. 우리는 제시된 문장에서 핵심어(특히 술어)에 체크한 후, 그 부분이 일치하는지 아닌 지만 판단하면 된다. 안 들린다고 빈칸으로 남겨 두지 말고, 과감히 对(∨)와 不对(×)를 체크해 보자!

듣기 시크릿 백전백승

1 들리는 게 곧 정답!

녹음 지문의 핵심어가 문제에 그대로 쓰이거나, 유사한 뜻의 어휘가 쓰인다.

2 문제를 최대한 활용하라! 특히 술어에 주목!

① 먼저 제시된 문장을 보고, 녹음에서 다르게 바뀌어 나올 가능성이 있는 부분에 밑줄을 그어 놓는다. 특히 동사나 형용사 술어는 정답을 파악하는 중요한 단서가 될 수 있으 니 밑줄을 긋고, 최대한 집중해서 들어야 한다.

> 예 ★ 做西红柿鸡蛋汤很简单。토마토 계란 스프를 만드는 것은 아주 간단하다.

② 녹음 지문을 듣기 전, 문제에 등장한 단어들을 속으로 발음해 보자.

3 처음과 끝을 잘 들어라!

힌트는 문장의 곳곳에 숨어 있다. 녹음 지문의 맨 처음, 맨 뒤 혹은 중간에 나올 수도 있다. 앞 문제를 신경 쓰다 보면 다음 문제의 앞부분을 놓치거나, 집중도가 떨어져 뒷부분을 잘 못 들을 수 있으니, 지나간 문제는 잊어버리고 처음부터 다시 집중해서 들어야 한다.

4 촉각을 곤두세워라!

잘 안 들리거나 해석이 잘 안 된다고 포기하지 말자! 자신의 감각(feel)을 최대한 이용하여 긍정적 내용인지 부정적 내용인지만이라도 느껴 본다. 자신의 '촉'을 믿어 보자!

> **고수들에게 고함!**
> 지문 내용의 해석이 잘되는 고수들이라면 '∨', '×' 체크에만 신경 쓰지 말고, 들은 내용을 우리말로 간단히 메 모해 보자.

문제 1　　　　　　　　　　　　　　　　　　　　　　　　　▶ 01-01

★ 他学英语记不住。(　　　)

🔍 **문제 분석** 배운 영어를 잘 기억할 수 있는지 여부에 집중! ◁ **1 . 2 . 4** 적용

★ 他学英语记不住。	★ 그는 영어를 배워도 잘 기억하지 못한다. (∨)
我爸非让我学英语。我不管怎么背，也记不住。今天刚学的，第二天感觉又全是新的了。再学，还是忘。	아버지는 나에게 영어를 배워야 한다고 했다. 나는 어떻게 외우든지 잘 기억하지 못한다. 오늘 막 배운 것은 다음 날이 되면 또 전부 새로운 것처럼 느껴진다. 다시 배워도 또 잊어버린다.

해설　녹음 지문에서 记不住라고 말한 것을 듣고, '나'는 영어를 어떻게 외우든지 잘 기억하지 못한다는 것을 알 수 있다. 앞부분에서 记不住라는 말을 듣지 못했더라도 마지막 부분의 '다시 배워도 또 잊어버린다'는 말을 듣고 정답을 고를 수 있다.

단어　学 xué 图 배우다, 학습하다 | 英语 Yīngyǔ 图 영어 | 记不住 jìbuzhù 图 잘 기억하지 못하다, 제대로 외우지 못하다 | 非…(不可) fēi…(bùkě) ~하지 않으면 안 된다, ~가 아니면 안 된다 | 不管 bùguǎn 图 ~에 관계없이, ~을 막론하고 | 背 bèi 图 외우다, 암기하다 | 刚 gāng 图 방금, 막 | 第二天 dì èr tiān 图 이튿날, 다음날 | 感觉 gǎnjué 图 느끼다 | 全 quán 图 완전히, 전부 | 还是 háishi 图 여전히, 아직도 | 忘 wàng 图 잊다, 생각이 안 나다

문제 2　　　　　　　　　　　　　　　　　　　　　　　　　▶ 01-02

★ 弟弟考上了大学。(　　　)

🔍 **문제 분석** 동생이 대학에 합격했는지의 여부에 주목, 긍정 어휘 찾기! ◁ **1 . 4** 적용

★ 弟弟考上了大学。	★ 동생은 대학에 붙었다. (∨)
弟弟平时成绩一般，但没想到他竟然考上了一个很不错的大学。这个消息让我们一家人都非常开心。	동생은 평상시 성적이 보통이었는데, 뜻밖에도 아주 괜찮은 대학에 합격했다. 이 소식은 우리 가족 모두를 매우 기쁘게 했다.

해설　화자의 동생은 학업 성적이 그리 좋지는 않았지만, 대학에 합격했다고 했으므로, 정답은 对가 된다. 듣기에서 역접의 접속사 但是(但)가 나오면 그 뒷부분을 더 집중해서 들어야 한다. 考上大学(대학에 붙다), 非常开心(매우 기쁘다) 등 긍정의 어휘가 많이 등장하는 것을 보아 정답이 对가 될 것을 예측할 수 있다.

단어　成绩 chéngjì 图 성적 | 竟然 jìngrán 图 의외로, 뜻밖에도 | 消息 xiāoxi 图 소식 | 开心 kāixīn 图 기쁘다

DAY 1

▶ 01-03

1. ★ 电脑专业好找工作。 ( )

2. ★ 春天容易感冒。 ( )

3. ★ 用筷子敲碗没有礼貌。 ( )

4. ★ 别把工作烦恼带回家。 ( )

5. ★ 太阳对大自然的影响很大。 ( )

DAY 2

▶ 01-04

1. ★ 通过互联网可以办签证。 ( )

2. ★ 教狗学习需要耐心。 ( )

3. ★ 填完表后拿钥匙。 ( )

4. ★ 不要直接拒绝别人的邀请。 ( )

5. ★ 互联网为人们购物提供了更多选择。 ( )

02 不对(×)가 정답인 문제

'对(✓)가 정답인 문제'는 제시된 문장에 녹음 내용과 일치하는 동의어나 유의어가 등장하지만, '不对(×)가 정답인 문제'는 반의어나 不와 같은 부정부사가 제시되어 녹음 내용과 반대되는 상황을 묘사하거나, 새로운 어휘를 제시해 혼동을 일으킨다. 이런 경우에 술어와 목적어에 유의하여, 문제가 지문과 일치하는지 아닌지만 판단하면 된다. 제시된 문장과 녹음 지문에 어떠한 공통점이 있는지 확인하면서 학습해 보자! 한층더 업그레이드된 시험 감각이 생길 것이다.

듣기 시크릿 백전백승

1 들은 내용과 제시어가 다르다!

> 예 ★ 他发音<u>不怎么样</u>。 그는 발음이 별로다. (×)
>
> [녹음] 他的发音<u>不错</u>。 그의 발음은 좋다.

不怎么样은 '별로다, 그저 그렇다'라는 부정적인 뜻이지만, 녹음의 不错는 很好와 비슷한 의미로, '좋다, 괜찮다'라는 긍정의 뜻을 나타내므로 '×'로 체크해야 한다.

2 문제를 최대한 활용하라! 특히 술어에 주목!

① 문제의 어떤 부분이 다르게 바뀌어 나올지를 예상하여 밑줄을 그어 놓자. 이때 특히 술어와 목적어이에 유의한다.

> 예 ★ 姐妹俩性格<u>差不多</u>。 자매 둘의 성격이 비슷하다. (×)
>
> [녹음] 姐妹俩性格<u>完全不一样</u>。 자매 둘의 성격이 완전히 다르다.

② 녹음을 듣기 전에 문제에 등장한 단어들을 속으로 발음해 본다.

3 핵심 명사와 술어에 집중하라!

4급 듣기에서는 핵심 명사나 술어를 바꿔치기하는 경우가 많다. 또한 녹음 지문에 등장하지 않은 어휘가 문제에 제시되거나 부정부사 不를 삽입하여 문장의 의미를 바꿔 놓는 경우가 많으므로 조심해야 한다.

> 예 명사 바꿔치기 : ★ 他们要坐<u>出租车</u>。 그들은 택시를 타려 한다. (×)
>
> [녹음] 出租车贵，还是坐公车吧。 택시는 비싸니, 버스를 타자.
>
> 술어 바꿔치기 : ★ 我<u>不爱</u>吃苹果。 나는 사과 먹는 것을 싫어한다. (×)
>
> [녹음] 我很<u>喜欢</u>吃苹果。 나는 사과 먹는 것을 아주 좋아한다.

새 단어 제시 : ★ 朋友送我衣服。친구가 나에게 옷을 선물했다. (×)

[녹음] 我逛街买衣服。나는 거리를 구경하다 옷을 샀다.

4 연습은 실전처럼 하라!

듣기는 다른 어떤 영역보다도 시험 당일 컨디션이나 마음가짐에 따라 점수 편차가 큰 영역이다. 문제를 풀면서 연습이라는 생각을 하지 마라! 이번이 마지막인 것처럼 온 신경을 집중해서 연습해야 실전에서도 긴장하지 않고 좋은 성적을 거둘 수 있다.

5 자신을 믿어라!

자신의 '촉(feel)'을 믿고 과감히 답을 체크해야 한다. 이번 문제를 못 알아 들었다고 우물쭈물하다가는 다음 문제에까지 영향을 미쳐 시험을 더 망칠 수 있다. 자신을 믿고 팍팍! 정답에 체크하자.

고수들에게 고함!

내용을 간단하게 메모해 보자. 제1부분 문제는 대강의 내용만 알아도 풀 수 있지만, 앞으로 배울 제2·3부분에서는 대화나 지문 내용이 길게 나오기 때문에 기억력에만 의존하기보다는 메모하는 습관을 길러야 한다.

문제 1

▶ 01-05

★ 姐妹俩性格差不多。(　　　)

🔍 **문제 분석** 두 자매의 성격이 비슷한지 여부에 집중!　◁ **2 . 3** 적용

★ 姐妹俩性格差不多。	★ 자매 둘의 성격이 비슷하다. (×)
虽然她们俩是姐妹，但性格完全不一样。姐姐非常安静，很少说话；妹妹正好相反，最喜欢和人聊天。	비록 그 두 사람은 자매지만 성격은 완전히 다르다. 언니는 매우 조용하고 말수가 적으며, 동생은 반대로 사람들과 이야기하는 것을 가장 좋아한다.

해설 술어 바꿔치기 문제다. 첫 부분에서 두 사람은 자매지만 성격이 완전히 다르다고 했으므로, 제시된 문장과 반대되는 내용이다. 또한 언니는 조용하고 말수가 적은데 동생은 이야기하는 것을 좋아한다고 했으므로, 제시된 문장은 녹음 내용과 다르다는 것을 알 수 있다.

단어 姐妹 jiěmèi 몡 자매 | 俩 liǎ ㉚ 두 개, 둘 | 性格 xìnggé 몡 성격 | 差不多 chàbuduō 혱 비슷하다, 차이가 별로 없다 | 安静 ānjìng 혱 조용하다 | 正好 zhènghǎo 뷔 마침, 공교롭게도 | 相反 xiāngfǎn 동 상반되다, 반대되다 | 聊天 liáotiān 동 이야기하다, 대화하다

문제 2

▶ 01-06

★ 李丽和好朋友陈惠想找个新房子搬出去。(　　　)

🔍 **문제 분석** 이사를 하고자 하는 사람이 누구인지에 집중!　◁ **3** 적용

★ 李丽和好朋友陈惠想找个新房子搬出去。	★ 리리와 친한 친구 천후이는 새집을 구해서 이사하고 싶어 한다. (×)
大学毕业以后，李丽和好朋友陈惠一起找了一套房子，房费一人出一半。这样既省钱，又可以有个伴儿，挺好的。可现在陈惠有了男朋友，李丽又觉得不方便了，想找个房子搬家。	대학 졸업 이후, 리리와 친한 친구 천후이는 함께 집을 구해서, 방세는 반반씩 지불했다. 이렇게 하니 돈도 절약되고 함께 살 룸메이트가 있어서 정말 좋았다. 하지만 지금은 천후이에게 남자 친구가 생겼고, 리리는 불편하다고 생각되어, 집을 구해 이사하고 싶어 한다.

해설 리리는 친구 천후이랑 함께 사는 것에 아주 만족했으나, 천후이에게 남자 친구가 생기자 다른 집을 구해서 이사하고 싶어 함을 알 수 있다. 즉 원래는 두 사람이 집을 구해서 살았고, 지금 이사하고 싶어 하는 사람은 리리이므로, 제시된 문장은 녹음 내용과 다르다.

단어 好朋友 hǎo péngyou 몡 친한 친구 | 新房子 xīn fángzi 몡 새집 | 搬 bān 동 옮기다, 이사하다 | 毕业 bìyè 동 졸업하다 | 套 tào 양 세트(집, 가구 등을 세는 양사) | 房费 fángfèi 몡 방세 | 既…又… jì…yòu… 젭 ~하기도 하고, ~하기도 하다 | 省钱 shěngqián 동 돈을 절약하다 | 伴儿 bànr 몡 동료, 짝 | 觉得 juéde ~라고 느끼다 | 方便 fāngbiàn 혱 편리하다

DAY 3
▶ 01-07

1. ★ 他没带护照。 (　　　)

2. ★ 他想参加网球比赛。 (　　　)

3. ★ 海洋里的植物很少。 (　　　)

4. ★ 他刚下飞机。 (　　　)

5. ★ 面试时必须准时到。 (　　　)

DAY 4
▶ 01-08

1. ★ 他们要坐地铁。 (　　　)

2. ★ 很多人仍然爱看报纸。 (　　　)

3. ★ 新房子是她用工资买的。 (　　　)

4. ★ 他们聊天儿忘了下车了。 (　　　)

5. ★ 妻子希望丈夫陪她逛街。 (　　　)

03 직접·간접 화법 문제

DAY 5-6

앞에서 '对(v)가 정답인 문제' 패턴과 '不对(×)가 정답인 문제' 패턴을 학습했다. 이번에는 몇몇 힌트 어휘로 답을 쉽게 찾아낼 수 있는 '직접 화법' 문제와 지문 전체의 내용을 이해해야 풀 수 있는 '간접 화법' 문제로 실력 다지기를 할 것이다. '직접 화법' 문제는 대부분 녹음 지문의 어휘와 뜻이 유사한 어휘를 문제에 제시하고, '간접 화법' 문제는 지문 전체의 내용을 이해해서 정답을 유추해야 하는 경우가 많다.

듣기 시크릿 백전백승

1 들은 내용과 제시어의 의미가 상통한다!

예 ★ 他最近发胖了。 그는 최근에 살이 쪘다. (○)

[녹음] 他最近发福了。 그는 최근에 살이 쪘다.

2 문제를 최대한 활용하라!

① 문제를 먼저 보고 녹음에 나올 내용을 예상하여 중요한 어휘에 밑줄을 그어 놓았다가, 그 어휘가 녹음에서 어떻게 나오는지 집중해서 듣는 습관을 기른다.

예 ★ 他做事太马虎。 그는 일 처리가 너무 세심하지 못하다. → 일 처리가 어떤지에 집중!

② 지문을 듣기 전 문제에 등장한 단어들을 속으로 발음해 보자.

3 동의어에 익숙해져라!

'직접 화법' 문제는 힌트가 제시되기는 하지만 제시된 문장과 똑같은 단어를 사용하는 것이 아니라, 동의어나 유의어로 다시 표현되는 경우가 많다. 따라서 동의어를 많이 알고 있다면 문제 풀기가 훨씬 수월해진다.

예 암기형 동의어 : 有的是 = 有很多 매우 많다, 얼마든지 있다

病得厉害 = 很严重 병이 심각하다

来不及 = 没有时间 시간이 촉박하다, 시간이 없다

조합형 동의어 : 부정부사 + 반대말 = 동의어

很少 매우 적다 = 不多 많지 않다

很难 매우 어렵다 = 不容易 쉽지 않다

很好 매우 잘한다 = 不错 괜찮다, 잘한다

4 **전체 내용을 음미하는 습관을 길러라!**

'간접 화법' 문제는 직접적인 힌트가 제시되지 않고, 녹음 내용을 재해석한 표현으로 문장
이 제시되는 경우가 많다. 단어 하나하나에 너무 연연하지 말고, 전체 내용의 윤곽을 잡는
것이 중요하다.

예 ★ 这个宾馆很差。이 호텔은 매우 안 좋다. (v)

　　[녹음] 这个宾馆连香皂、热水都没有。이 호텔은 비누와 온수조차 나오지 않는다.

5 **항상 기쁜 마음으로 공부하라!**

듣기를 잘하는 방법은 제일 먼저 자신의 실력을 인정하는 것에서부터 시작한다. 10문제 중
1개를 맞았든, 2개를 맞았든 스스로 인정하고 그 다음날 3문제를 맞으면 기뻐하자. 그렇게
연습해서 10일만 지나면 만점을 받을 수도 있기 때문이다. 다른 사람과 비교하지 말고, 오
직 자신에게만 집중하며 여유를 갖고 학습한다면 만점은 생각보다 아주 가까이에서 여러분
을 기다리고 있을 것이다.

고수들에게 고함!
메모에는 요령이 있다. 자신에게 맞는 메모법을 찾아보자!
① 한국어로 간단히 메모하기
② 모르는 단어는 병음으로 메모하기
③ 병음으로 쓰는 것이 헷갈리면 한국식 발음으로 메모하기
④ 병음의 첫 자음이라도 메모하기
⑤ ○ / × / ~ / → 등 간단한 부호를 활용하여 메모하기

문제 1

▶ 01-09

★ 习惯很难改变。(   )

🔍 **문제 분석** 습관을 고치기가 어떤지에 집중! ◁ 1 , 3 적용

★ 习惯很难改变。	★ 습관은 고치기가 매우 어렵다. (v)
习惯是不容易改变的，所以在孩子小的时候，父母要培养孩子良好的生活、学习习惯。	습관은 쉽게 고칠 수 없기 때문에, 아이가 어렸을 때, 부모는 아이들에게 좋은 생활 습관과 학습 습관을 길러 줘야 한다.

해설 녹음 지문에서 습관은 고치기가 어렵다고 했으므로, 제시된 문장은 옳은 내용이 된다. 문장의 很难(매우 어렵다)과 녹음 지문의 不容易(쉽지 않다)는 같은 의미다.

단어 习惯 xíguàn 몡 습관, 버릇 | 改变 gǎibiàn 툉 고치다, 바꾸다 | 培养 péiyǎng 툉 기르다, 키우다 | 良好 liánghǎo 혱 좋다, 훌륭하다

문제 2

▶ 01-10

★ 他十分喜欢那座城市。(   )

🔍 **문제 분석** 그가 그 도시를 좋아하는지 여부에 집중, 긍정 어휘 찾기! ◁ 3 , 4 적용

★ 他十分喜欢那座城市。	★ 그는 그 도시를 매우 좋아한다. (v)
这座城市不但气候很适合人们的生活，而且景色也很漂亮。我真希望自己可以永远留在这里。	이 도시는 기후가 사람이 생활하기에 적합할 뿐만 아니라, 경치도 매우 아름답다. 나는 정말 영원히 이곳에 남아서 살기를 원한다.

해설 제시된 문장 喜欢那座城市(그 도시를 좋아한다)는 긍정의 내용이다. 녹음 지문에서도 긍정의 어휘인 适合生活(생활하기에 적합하다), 景色漂亮(경치가 아름답다), 永远留在这里(이곳에 영원히 남아서 살다) 등이 등장하므로, 정답은 对가 됨을 알 수 있다.

단어 十分 shífēn 몢 매우 | 喜欢 xǐhuan 툉 좋아하다 | 座 zuò 양 좌, 동, 채(산, 건축물 따위의 크고 고정된 물체를 세는 양사) | 城市 chéngshì 몡 도시 | 不但…而且… búdàn…érqiě… 쩝 ~할 뿐만 아니라, 게다가 | 气候 qìhòu 몡 기후 | 适合 shìhé 툉 적합하다 | 景色 jǐngsè 몡 풍경 | 希望 xīwàng 툉 희망하다 | 永远 yǒngyuǎn 혱 영원히 | 留 liú 툉 머무르다

DAY 5
▶ 01-11

1. ★ 表格填写错了。　　　　　　　　(　　　)

2. ★ 小刘受到了表扬。　　　　　　　(　　　)

3. ★ 说话人对报告不太满意。　　　　(　　　)

4. ★ 多出汗对身体好。　　　　　　　(　　　)

5. ★ 习惯的养成需要一段时间。　　　(　　　)

DAY 6
▶ 01-12

1. ★ 第一印象不容易忘记。　　　　　(　　　)

2. ★ 年轻人应该相信自己。　　　　　(　　　)

3. ★ 他的收入很高。　　　　　　　　(　　　)

4. ★ 他想给小王这张演出票。　　　　(　　　)

5. ★ 说话人之前很马虎。　　　　　　(　　　)

04 혼동 어휘 문제

혼동 어휘 문제는 문제 풀이의 힌트가 되는 핵심어와 혼동 요인이 되는 어휘가 2개 이상 존재하는 문제를 말한다. 녹음 내용을 어느 정도 이해하고 있음에도 불구하고 몇몇 혼동 어휘 때문에 정답을 놓치는 경우가 종종 발생하므로, 혼동되는 어휘를 잘 메모하여, 두 개의 내용이 섞이지 않도록 해야 한다. 이번 장의 강화 훈련을 통하여 혼동 어휘 문제를 확실히 마스터하자!

듣기 시크릿 백전백승

1 혼동 어휘가 등장한다!

제시된 문장에 두 가지 명사나 동사 등이 제시되어 수험생을 혼동시킨다.

예 ★ 我的男朋友爱做菜，我的同屋喜欢玩游戏。
　　내 남자 친구는 요리하기를 좋아하고, 내 룸메이트는 게임하는 것을 좋아한다.

2 문제를 최대한 활용한다!

① 문제의 어떤 부분이 다르게 바뀌어 나올지 예상하여 밑줄을 그어 놓는다.

　　예 ★ 我以前的同屋爱干净。내 예전 룸메이트는 깨끗한 걸 좋아한다.
　　　　→ 현재의 룸메이트인지, 예전의 룸메이트인지에 주의!

② 지문을 듣기 전 문제에 등장한 단어들을 속으로 발음해 보자.

3 대비되는 어휘를 메모하라!

간단하게 메모하는 방법으로 두 개의 내용이 섞이지 않도록 한다.

시제	以前 예전 现在 현재	小时候 어렸을 때 长大后 성장한 후	结婚前 결혼 전 结婚后 결혼 후
장소	东方 동쪽 西方 서쪽	南方 남쪽 北方 북쪽	亚洲 아시아 欧洲 유럽
신분	孩子 아이 父母 부모	学生 학생 老师 선생님	顾客 고객 售货员 점원, 판매원

4 녹음 듣기가 끝남과 동시에 답을 결정하라!

녹음을 듣고 오랫동안 생각하면 정답을 맞힐 수 있다고 생각하지만, 사실은 그렇지 않다. 정확히 문제를 분석하고 들은 내용을 이해했다면, 듣기가 끝남과 동시에 답이 결정되어야 한다.

5 문제를 미리 읽는 타이밍을 놓치지 마라!

헷갈리는 문제가 나오면 정답을 고민하다가 다음 문제를 읽고 분석하는 시간을 놓치는 경우가 많다. 녹음은 나를 기다려 주지 않으니, 시간까지도 자신이 주체적으로 조절해야 한다는 점을 명심하자. 다음 문제를 미리 읽는 타이밍을 절대 놓쳐서는 안 된다.

> **고수들에게 고함!**
> 받아쓰기할 여건이 되지 않는다면 동시통역사가 되어 보는 것도 좋다. 녹음 지문을 한 문장씩 끊어 들으면서
> 스스로 해석하고 말하기를 반복하여, 그 문제에 대해 100%의 자신감을 갖도록 연습해 보자!

 한생의 러브레터

자신에게 맞는 '맞춤형 학습법'을 찾아라!
그냥 듣기니까 무조건 MP3 음원을 반복해서 들어야만 하는가? 그런 막연한 방법으로 듣기를 하면 백발백중 실패하게 되니, 자신에게 맞는 맞춤형 학습법을 찾아보자.

① **'거의 못 알아듣겠다'는 분 ➡ 어휘력이 부족한 것이 문제**
배울 문제의 새 단어를 먼저 공부하고 들어 보자. 그래도 힘들다면 지문을 한 번 보고 나서 들어도 상관없다. 이때 지문을 봤다는 자책감에 사로잡힐 필요는 없다. 왜냐하면 누구나 알아듣는 질문 '这句话是什么意思?'는 수십, 수백 번 들어 보았기 때문에 당연히 잘 들리고, 쉽게 느껴지는 것뿐이다. 단어를 학습하고 → 원문을 해석해 보고 → 듣기를 반복하면서 여러분은 단어와 내용을 자연스럽게 숙지할 수 있고, 실력은 쑥쑥 늘어 갈 것이다. 아주 단순한 원리지만 믿고 실천하는 사람만이 듣기 영역에서 좋은 성적을 거둘 수 있다.

② **'조금은 알아듣겠다'는 분 ➡ 문상 전체가 틀리는 것이 아니고, 몇몇 단어만 듣고 내용을 유추하는 수준**
이런 분은 자세한 내용을 묻는 문제가 나오면 틀리기 쉽다. 이런 분들에 대한 극약 처방은 '받아쓰기'를 하는 것이다. 중국어로 받아쓰기를 하려면 듣기 능력 이외에 쓰기 능력까지 요구되므로 그 강도가 아주 높다. 따라서 처음 받아쓰기를 시작하는 분은 들은 내용을 우리말로 적어 보는 것만으로도 큰 효과를 볼 수 있다. 단어가 아닌 문장 이해 능력을 높이는 것이기 때문에 듣기 능력 향상에 큰 도움을 준다.

③ **'알아는 들었는데 자꾸 틀린다'는 분 ➡ 정답을 고르는 능력이 부족한 것이 문제**
무작정 문제만 많이 푸는 것이 능사가 아니다. 문제와 정답의 패턴을 익혀서 출제자가 원하는 답이 무엇인지 직감적으로 알아내는 능력을 겸비해야 한다. 따라서 지문의 핵심어와 정답을 함께 연결시켜 외우는 연습을 하는 것이 중요하다. 문제의 내용은 바뀌어도 테스트하는 핵심 포인트는 동일한 경우가 많기 때문에, 이렇게 훈련하면 정답을 쉽게 찾아낼 수 있다.

▶ 01-13

★ 他现在住的地方很安静。(   )

🔍 **문제 분석** 그가 지금 사는 곳이 어떠한가에 집중! < **2** . **3** 적용 >

★ 他现在住的地方很安静。	★ 그가 지금 사는 곳은 매우 조용하다. (v)
我挺喜欢现在住的地方，很安静，不像以前住的地方，虽然交通方便，但是周围很吵。	나는 지금 사는 곳을 무척 좋아한다. 아주 조용한 것이, 예전 살던 곳처럼 비록 교통은 편리하지만 주위가 너무 시끄럽거나 하지 않다.

해설 그가 지금 사는 곳이 예전에 살던 곳과 다르게 조용해서 좋다고 했으므로, 지금 그가 사는 곳은 매우 조용하다는 것을 알 수 있다. 만약 문장이 他以前住的地方很安静(그가 예전에 살던 곳은 매우 조용했다)이라고 주어졌다면 틀린 문장이 되므로, 제시된 문장을 잘 봐야 한다.

핵심어	혼동어
现在住的地方 현재 **사는 곳**	以前住的地方 예전에 **살던 곳**
현재 사는 곳은 조용하다.	예전에 살던 곳은 시끄러웠다.

단어 安静 ānjìng 휑 조용하다 | 交通 jiāotōng 뗑 교통 | 方便 fāngbiàn 휑 편리하다 | 周围 zhōuwéi 뗑 주위, 주변 | 吵 chǎo 휑 시끄럽다

★ 中国北方人喜欢吃米饭。(　　　)

문제 분석 북쪽 사람들이 쌀밥을 좋아하는지 여부에 집중! < **1** , **3** 적용

★ 中国北方人喜欢吃米饭。	★ 중국의 북쪽 사람들은 쌀밥을 좋아한다. (×)
中国幅员辽阔，各地有各地的乡土民风，各地有各地的饮食习惯。北方人喜欢吃面条，南方人爱吃米饭。	중국의 영토 면적은 광활해서 각 지역마다 향토 풍속이 있고, 각 지역마다 음식 습관이 있다. 북쪽 사람들은 국수를 좋아하고, 남쪽 사람들은 쌀밥을 좋아한다.

해설 녹음 지문에서 북쪽 사람들은 국수를 좋아하고 남쪽 사람들은 쌀밥을 좋아한다고 했으므로, 제시된 문장은 녹음의 내용과 다르다. 이처럼 두 가지 주제 어휘가 나올 때는 옆에 메모하면서 들으면 도움이 된다.

핵심어	혼동어
北方人 **북쪽 사람** 북쪽 사람은 면을 좋아한다.	南方人 **남쪽 사람** 남쪽 사람은 쌀밥을 좋아한다.

단어 米饭 mǐfàn 몡 쌀밥 | 幅员辽阔 fúyuán liáokuò 쉥 영토의 면적이 광활하다 | 乡土 xiāngtǔ 몡 향토, 지방 | 民风 mínfēng 몡 민풍, 민속 | 饮食 yǐnshí 몡 음식 | 习惯 xíguàn 몡 습관 | 面条 miàntiáo 몡 국수

感动日记

오늘 새롭게 알게 된 내용, 가장 중요한 핵심 내용, 학습 소감과 각오 등을 적어 보세요. ✎

DAY 7

01-15

1. ★ 他现在仍然不习惯吃上海菜。　　　　（　　　　）

2. ★ 那位先生想买蛋糕。　　　　（　　　　）

3. ★ 小张的调查结果写得很好。　　　　（　　　　）

4. ★ 他父亲的职业是演员。　　　　（　　　　）

5. ★ 说话人的朋友在海边长大。　　　　（　　　　）

DAY 8

01-16

1. ★ 他喜欢西方人的生活方式。　　　　（　　　　）

2. ★ 会议室在二层。　　　　（　　　　）

3. ★ 坐公共汽车比开车慢一个小时。　　　　（　　　　）

4. ★ 那两个词的用法完全相同。　　　　（　　　　）

5. ★ 年龄大的人很少后悔。　　　　（　　　　）

듣기 제2·3부분 대화문
기출문제 탐색전

MP3 바로 듣기

문제 1 ▶ 02-00

A 骑自行车   B 走路   C 坐公共汽车   D 开车

문제 2 ▶ 02-01

A 橘子   B 杂志   C 报纸   D 椅子

---

❶ 문제에 주어지는 4개의 보기는 '주어 + 술어 + 목적어', '술어 + 목적어', '명사'의 형태로 제시된다. 보기를 먼저 보고 장소 · 숫자 · 행동 · 의미 파악 등의 출제 유형을 파악해야 한다.

> **Tip** 보기를 미리 읽으면 좋은 점 3가지
> ① 어떤 내용이 나올지 짐작할 수 있다. – 사전 지식이 있으면 더 잘 들리는 게 듣기의 평범한 진리다.
> ② 정답이 나오는 부분을 선별해서 들을 수 있다.
> ③ 녹음 내용을 들으면서 틀린 보기를 제거하면, 녹음이 끝나자마자 답을 선택할 수 있어 정답률이 높아진다.

❷ 문제 번호와 질문은 모두 여자 성우가 낭독한다.

❸ 각 문제 사이에는 약 15초의 시간이 주어지므로, 질문이 끝남과 동시에 답을 빠르게 선택하고, 최소 8초 이상은 다음 문제의 보기를 읽고 문제와 내용을 예측하는 데 사용한다.

듣기 문제의 두 번째 유형은 대화문이다. 대화문은 제2부분에서 15문제, 제3부분에서 10문제로 총 25문제가 출제되며, 듣기 문제 전체 비중의 55%를 차지한다. 남녀의 대화 내용을 듣고, 이어서 들려주는 질문에 알맞은 답을 4개의 보기 중에서 고르면 된다. 대화문 문제는 두 번째 사람의 반응이 긍정적인지 부정적인지를 집중해서 들으면 좋은 성적을 거둘 수 있다.

녹음 지문 1

男：我已经出发了。有点儿堵车，到学校大概要40分钟。

女：好的，你路上小心，慢慢开，别着急！

问：男的怎么去学校？

녹음 지문 2

男：上午刚借的那本杂志怎么找不到了？

女：哪本杂志？

男：体育杂志，黄皮儿的！我就放在桌子上。

女：不用到处找了。我刚看了一下，在沙发上呢！

问：男的在找什么？

① 제2부분은 남녀가 한마디씩 주고 받는 짧은 대화문이며, 제3부분은 남녀가 최소 두 마디 이상씩 하는 약간 긴 대화문이다.

② 첫 번째 문제의 대화를 남자가 먼저 시작했다면, 그 다음 문제는 여자가 먼저 시작할 가능성이 높다.
   예 대화문 문제인 11번~35번 중 홀수 문제는 주로 남자가, 짝수 문제는 주로 여자가 먼저 대화를 시작한다.

③ 녹음 지문이 다소 어렵다고 느낄 수 있으나, 화자의 반응에 주목하면 쉽게 정답을 찾을 수 있다.

> TIP 첫 번째 사람은 주로 대화의 화제를 제시하고, 두 번째 사람은 첫 번째 사람의 의견에 대해 찬성·반대, 혹은 새로운 의견을 제시하므로, 첫 번째 사람의 말을 놓쳤다 하더라도 포기하지 말고, 두 번째 사람의 말에서 힌트를 찾아본다.

쏙쏙~! 골라 듣는 숫자 문제

DAY **9-10**

숫자 문제는 매 회당 1~2문제가 출제된다. 단순히 숫자가 정답이 되는 날짜·급여·물건 가격 등의 문제와 시간 표현법(差, 一刻, 半)을 자유자재로 이용할 수 있는지를 묻는 문제, 가격 계산 문제 등이 출제된다. 단순 숫자 문제는 녹음 내용을 그대로 기억했다가 답을 고르면 되지만, 가격 계산 문제는 가감(+, −)을 해야 할 가능성이 높기 때문에 중요한 정보는 메모하면서 들어야 한다.

듣기 시크릿 백전백승

1 보기를 미리 보고 숫자 문제임을 알아채라!

숫자 문제의 보기에는 주로 월(月), 일(号), 시간(点·分·刻), 시간의 양(一个小时), 가격(50块) 등의 숫자 표현이 제시되므로, 보기만 보고도 숫자 문제임을 알아야 한다.

2 메모할 준비를 하라!

숫자 문제라고 판단되면 무조건 메모할 준비를 하자! 자신의 기억력을 믿지 마라. 숫자를 못 들어서 틀리기보다는 순간적으로 착각하거나 실수해서 틀릴 수 있으므로, 이런 불행한 상황이 생기지 않도록 메모하는 습관을 기른다.

3 시간 표현법과 가감승제(+, −, ×, ÷)에 익숙해져라!

현재까지 4급 수준의 기출문제는 주로 다양한 시간 표현법을 묻는 문제와 녹음에서 들려준 숫자 그대로가 답이 되는 문제가 출제되었다. 난이도가 조금 높은 문제는 시간·나이·수량·가격 등을 묻는 계산 문제로 덧셈과 뺄셈을 해야 하는 경우가 많다.

4 핵심 표현을 암기하라!

안 들린다고 울상 짓거나, 포기하고 싶다는 나약한 마음은 금물이다. 아는 만큼 들린다! 먼저 '시크릿 보물상자'에 정리되어 있는 시간 표현을 익히고 자신감을 회복한 뒤, 들리지 않는 문제에 다시 도전해 보자.

문제 1

▶ 02-02

A 8:15　　　B 9:15　　　C 9:30　　　D 9:45

🔍 **문제 분석** 一刻의 의미에 주의! ◁ (**1** , **2** , **4** 적용)

A 8:15	B 9:15	A 8시 15분	B 9시 15분
C 9:30	D 9:45	C 9시 30분	D 9시 45분

男: 我们几点、在哪儿集合？	남: 우리 몇 시, 어디에서 모이는 거야?
女: 上午九点一刻在新华书店门口。	여: 오전 9시 15분에 신화서점 입구에서 (모여).
问: 他们几点见面？	질문: 그들은 몇 시에 만나는가?

해설 여자의 대답에서 一刻는 15분이라는 의미이므로 정답은 B가 된다. 이 문제는 一刻의 의미를 알고 있어야만 풀 수 있는 문제다.

단어 集合 jíhé 图 집합하다 | 一刻 yíkè 명 15분 | 门口 ménkǒu 명 입구

NEW 단어 + TIP

• 礼拜天 lǐbàitiān 명 일요일

　일요일을 뜻하는 星期天, 星期日는 익히 들어봤을 것이다. 礼拜는 '예배하다, 요일'이라는 뜻을 가지고 있고, 따라서 礼拜天도 일요일을 뜻한다.

▶ 02-03

A 明天　　　B 周日　　　C 四点半　　　D 下班以后

🔍 **문제 분석** 시간 표현에 집중! ◁ **1 적용**

| A 明天 | B 周日 |
| C 四点半 | D 下班以后 |

| A 내일 | B 일요일 |
| C 4시 반 | D 퇴근 후에 |

女: 附近那家银行几点关门, 你知道吗?
男: 我想想, 对了! 四点半。
女: 那来不及了。我本来打算下班以后去取点儿钱。
男: 明天吧, 他们周六也上班。

问: 女的最可能什么时候去银行?

여: 이 근처에 있는 은행이 몇 시에 문을 닫는지 아니?
남: 생각 좀 해 볼게. 맞디! 4시 반에 닫아.
여: 그럼 못 가겠다. 원래 퇴근 후에 돈을 좀 찾으러 가려고 했는데.
남: 내일 가. 그 사람들은 토요일에도 출근해.

질문: 여자는 언제 은행에 가겠는가?

해설 시간이 늦어서 오늘은 은행을 못 갈 것 같다는 여자의 말에 남자는 그럼 내일 가라고 했으므로, 정답은 A가 된다. 녹음에서 들린 四点半, 下班以后, 明天이 모두 보기에 등장하여 혼동을 일으킬 수 있다. 4시 반은 은행이 문을 닫는 시간이고, 퇴근 후는 원래 가려고 계획했던 시간이므로, 모두 정답이 될 수 없다.

단어 明天 míngtiān 명 내일 | 周日 zhōurì 명 일요일 | 半 bàn 명 반, 절반 | 下班 xiàbān 동 퇴근하다 | 以后 yǐhòu 명 이후 | 附近 fùjìn 명 근처, 부근 | 来不及 láibují 동 (시간이 부족하여) ~(하지) 못하다 | 打算 dǎsuan 동 ~하려고 하다 | 取 qǔ 동 찾다

感动日记

오늘 새롭게 알게 된 내용, 가장 중요한 핵심 내용, 학습 소감과 각오 등을 적어 보세요. ✏️

1 시간 표현 익히기　　▶ 02-04

'시간'은 点, '분'은 分, '~분 전'은 差로 표현한다. 잘 알고 있더라도 막상 듣기 문제로 나오면 새롭게 느껴지고 잘 안 들릴 수도 있으니, 익숙해질 때까지 반복해서 읽고 문제를 풀어 보자.

• **기본 표현**

질문: 现在几点? 지금 몇 시입니까?

대답: 现在 八 点 十五 分。 지금은 8시 15분입니다.

〈활용〉

一		五		
两		十		
三	点	十五	分	= 一刻
四	时	三十	분	= 半
⋮		四十五		= 三刻
十二		⋮		

• **시간 읽기**

8시 15분　　　　　8시 30분　　　　　8시 45분

八点 十五分　　　八点 三十分　　　八点 四十五分
　　 一刻　　　　　　　 半　　　　　　　　 二刻
　　　　　　　　　　　　　　　　　　= 差一刻九点

• **差를 이용한 표현**

1시 50분　　　　　11시 45분　　　　　2시 55분

一点　五十分　　　十一点　四十五分　　　两点　五十五分

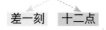

差十分　两点　　　差一刻　十二点　　　差五分　三点

2 시간의 기점과 양 비교

시간의 기점은 시간이 시작되는 어떤 시점을 말하고, 시간의 양은 '얼마간'이라는 시간의 양을 나타내어 '언제부터 언제까지' 또는 '~ 동안'이라고 해석한다.

| 시간의 기점 | | | 시간의 양 | |

기점	一月 1월	一号 1일	这个星期 이번 주	一点 1시	一分 1분
양	一个月 한 달	一天 하루	一个星期 일주일	一个小时 한 시간	一分钟 1분 동안

예 现在3点5分。 지금은 3시 5분이다. (시간의 기점)
我们休息5分钟吧。 우리 5분 동안만 쉽시다. (시간의 양)

3 숫자 계산 문제 판단 단어

+	多 duō 많다 大 dà (나이가) 많다	贵 guì 비싸다 迟到 chídào 지각하다	慢 màn 느리다 增加 zēngjiā 증가하다	晚 wǎn 늦다
–	少 shǎo 적다 小 xiǎo (나이가) 적다	便宜 piányi 싸다 提前 tíqián 앞당기다	快 kuài 빠르다 减少 jiǎnshǎo 감소하다	早 zǎo 이르다

DAY **9**

▶ 02-07

1. A 7:40   B 8:20   C 7:20   D 19:10

2. A 5月   B 4月   C 7月   D 12月

3. A 很快   B 半个小时   C 一个小时   D 一个半小时

4. A 30块   B 60块   C 90块   D 120块

DAY **10**

▶ 02-08

1. A 5号   B 4号   C 10号   D 15号

2. A 现在   B 前天   C 暑假期   D 寒假前

3. A 8点   B 9点   C 8点半   D 9点半

4. A 2500   B 3200   C 3500   D 4000

02 오감(五感)으로 느끼는 어투·태도 문제

어투·태도 문제는 혹시 내용을 잘 이해하지 못하더라도 감으로 맞힐 수 있는 확률이 높다. 대화의 내용에 따라 감정 색채가 짙은 어기조사, 감탄사 등을 많이 사용한다면, 긍정적 어투인지, 부정적 어투인지 등을 감지할 수 있기 때문이다. 내용을 잘 못 알아듣더라도 포기하지 말고 'feel'로 문제를 푸는 센스를 발휘해 보자!

듣기 시크릿 백전백승

1 보기를 보자마자 어투·태도 문제임을 알아채라!

어투·태도 문제는 보기에 주로 기뻐하다(高兴), 불만이다(不满), 비평하다(批评), 동의하다(同意) 등 감정과 태도를 나타내는 단어가 등장하기 때문에 보기만 보고도 어투·태도 문제임을 알아야 한다.

2 성우를 자신의 친구로 생각하라!

성우가 지금 자신에게 말하고 있다고 생각해 본다. 성우를 친구로 생각하면 그가 불만에 가득 차서 나를 나무라는 것인지, 아니면 기뻐하고 있는 것인지 좀 더 쉽게 파악할 수 있을 것이다.

3 긍정 / 부정을 판단하라!

문제를 풀기 전에 긍정적이라고 판단되는 보기에는 플러스(+)로 표시하고, 부정적이라고 판단되는 보기에는 마이너스(-)로 표시해 놓으면 정답을 고르는 시간이 단축된다.

4 남녀를 구분하라!

남자의 어투를 물을지, 여자의 어투를 물을지는 출제자 마음이다. 항상 대비하는 자세로 남녀를 잘 구분해서 듣고, 질문도 놓치지 말고 잘 듣자.

문제 1

| A 高兴 | B 失望 | C 生气 | D 商量 |

🔍 **문제 분석** 부정적인 어투에 집중! ◁ 1 , 2 적용

A 高兴	B 失望	A 기쁘다	B 실망스럽다
C 生气	D 商量	C 화가 난다	D 상의한다

男: 你对王姐给你介绍的男朋友满意吗?

女: 那人实在不行, 太马虎了。

问: 女的说话什么语气?

남: 왕 누나가 네게 소개시켜 준 남자 친구 마음에 들어?

여: 그 사람 정말 별로야. 너무 세심하지 못해.

질문: 여자의 어투는 어떠한가?

해설 여자가 소개 받은 남자 친구에 대해서 별로라고 말했으므로, 그 남자에게 실망했음(失望)을 알 수 있다. 여자의 어투가 부정적이지만 그렇다고 화내고 있는 것은 아니므로, C는 정답이 될 수 없다.

단어 高兴 gāoxìng 图 기뻐하다 | 失望 shīwàng 图 실망하다 | 生气 shēngqì 图 화내다 | 商量 shāngliang 图 상의하다 | 介绍 jièshào 图 소개하다 | 满意 mǎnyì 图 만족하다 | 实在 shízài 图 정말, 확실히 | 马虎 mǎhu 图 세심하지 못하다

NEW 단어 + TIP

• 自信 zìxìn 명 자신 동 자신하다

자신의 능력에 확신이 있고, 임무를 충실히 완성(完成任务)할 수 있을 때 自信이라는 단어를 사용한다.

▶ 02-10

A 失望　　　B 羡慕　　　C 后悔　　　D 激动

🔍 **문제 분석** 두 사람의 어투에 집중! ⟨ **3 . 4** 적용 ⟩

A 失望	B 羡慕	A 실망스럽다	B 부러워한다
C 后悔	D 激动	C 후회스럽다	D 감격스럽다

女: 恭喜你，今天获得了冠军。

男: 谢谢大家！我没有想到自己今天能得到这个奖。

女: 你现在最想谁啊？

男: 我最想家人，感谢我的父母，还有我的妻子。

问: 说话的两个人现在心情怎么样？

여: 축하합니다, 오늘 1등을 했어요.

남: 감사합니다! 오늘 이 상을 받을 거라고는 생각도 못했어요.

여: 지금 누가 가장 생각나세요?

남: 가족이 가장 생각나요. 저희 부모님과 저의 아내에게 감사드립니다.

질문: 두 화자의 현재 심정은 어떠한가?

해설 이 대화는 남자가 1등 한 것을 축하하는 내용으로, 긍정적인 단어를 답으로 골라야 하는데 A와 C는 부정적인 의미를 나타내므로 정답이 될 수 없다. 만약 문제에서 여자의 심정만을 물어봤다면 B가 정답이 될 수도 있겠지만, 이 문제에서는 두 사람의 심정을 물어봤으므로 D가 정답으로 가장 적절하다. 심정을 묻는 문제에서는 녹음의 내용도 중요하지만, 남녀 중 어떤 사람의 심정을 물어봤는지도 중요한 포인트가 된다.

❗Tip 激动은 감동이나 감격한 상태를 나타낼 수도 있고, 기분이 나빠서 흥분한 상태를 나타낼 수도 있다.

단어 失望 shīwàng 통 실망하다 | 羡慕 xiànmù 통 부러워하다 | 后悔 hòuhuǐ 통 후회하다 | 激动 jīdòng 통 감격하다, 흥분하다 | 恭喜 gōngxǐ 통 축하하다 | 获得 huòdé 통 얻다, 획득하다 | 冠军 guànjūn 명 우승, 1등 | 妻子 qīzi 명 아내

▶ 02-11

답이 되는 뉘앙스	말 속의 힌트
01 同意 tóngyì 동의하다 (=赞成 zànchéng)	好吧！그래, 알았어! 没错儿。맞다.
02 支持 zhīchí 지지하다	当然，那还用说？당연하지, 더 말할 필요 있니?
03 肯定 kěndìng 긍정하다, 인정하다	没问题。문제없다.
04 称赞 chēngzàn 칭찬하다	真了不起。/ 真不简单。/ 真厉害。정말 대단하다.
05 表扬 biǎoyáng 표창하다, 칭찬하다	真有你的。너 정말 대단하구나.
06 安慰 ānwèi 위로하다 07 鼓励 gǔlì 격려하다	你会好的。너는 좋아질 거야. 你的病不要紧。/ 你的病没那么严重。 당신의 병은 심각하지 않다.
08 反对 fǎnduì 반대하다 09 不同意 bù tóngyì 동의하지 않다 (=不赞同 bú zàntóng)	哪儿啊！어디, 그럴 리가! 别做梦了。꿈 깨. 谁说的？누가 그래?
10 不满 bùmǎn 불만족하다	你为什么这样？너 왜 이래?
11 责怪 zéguài 나무라다 (=责备 zébèi)	怎么搞的？어떻게 된 거야? 别提了。말도 꺼내지 마.
12 无所谓 wúsuǒwèi 상관없다 (=没关系 méi guānxi)	随便。마음대로 해.
13 羡慕 xiànmù 부러워하다	要是…就好了。만약 ~라면 좋겠다. 你多么幸福呀！너 얼마나 행복하니!
14 谦虚 qiānxū 겸손하다	哪里哪里。아닙니다. 不敢当。천만에요.
15 后悔 hòuhuǐ 후회하다	早知道… 일찌감치 알았더라면~ 当初我应该… 애당초 나는 ~해야 했다
16 意外 yìwài 뜻밖이다 17 突然 tūrán 갑작스럽다	真没想到。정말 생각지도 못했다. 太阳从西边出来了。해가 서쪽에서 뜨다.
18 着急 zháojí 조급해하다, 마음 졸이다	怎么办呢？어쩌지? 已经来不及了。이미 늦었어.

DAY 11

▶ 02-12

1. A 不满　　　B 激动　　　C 奇怪　　　D 开玩笑

2. A 难过　　　B 感动　　　C 轻松　　　D 着急

3. A 感动　　　B 称赞　　　C 后悔　　　D 商量

4. A 担心　　　B 安慰　　　C 批评　　　D 生气

DAY 12

▶ 02-13

1. A 不满　　　B 羡慕　　　C 兴奋　　　D 失望

2. A 同意　　　B 无奈　　　C 感谢　　　D 兴奋

3. A 着急　　　B 担心　　　C 怀疑　　　D 兴奋

4. A 很紧张　　B 很舒服　　C 很轻松　　D 批评男的

03 암기만 하면 답이 보이는 직업·관계 문제

DAY 13-14

직업이나 관계를 묻는 문제는 녹음을 듣고 직업이나 신분을 추측해서 풀어야 하는 경우가 대부분이다. 대화 중에 정답 관련 어휘가 직접적으로 표현되는 문제도 있다. 따라서 대화에 나오는 동사와 명사를 잘 파악해야 정답을 찾아낼 수 있음을 꼭 기억하자. 또한 녹음 지문 시작 부분에 나오는 호칭이 결정적 힌트가 될 수 있으니 첫마디부터 주의해서 듣는다.

듣기 시크릿 백전백승

1 보기를 미리 보고 직업·관계 문제임을 알아채라!

직업·관계 문제는 보기에 주로 의사(医生), 선생님(老师), 운전사(司机), 동료(同事), 학우(同学) 등 직업이나 관계를 나타내는 단어가 등장하기 때문에 보기만 보고도 직업·관계 문제임을 알아야 한다.

2 관련 어휘를 잡아라!

4급 문제에서는 정답과 관련된 어휘가 직접적으로 언급되는 '직접 문제'가 출제되는데, 이때는 직업·호칭에 관련된 명사를 잘 듣고, '누구와', '누구의' 등의 혼동 요소에 주의한다.

3 핵심어를 찾아라!

대화 속에서 몇몇 힌트어를 제시해 주고 전체 상황을 바탕으로 유추하게 하는 '간접 문제'의 경우에는 핵심이 되는 동사나 명사에 주의해서 들어야 한다.

4 핵심 어휘를 암기하라!

4급으로 출제되는 직업·관계 문제 어휘는 그리 많지 않다. 아는 만큼 들린다! 안 들리면 '시크릿 보물상자'의 핵심 어휘를 먼저 암기하고 자신감을 회복한 뒤, 문제에 도전해 보자. 문제없이 정답을 고를 수 있을 것이다.

문제 1　　　　　　　　　　　　　　　　　　　　　　　　　▶ 02-14

A 教师　　　B 记者　　　C 厨师　　　D 警察

🔍 **문제 분석**　직업 특성을 나타낼 수 있는 어휘에 집중!　< **1** , **2** 적용

A 教师	B 记者	A 교사	B 기자
C 厨师	D 警察	C 요리사	D 경찰

女: 真羡慕你，除了平时的节假日，还有一个 寒假和暑假。

男: 当时选择这个职业，我根本就没想这么 多，只是喜欢和孩子们在一起。

问: 男的最可能是做什么的?

여: 정말 부럽다. 평소의 공휴일을 제외하고도 겨울 방학 과 여름 방학이 있잖아.

남: 이 직업을 고를 때는 이렇게 많은 것까지 생각하지 못 했어. 단지 아이들과 함께 있는 것이 좋았을 뿐이야.

질문: 남자의 직업은 무엇이겠는가?

해설　여자가 寒假(겨울 방학), 暑假(여름 방학)라고 말한 것으로 보아 남자는 방학 기간에 쉴 수 있는 직업을 가졌다는 것을 알 수 있다. 보기 중에서 방학 기간에 쉴 수 있는 사람은 教师(교사)뿐이므로 정답은 A가 된다. 또한 남자는 아이들과 함께 있는 것을 좋아한다고 언급했는데 보기 중에서 아이들과 함께 있는 직업 역시 A뿐이다.

단어　教师 jiàoshī 몡 교사 | 记者 jìzhě 몡 기자 | 厨师 chúshī 몡 요리사 | 警察 jǐngchá 몡 경찰 | 羡慕 xiànmù 동 부러워하다 | 平时 píngshí 몡 평소 | 节假日 jiéjiàrì 몡 명절과 휴일 | 寒假 hánjià 몡 겨울 방학 | 暑假 shǔjià 몡 여름 방학 | 选择 xuǎnzé 동 선택하다 | 职业 zhíyè 몡 직업

NEW 단어 + TIP

• 学期 xuéqī 몡 학기

학期(학기)라는 단어가 등장하면 교사와 학생 모두 정답이 될 수 있으므로, 다른 어휘로 정답을 판단해야 한다. 예를 들어, 做作业(숙제를 하다), 预习(예습하다)가 나오면 学生이 정답이 될 것이고, 改作业(숙제를 첨삭 지도하다), 备课(교사가 수업 준비를 하다)가 등장하면 教师가 정답이 될 것이다.

A 老师　　　B 同事　　　C 行人　　　D 顾客

🔍 **문제 분석** 직업을 유추할 수 있는 명사와 동사에 집중! ◁ **1** . **3** 적용

A 老师	B 同事	A 선생님	B 동료
C 行人	D 顾客	C 행인	D 고객

男: 小姐, 你这里卖耳机吗?

女: 我这儿是卖手机的, 耳机在三楼。

男: 从哪儿上去?

女: 电梯, 往前走, 向右拐就是。

问: 男的最可能是什么人?

남: 아가씨, 여기 이어폰 파나요?

여: 여기는 휴대전화를 파는 데고요. 이어폰은 3층에 있어요.

남: 어디로 올라가야 하나요?

여: 엘리베이터로요. 앞으로 가다가 오른쪽으로 돌면 있어요.

질문: 남자는 무엇을 하는 사람이겠는가?

해설 남자는 여자에게 이곳에서 이어폰을 판매하냐고 물어봤으므로, 이어폰을 사러 온 고객이라는 것을 알 수 있다. 만약 여자의 직업을 묻는 문제였다면 售货员(판매원)이 정답이 될 수 있다. 남자의 신분을 묻는 것인지, 여자의 신분을 묻는 것인지 반드시 확인하도록 하자.

단어 老师 lǎoshī 명 선생님 | 同事 tóngshì 명 동료 | 行人 xíngrén 명 행인 | 顾客 gùkè 명 고객 | 耳机 ěrjī 명 이어폰 | 手机 shǒujī 명 휴대전화 | 电梯 diàntī 명 엘리베이터 | 拐 guǎi 동 꺾어 돌다

📖 感动日记

오늘 새롭게 알게 된 내용, 가장 중요한 핵심 내용, 학습 소감과 각오 등을 적어 보세요.

1 学生 xuésheng 학생, 同学 tóngxué 학우   ▶ 02-16

01 毕业 bìyè 졸업하다

02 复习 fùxí 복습(하다)

　↔ 预习 yùxí 예습(하다)

03 做功课 zuò gōngkè 공부하다

04 背课文 bèi kèwén 본문을 외우다

05 写作业 xiě zuòyè 숙제를 하다

06 不及格 bù jígé 불합격하다

　↔ 及格 jígé 합격하다

07 期中考试 qīzhōng kǎoshì 중간고사

08 期末考试 qīmò kǎoshì 기말고사

09 成绩 chéngjì 성적

10 专业 zhuānyè 전공

2 公司 gōngsī 회사, 同事 tóngshì 동료   ▶ 02-17

01 办公室 bàngōngshì 사무실

02 经理 jīnglǐ 사장, 책임자

03 老板 lǎobǎn 사장

04 秘书 mìshū 비서

05 职员 zhíyuán 직원

06 电脑 diànnǎo 컴퓨터

07 复印机 fùyìnjī 복사기

08 出差 chūchāi 출장 가다

3 老师 lǎoshī 선생님, 教师 jiàoshī 교사   ▶ 02-18

01 寒假 hánjià 겨울 방학

02 暑假 shǔjià 여름 방학

03 备课 bèikè (교사가) 수업을 준비하다

04 留作业 liú zuòyè 숙제를 내 주다

05 改作业 gǎi zuòyè 교사가 숙제를 체크한다

06 校长 xiàozhǎng 교장, (대학) 총장

07 班主任 bānzhǔrèn 담임 선생님

08 教授 jiàoshòu 교수

4 售货员 shòuhuòyuán 판매원, 顾客 gùkè 고객   ▶ 02-19

01 服务态度 fúwù tàidu 서비스 태도

02 退换 tuìhuàn 반품과 교환

03 发票 fāpiào 영수증

04 款式 kuǎnshì 스타일

05 打折 dǎzhé 할인하다

06 优惠 yōuhuì 우대 혜택

07 收银台 shōuyíntái 계산대

08 来一个 lái yí ge 하나를 사다

!Tip '~를 주세요.'라고 말할 때는 일반적으로 来를 쓴다.

5 司机 sījī 운전사, 交通警察 jiāotōng jǐngchá 교통경찰　▶ 02-20

01 开车 kāichē 운전하다

02 红绿灯 hónglǜdēng 신호등

03 停车 tíngchē 차를 멈추다

04 超速 chāosù 과속하다

05 罚款 fákuǎn 벌금을 내다

06 驾驶执照 jiàshǐ zhízhào 운전면허증

07 下次注意 xiàcì zhùyì 다음에 주의하세요

6 家人 jiārén 가족, 夫妻 fūqī 부부　▶ 02-21

01 孩子 háizi 아이

02 孙女 sūnnnǚ 손녀

03 父亲 fùqīn 아버지

04 母亲 mǔqīn 어머니

05 父女 fùnǚ 부녀, 아버지와 딸

06 母子 mǔzǐ 모자, 어머니와 아들

07 表哥 biǎogē 사촌 형(오빠)

08 叔叔 shūshu 삼촌

09 姑姑 gūgu 고모

10 姑父 gūfu 고모부

11 小两口 xiǎoliǎngkǒu 젊은 부부

12 老两口 lǎoliǎngkǒu 노부부

13 妻子 qīzi 아내
　　≒ 爱人 àiren, 老婆 lǎopo

14 丈夫 zhàngfu 남편
　　≒ 爱人 àiren, 老公 lǎogōng

15 教育 jiàoyù 교육(하다)

16 房子 fángzi 방, 집

17 结婚 jiéhūn 결혼(하다)

18 离婚 líhūn 이혼하다

7 기타　▶ 02-22

01 邻居 línjū 이웃

02 导游 dǎoyóu (관광) 가이드

03 舞蹈演员 wǔdǎo yǎnyuán 무용가

04 运动员 yùndòngyuán 운동선수

05 服务员 fúwùyuán 종업원

06 厨师 chúshī 요리사

07 记者 jìzhě 기자

08 行人 xíngrén 행인

DAY 13
▶ 02-23

1. A 老师　　　　B 导游　　　　C 服务员　　　　D 电影导演

2. A 哥哥　　　　B 老师　　　　C 叔叔　　　　　D 爸爸

3. A 妈妈　　　　B 父亲　　　　C 亲戚　　　　　D 女的

4. A 同事　　　　B 朋友　　　　C 夫妻　　　　　D 亲戚

DAY 14
▶ 02-24

1. A 服务员　　　B 售货员　　　C 送货员　　　　D 卖卡的

2. A 邻居　　　　B 朋友　　　　C 家人　　　　　D 保安

3. A 同学　　　　B 朋友　　　　C 女儿　　　　　D 妈妈

4. A 司机　　　　B 警察　　　　C 售货员　　　　D 公司职员

04 암기만 하면 답이 보이는 장소 문제

DAY 15-16

장소 문제는 두 사람의 대화를 듣고 대화가 이루어지는 장소를 추측하거나, 화자가 가려는 목적지가 어디인지를 묻는 문제가 대부분이다. 문제 유형으로는 보기에 제시된 장소를 녹음에서 그대로 언급하는 문제와, 장소에 관련된 동사나 명사 등 핵심 어휘를 집중해서 듣고, 정답을 유추해야 하는 문제가 있다.

듣기 시크릿 백전백승

1 보기를 보고 장소 문제임을 알아채라!

장소 문제는 보기에 주로 商店(상점), 办公室(사무실), 超市(슈퍼마켓), 图书馆(도서관) 등의 장소가 등장하기 때문에, 보기만 보고도 장소 문제임을 알아야 한다. 장소와 관련된 명사를 집중해서 듣는다.

2 장소 관련 어휘를 잡아라!

직접적으로 들려준 장소가 답이 될 수도 있지만, 관련 어휘만 듣고 간접적으로 장소를 유추하라는 문제가 출제될 가능성도 높으니, 관련 동사와 명사에 집중한다.

예 **[녹음]** 买衣服 옷을 사다 → **[보기]** 商店 상점

　[녹음] 看病 진찰 받다 / 发烧 열이 나다 → **[보기]** 医院 병원

3 혼동 어휘를 제거하라!

평이한 문제는 관련 어휘를 조합해 보았을 때 하나의 답이 떠오르지만, 난이도가 높은 문제는 2~3가지의 답을 떠오르게 하므로, 질문의 의도를 잘 파악하여 혼동 어휘를 제거해야 한다. 4개의 보기 중 답이 아니라고 생각되는 것은 먼저 '/' 표시로 제거해 놓고, 나머지 보기 중에서 답을 골라야 정답 확률이 높아진다.

4 핵심 어휘를 암기하라!

안 들린다고 포기하는 것은 금물! 아는 만큼 들린다! '시크릿 보물상자'의 핵심 어휘를 먼저 암기하고 자신감을 회복한 뒤에 다시 도전해 보자.

문제 1 ▶ 02-25

A 超市　　　B 办公室　　　C 图书馆　　　D 手机商店

🔍 **문제 분석** 보기와 비슷한 어휘가 들리는지 집중! ‹ **1** , **2** 적용 ›

A 超市　B 办公室　C 图书馆　D 手机商店	A 슈퍼마켓　B 사무실　C 도서관　D 휴대전화 판매점
女: 刚才我打你手机，你怎么不接啊?	여: 방금 내가 너한테 전화했는데, 왜 안 받았어?
男: 我们办公楼里信号不好，手机经常没信号。	남: 우리 회사 건물 안이 신호가 안 좋아. 종종 수신이 안 돼.
问: 刚才男的在哪里?	질문: 방금 남자는 어디에 있었는가?

> 해설 왜 전화를 받지 않았냐는 여자의 물음에 남자는 회사 건물 안의 신호가 안 좋다고 대답했으므로, 방금 남자가 사무
> 실에 있었음을 간접적으로 알 수 있다. 따라서 정답은 B가 된다.

> 단어 **超市** chāoshì 몡 슈퍼마켓 | **办公室** bàngōngshì 몡 사무실 | **图书馆** túshūguǎn 몡 도서관 | **手机** shǒujī 몡 휴대전화 | **接** jiē 동
> (전화를) 받다 | **信号** xìnhào 몡 신호 | **经常** jīngcháng 팀 항상, 자주

문제 2 ▶ 02-26

A 南门　　　B 售票处　　　C 朋友家　　　D 演唱会上

🔍 **문제 분석** 장소를 나타내는 어휘에 집중! ‹ **1** , **2** 적용 ›

A 南门　B 售票处　C 朋友家　D 演唱会上	A 남문　　B 매표소　　C 친구 집　　D 콘서트장
女: 明天的演唱会你要不要看?	여: 너 내일 콘서트 보러 갈 거야?
男: 我当然想去，不过票都买不到，想去也去 不了啊。	남: 나는 당연히 가고 싶지만, 표를 못 사서 가고 싶어도 못 가.
女: 正好我朋友多给了我一张，到时候一起去吧。	여: 마침 내 친구가 나한테 표 한 장을 더 줬는데, 같이 가자.
男: 真的假的，你不是在开玩笑吧?	남: 진짜야 거짓말이야? 너 농담하는 거 아니지?
女: 怎么会呢，明晚七点南门见。	여: 어떻게 농담을 하니. 내일 저녁 7시에 남문에서 만나자.
问: 明天晚上他们在哪儿见面?	질문: 내일 저녁에 그들은 어디에서 만나는가?

> 해설 票(표)나 演唱会(콘서트)가 앞부분에 언급되어서 B나 D를 고르는 실수를 할 수도 있지만, 마지막에 여자가 내일 남
> 문에서 만나자고 했으므로, 정답은 A가 된다.

> 단어 **演唱会** yǎnchànghuì 몡 콘서트 | **正好** zhènghǎo 팀 마침 | **真** zhēn 혱 진짜다 | **假** jiǎ 혱 가짜다 | **开玩笑** kāi wánxiào 동 농담
> 하다

교통수단

1 火车站 huǒchēzhàn 기차역   ▶ 02-27

01 火车 huǒchē 기차

02 软卧 ruǎnwò 우등 침대칸(푹신한 침대칸)

03 硬卧 yìngwò 보통 침대칸(딱딱한 침대칸)

04 上铺 shàngpù 상층 침대

05 下铺 xiàpù 하층 침대

06 旅客 lǚkè 여행객

07 检票 jiǎnpiào 개찰하다, 검표하다

2 公共汽车 gōnggòng qìchē 버스   ▶ 02-28

01 司机 sījī 운전사, 기사

02 乘客 chéngkè 승객

03 售票员 shòupiàoyuán 매표원

04 下车 xiàchē 하차하다

05 几路车 jǐ lù chē 몇 번 (노선) 버스

06 换车 huànchē 환승하다

07 换座位 huàn zuòwèi 자리를 바꾸다

08 高速公路 gāosù gōnglù 고속도로

3 出租汽车 chūzū qìchē 택시   ▶ 02-29

01 打车 dǎchē 택시를 잡다

02 停车 tíngchē 차를 세우다

03 红绿灯 hónglǜdēng 신호등

04 开快点儿 kāi kuài diǎnr 운전을 빨리 하다

4 机场 jīchǎng 공항   ▶ 02-30

01 飞机 fēijī 비행기

02 出国 chūguó 출국하다

03 起飞 qǐfēi 이륙하다

04 机票 jīpiào 비행기 표

05 护照 hùzhào 여권

06 办手续 bàn shǒuxù 수속을 밟다

07 晚点 wǎndiǎn 연착하다

08 空姐 kōngjiě 스튜어디스

  = 空中小姐 kōngzhōng xiǎojiě

09 登机牌 dēngjīpái (비행기의) 탑승권

10 降落 jiàngluò 착륙하다

11 行李箱 xínglixiāng 짐, 트렁크

1 商店 shāngdiàn 상점 · 超市 chāoshì 슈퍼마켓 ▶ 02-31

01 质量 zhìliàng 품질

02 打折 dǎzhé 할인하다

03 流行 liúxíng 유행하다

04 合适 héshì 알맞다

05 售货员 shòuhuòyuán 판매원

06 挑选 tiāoxuǎn 고르다

07 件 jiàn 옷(주로 상의)을 세는 양사

08 条 tiáo 바지 · 치마를 세는 양사

09 双 shuāng 신발 · 양말 등을 세는 양사

10 现金 xiànjīn 현금

11 刷卡 shuākǎ 카드를 긁다

12 信用卡 xìnyòngkǎ 신용카드

2 宾馆 bīnguǎn · 饭店 fàndiàn 호텔 ▶ 02-32

01 单人房 dānrénfáng 1인실

02 双人房 shuāngrénfáng 2인실

03 标准间 biāozhǔnjiān 일반실

04 退房 tuìfáng 체크아웃하다

05 钥匙 yàoshi 열쇠

　≒ 房卡 fángkǎ (카드로 된) 열쇠

06 行李 xíngli 여행 짐

07 服务员 fúwùyuán 종업원

3 饭馆 fànguǎn · 餐厅 cāntīng 음식점 ▶ 02-33

01 菜单 càidān 메뉴판

02 点菜 diǎncài 주문하다

03 一碗米饭 yì wǎn mǐfàn 밥 한 공기

04 一瓶啤酒 yì píng píjiǔ 맥주 한 병

05 来点儿什么? lái diǎnr shénme?
무엇을 주문하시겠습니까?

06 味道 wèidao 맛

07 凉菜 liángcài 냉채(차갑게 나오는 요리)

08 热菜 rècài 열채(따뜻하게 나오는 요리)

09 打包 dǎbāo 포장하다

10 结账 jiézhàng 계산하다 = 买单 mǎidān

11 矿泉水 kuàngquánshuǐ 생수

12 勺子 sháozi 국자, (소금 큰) 수저

4 理发店 lǐfàdiàn 이발소 ▶ 02-34

01 剪短 jiǎnduǎn 짧게 자르다

02 洗头 xǐtóu 머리 감다

03 烫发 tàngfà 파마하다

04 染发 rǎnfà 염색하다

05 理发师 lǐfàshī 이발사

5 电影院 diànyǐngyuàn **영화관** ▶ 02-35

01 开演 kāiyǎn 영화를 시작하다

02 演员 yǎnyuán 연기자, 배우

03 情节 qíngjié 줄거리

04 上映 shàngyìng (영화를) 상영하다

05 导演 dǎoyǎn 감독

06 台词 táicí 대사

공공시설

1 图书馆 túshūguǎn **도서관** ▶ 02-36

01 借书 jiè shū 책을 빌리다

02 借书证 jièshūzhèng 도서대출증

03 还书 huán shū 책을 반납하다

04 到期 dàoqī (반납) 기한이 되다

05 过期 guòqī 기한을 넘기다

06 罚款 fákuǎn 연체료를 내다

07 杂志 zázhì 잡지

08 阅览室 yuèlǎnshì 열람실

2 邮局 yóujú **우체국** ▶ 02-37

01 寄信 jì xìn 편지를 부치다

02 超重 chāozhòng 중량을 초과하다

03 贴邮票 tiē yóupiào 우표를 붙이다

04 包裹 bāoguǒ 소포

05 取包裹 qǔ bāoguǒ 소포를 찾다

06 信封 xìnfēng 편지 봉투

3 银行 yínháng **은행** ▶ 02-38

01 取钱 qǔqián 인출하다

02 存钱 cúnqián 저금하다

03 换钱 huànqián 환전하다

04 汇钱 huì qián 송금하다

05 密码 mìmǎ 비밀번호

06 利息 lìxī 이자

4 医院 yīyuàn **병원** ▶ 02-39

01 大夫 dàifu 의사 = 医生 yīshēng

02 看病 kànbìng 진찰하다 / 진찰 받다

03 发烧 fāshāo 열이 나다

04 头疼 tóuténg 두통

05 取药 qǔ yào 약을 찾다

06 打针 dǎzhēn 주사를 맞다 / 주사를 놓다

07 开药方 kāi yàofāng 처방전을 쓰다

08 住院 zhùyuàn 입원하다

09 出院 chūyuàn 퇴원하다

10 (做)手术 (zuò) shǒushù 수술(하다)

DAY 15

02-40

1. A 药店　　　B 银行　　　C 医院　　　D 邮局

2. A 餐厅　　　B 市场　　　C 宾馆　　　D 咖啡厅

3. A 饭馆　　　B 食堂　　　C 家里　　　D 宾馆

4. A 银行　　　B 火车站　　　C 公共汽车站　　　D 电影院门口

DAY 16

02-41

1. A 路上　　　B 车上　　　C 饭店里　　　D 公共汽车站

2. A 家里　　　B 银行　　　C 商场　　　D 电影院

3. A 商店　　　B 饭馆　　　C 超市　　　D 蛋糕店

4. A 商店　　　B 停车场　　　C 修车铺　　　D 收费人

05 화자의 행위를 파악하는 동작 문제

동작 문제는 말하는 사람이 어떤 행동을 하고 있는지, 혹은 앞으로 어떤 행동을 할 것인지 그 활동 내용을 묻는 문제다. 문제 유형은 녹음 지문의 핵심 어휘가 보기에 그대로 나오기도 하고, 들은 내용을 토대로 답을 유추해야 할 수도 있다. 주로 일상생활과 관련된 내용이 나오기 때문에 보기를 해석하거나 이해하는 데 큰 어려움은 없으니, 용기를 갖고 도전해 보자!

듣기 시크릿 백전백승

1 보기를 보고 동작 문제임을 알아채라!

동작 문제는 보기에 휴식하다(休息), 여행하다(旅游), 쇼핑하다(逛街), 식사하다(吃饭) 등 일상생활에서 흔히 사용하는 동작 관련 어휘들이 등장하므로, 보기만 보고도 동작 문제임을 알고 관련 어휘에 집중해서 들어야 한다.

2 혼동 어휘에 주의하라!

2개 이상의 동작이 제시되므로, 어느 것이 진짜 일어나는 행동인지 쉽게 구분하기 위해서는 문제를 풀며 메모하는 습관을 길러야 한다.

3 시제에 주의하라!

이미 발생한 동작이 무엇인지, 지금 무엇을 하고 있는지, 앞으로 발생할 행동이 무엇인지 등의 시점에 주의하여 듣고, 질문 또한 어느 시점의 행동을 묻는 것인지 정확히 파악한다.

예 他做什么了? 그는 무엇을 했는가? [이미 발생한 행동]

正在做什么? 지금 무엇을 하는가? [현재 하고 있는 행동]

打算做什么? 무엇을 할 계획인가? [앞으로 할 행동]

문제 1 ▶ 02-42

A 搬家   B 搬行李   C 搬饮料   D 整理文件

🔍 **문제 분석** 대화의 첫머리에 집중! ⟨ **1 , 2** 적용 ⟩

A 搬家	B 搬行李	A 이사를 한다	B 짐을 옮긴다
C 搬饮料	D 整理文件	C 음료수를 옮긴다	D 서류를 정리한다

男：那箱饮料可不轻，还是我来搬吧。
女：那谢谢你了。

问：男的在帮女的做什么?

남: 그 음료수 박스는 가볍지 않아, 내가 옮기는 게 낫겠어.
여: 그럼 고맙지.

질문: 남자는 여자를 도와 무엇을 하고 있는가?

해설 搬(옮기다)이라는 단어만 들었다면 다른 보기와 헷갈릴 수 있지만, 남자가 처음에 那箱饮料(그 음료수 박스)라고 말한 것을 놓치지 않았다면 C를 정답으로 고를 수 있다.

단어 搬家 bānjiā 동 이사하다 | 搬 bān 동 옮기다 | 行李 xíngli 명 짐 | 饮料 yǐnliào 명 음료 | 整理 zhěnglǐ 동 정리하다 | 文件 wénjiàn 명 서류, 문건 | 轻 qīng 형 가볍다

NEW 단어 + TIP

- 占线 zhànxiàn 동 통화 중이다
  占线을 직역하면 '선을 점령하다'는 뜻으로, 이미 다른 사람과 통화 중이라는 의미가 있다. 이러한 표현이 등장하면 정답은 打电话(전화를 하다)가 될 가능성이 높다.

- 应聘 yìngpìn 동 지원하다, 초빙에 응하다
  应聘(지원하다), 面试(면접 보다), 录用(채용하다) 등의 어휘가 나오면, 找工作(일자리를 구한다)가 정답이 될 확률이 높다.

- 排队 páiduì 동 줄 서다
  영화표나 기차표를 구하기 힘들다는 내용, 혹은 유명한 음식점에 사람이 많다는 내용이 나오면, 排队(줄을 서다)가 정답으로 제시될 수 있다.

A 去花园了　　B 心情不好　　C 买新房了　　D 不想请客

🔍 **문제 분석** 상황을 유추할 수 있는 어휘에 주의! ⟨ **1** . **2** 적용 ⟩

A 去花园了	B 心情不好	A 화원에 갔다	B 기분이 안 좋다
C 买新房了	D 不想请客	C 새집을 샀다	D 초대하고 싶지 않다

男：听说今天小王请客，难道有什么好事儿？
女：他搬新家了，晚上请同事们去家里吃饭，
　　顺便看看他的新房子。
男：是吗？他在哪儿买的房子？
女：新家的名字好像是"长虹花园"，环境很
　　好，很安静。

问：小王怎么了？

남: 오늘 샤오왕이 초대한다던데, 무슨 좋은 일 있나?
여: 그는 새집으로 이사했어. 저녁에 동료들을 자기 집에 밥 먹으러 오라고 초대했어. 간 김에 집 구경도 좀 하라고.
남: 정말? 어디에 집을 샀대?
여: 새집 이름이 '무지개 화원'이었던 것 같아. 환경도 매우 좋고 조용하다던데.

질문: 샤오왕은 어떠한가?

해설 여자가 샤오왕이 새집으로 이사했다(搬新家)고 했으므로 정답은 C가 된다. 대화에는 이사했다고 언급된 것이 보기에는 새집(新房)을 구입했다고 바뀌어 나왔다. 여기에서 花园은 아파트의 이름이지, '꽃밭'을 의미하지 않으므로 A는 정답이 아니다. 새집을 사서 기분도 좋고, 사람들을 초대해서 집 구경도 시키고 싶어하므로, B, D 모두 정답이 될 수 없다.

단어 花园 huāyuán 몡 화원 | 心情 xīnqíng 몡 마음, 기분 | 新房 xīnfáng 몡 새집 | 请客 qǐngkè 동 손님을 초대하다 | 难道 nándào 뷔 설마 ~인가 | 同事 tóngshì 몡 동료 | 顺便 shùnbiàn 뷔 ~하는 김에 | 长虹 chánghóng 몡 무지개 | 环境 huánjìng 몡 환경 | 安静 ānjìng 톙 조용하다

1 家 jiā 집
02-44

01 休息 xiūxi 쉬다

02 听音乐 tīng yīnyuè 음악을 듣다

03 洗碗 xǐwǎn 설거지하다

04 做饭 zuòfàn 요리를 하다

= 做菜 zuò cài

05 打扫 dǎsǎo 청소하다

06 洗衣服 xǐ yīfu 빨래하다

07 聊天儿 liáotiānr 이야기하다

08 看电视 kàn diànshì 텔레비전을 보다

09 起床 qǐchuáng 일어나다

10 睡觉 shuìjiào 잠을 자다

11 厕所 cèsuǒ 화장실

= 卫生间 wèishēngjiān

2 日常生活 rìcháng shēnghuó 일상생활
02-45

01 旅游 lǚyóu 여행하다

02 买礼物 mǎi lǐwù 선물을 사다

03 逛街 guàngjiē 쇼핑하다

= 买东西 mǎi dōngxi

04 去市场 qù shìchǎng 시장에 가다

05 爬楼梯 pá lóutī 계단을 오르다

06 玩游戏 wán yóuxì 게임을 하다

07 看表演 kàn biǎoyǎn 공연을 보다

3 医院 yīyuàn 병원
02-46

01 看病 kànbìng 진료를 받다 / 진료하다

02 住院 zhùyuàn 입원하다

↔ 出院 chūyuàn 퇴원하다

03 打针 dǎzhēn 주사를 맞다 / 주사를 놓다

04 开刀 kāidāo 수술을 하다

= 动手术 dòng shǒushù

4 公司 gōngsī 회사
02-47

01 开会 kāihuì 회의하다

02 出差 chūchāi 출장 가다

03 上班 shàngbān 출근하다

↔ 下班 xiàbān 퇴근하다

04 加班 jiābān 연장 근무를 하다

05 退休 tuìxiū 퇴직하다

06 辞职 cízhí 사직하다

07 面试 miànshì 면접을 보다

5 学校 xuéxiào **학교** ▶ 02-48

01 **上课** shàngkè 수업하다 / 수업받다

　　↳ **下课** xiàkè 수업을 마치다

02 **上学** shàngxué 등교하다

　　↳ **放学** fàngxué 하교하다

03 **不及格** bù jígé 불합격하다

　　↳ **及格** jígé 합격하다

04 **考试** kǎoshì 시험 (보다)

05 **毕业** bìyè 졸업하다

06 **预习** yùxí 예습하다

　　↳ **复习** fùxí 복습하다

07 **借书** jiè shū 책을 빌리다

　　↳ **还书** huán shū 책을 반납하다

6 业余活动 yèyú huódòng **여가 활동** ▶ 02-49

01 **散步** sànbù 산책하다

02 **爬山** páshān 등산하다

03 **下棋** xiàqí 장기(바둑)를 두다

04 **看电影** kàn diànyǐng 영화를 보다

05 **看书** kàn shū 독서를 하다

06 **练钢琴** liàn gāngqín 피아노를 연습하다

07 **踢球** tīqiú 축구를 하다

08 **打篮球** dǎ lánqiú 농구를 하다

09 **游泳** yóuyǒng 수영을 하다

10 **旅行** lǚxíng 여행하다

11 **郊区** jiāoqū 교외

12 **去春游** qù chūnyóu 봄놀이 가다

13 **兜风** dōufēng 바람 쐬다, 드라이브하다

NEW 단어 + TIP

- 厕所 cèsuǒ (= 卫生间 wèishēngjiān) 몡 화장실
  속이 불편하고, 배탈이 났을 때 화장실을 찾는 내용의 대화에서 등장할 수 있다.

- 郊区 jiāoqū 몡 교외
  교외는 도시와 인접한 곳을 말하며, 주말에 나들이 가거나 바람 쐬러 가자는 내용의 대화에서 등장할 수 있다.

DAY 17

02-50

1. A 旅游　　　　B 买东西　　　　C 去上海　　　　D 收拾行李

2. A 生病了　　　B 得加班　　　　C 有别的约会　　D 要准备考试

3. A 上厕所　　　B 理发　　　　　C 抽烟　　　　　D 扔垃圾

4. A 看雪景　　　B 拍照片　　　　C 吃早饭　　　　D 马上去上班

DAY 18

02-51

1. A 出差　　　　B 旅行　　　　　C 留学　　　　　D 做生意

2. A 爸爸送她　　B 坐地铁　　　　C 坐出租车　　　D 自己开车

3. A 洗澡　　　　B 购物　　　　　C 买东西　　　　D 收拾行李

4. A 给女的纸　　　　　　　　　　B 让女的出去
　 C 允许女的出去　　　　　　　　D 在黑板上写题

06 그대로 들리는 핵심어

DAY 19-20

듣기 제2·3부분 중에서 들려준 내용이 보기에 거의 고스란히 나오는 유형이다. 녹음을 듣기 전에 보기에 제시된 어휘들에 눈도장을 확실히 찍어 놓고 대화를 들으면 바로 정답이 보일 것이다. 집중만 한다면 모두 맞힐 수 있는 문제들이니 절대로 놓치지 말자!

듣기 시크릿 백전백승

1 보기를 보고 핵심어 문제임을 알아채라!

핵심어 문제는 보기에 단어, 구, 절 등이 다양하게 나온다.

예 聪明 똑똑하다 / 迟到 지각하다 / 很热 매우 덥다

打电话 전화하다 / 味道很好 맛이 매우 좋다

2 들리는 게 곧 정답이다!

4급 문제는 녹음에서 들린 표현이 보기에 그대로 나오거나, 1, 2음절만 바뀌어서 나오는 경우가 많으므로 난이도가 그다지 높지 않다.

예 [녹음] 我想买一件大衣。 나는 외투 한 벌을 사고 싶다.

→ [보기] 想买一件衣服 옷 한 벌을 사고 싶다

3 노트에 정리해서 암기하라!

때로는 공부한 단어가 정답이 되는 경우도 있으니, 문제를 풀고 나면 핵심어와 정답을 다시 노트에 정리해서 암기해야 한다. 실전에서 핵심어가 귀에 팍팍 꽂히게 될 것이다.

예 来不及 = 没有时间 시간이 없다

不贵 = 便宜 (값이) 싸다

有的是 = 很多 많다

문제 1　　　　　　　　　　　　　　　　　　　　　　▶ 02-52

A 床　　　B 木头　　　C 家具　　　D 沙发

🔍 **문제 분석**　핵심어에 집중!　〈 **1** , **2** 적용 〉

A 床　B 木头　C 家具　D 沙发	A 침대　B 나무　C 가구　D 소파
男: 小姐，您好，你想买什么家具，需要我为您介绍一下吗? 女: 谢谢，我想买沙发，有木头的吗? 问: 女的要买什么?	남: 아가씨, 안녕하세요. 어떤 가구를 사려고 하시나요? 제가 소개 좀 해 드릴까요? 여: 고마워요. 소파를 사고 싶은데, 나무로 된 것 있나요? 질문: 여자는 무엇을 사려고 하는가?

해설　보기의 木头(나무), 家具(가구), 沙发(소파)라는 단어는 모두 녹음에서 언급된 단어지만, 여자가 사고 싶은 것은 가구 중에서도 나무로 된 소파이므로 정답은 D가 된다.

단어　木头 mùtou 몡 목재, 나무 | 家具 jiājù 몡 가구 | 沙发 shāfā 몡 소파 | 需要 xūyào 동 필요하다 | 介绍 jièshào 동 소개하다

문제 2　　　　　　　　　　　　　　　　　　　　　　▶ 02-53

A 旅游　　　　B 开车　　　　C 游泳　　　　D 看朋友

🔍 **문제 분석**　들리는 내용 그대로 이해하기!　〈 **1** , **2** 적용 〉

A 旅游　　　　B 开车 C 游泳　　　　D 看朋友	A 여행하다　　　　B 운전을 하다 C 수영하다　　　　D 친구를 만나다
女: 你好! 请问，王师傅在家吗? 男: 他不在，去游泳了。 女: 那他什么时候回来? 男: 一会儿就回来。 女: 好的，那我等会儿再联系他吧。打扰了，再见。 问: 王师傅做什么去了?	여: 안녕하세요! 저기, 왕 선생님 댁에 계시나요? 남: 안 계세요. 수영하러 가셨어요. 여: 그럼 언제쯤 돌아오시나요? 남: 좀 있으면 돌아오실 거예요. 여: 알겠습니다. 그럼 제가 조금 있다가 다시 연락 드릴게요. 폐를 끼쳤네요. 안녕히 계세요! 질문: 왕 선생님은 무엇을 하러 갔는가?

해설　왕 선생님이 집에 계시냐는 여자의 물음에 남자는 수영하러 가셔서 안 계신다고 했으므로 정답은 C가 된다. 旅游(여행하다)와 游泳(수영하다)은 발음이나 모양이 비슷하여 혼동하기 쉬우니 주의한다.

단어　旅游 lǚyóu 동 여행하다 | 开车 kāichē 동 운전하다 | 游泳 yóuyǒng 동 수영하다 | 朋友 péngyou 몡 친구 | 师傅 shīfu 몡 스승, 사부 | 联系 liánxì 동 연락하다 | 打扰 dǎrǎo 동 방해하다, 폐를 끼치다

▶ 02-54

핵심어	동의어 표현	의미
01 有的是 yǒudeshì	很多 hěn duō	얼마든지 있다
02 发福了 fā fú le	胖了 pàng le	살이 쪘다
03 味道好 wèidao hǎo	好吃 hǎochī	맛이 좋다
04 难过 nánguò	痛苦 tòngkǔ	괴롭다
05 出差 chūchāi	在外地 zài wàidì	출장 가다
06 出毛病 chū máobìng	坏了 huài le	고장이 나다
07 准时 zhǔnshí	按时 ànshí	제때에, 시간에 맞춰
08 害怕 hàipà	怕 pà	무섭다, 두렵다
09 过时了 guòshí le	不流行 bù liúxíng	유행이 지나다
10 关键 guānjiàn	最重要 zuì zhòngyào	관건은, 가장 중요한 것은
11 太阳从西边出来 tàiyáng cóng xībian chūlai	不可能 bù kěnéng	해가 서쪽에서 뜨다, 불가능하다
12 半天 bàntiān	很长时间 hěn cháng shíjiān	한참 동안
13 马虎 mǎhu	粗心 cūxīn	세심하지 못하다, 덜렁대다
14 难得 nándé	很少 hěn shǎo	~하기 어렵다, 드물다
15 答应 dāying	同意 tóngyì	동의하다
16 好不容易 hǎobù róngyi	好容易 hǎoróngyì	매우 어렵사리
17 脾气 píqi	性格 xìnggé	성격, 성질
18 下岗 xiàgǎng	失业 shīyè	실직하다
19 忙得不得了 máng de bùdéliǎo	很忙 hěn máng	매우 바쁘다
20 不一定 bù yídìng	不见得 bújiàndé / 未必 wèibì	반드시 ~한 것은 아니다
21 不简单 bù jiǎndān	了不起 liǎobuqǐ	대단하다
22 动身 dòngshēn	出发 chūfā	출발하다
23 有把握 yǒu bǎwò	有信心 yǒu xìnxīn	자신이 있다
24 发火 fāhuǒ	生气 shēngqì	화를 내다
25 很热闹 hěn rènao	好不热闹 hǎobù rènao	매우 북적이다

DAY 19
▶ 02-55

1. A 运气不好　　　　　　　　B 奖金发过了
   C 不可能发奖金　　　　　　D 西边的太阳最美

2. A 太远了　　B 菜太贵　　C 太随便　　D 菜很好吃

3. A 矿泉水　　B 冷水　　　C 茶叶　　　D 热水

4. A 多云　　　B 晴朗　　　C 下雨　　　D 出太阳了

DAY 20
▶ 02-56

1. A 凑合　　　B 不错　　　C 非常好　　D 谁也不知道

2. A 有家具　　　　　　　　　B 楼层高
   C 在孩子学校附近　　　　　D 周围安静

3. A 不严重　　B 害怕打针　C 讨厌吃药　D 已经好了

4. A 撞车了　　B 受伤了　　C 路上堵车　D 还能开车

07 '듣기의 꽃' 의미 파악 문제

의미 파악 문제는 '듣기의 꽃'이라고 할 수 있을 정도로 가장 중요한 문제 유형으로, 전체 문제의 50% 이상을 차지한다. 의미 파악 문제는 들리는 단어 그대로 정답을 고르기보다는 대화의 내용을 머릿속에 그리며 전체 상황을 이해해야만 풀 수 있는 문제가 많다. 지엽적인 단어 하나에 매달리지 말고 예민해진 귀로 대화 전체를 듣도록 노력해 보자!

듣기 시크릿 백전백승

1 보기를 보고 의미 파악 문제임을 알아채라!

의미 파악 문제는 보기에 명사, 동사(구), 문장 등이 다양하게 나온다. 핵심어 문제와 유사하다.

2 이미지화 훈련을 하라!

한 글자 한 글자 해석하다 보면 숲속의 나무만 보고 산의 전체 모습을 보지 못하는 격이 된다. 대화를 들으면서 상황을 머릿속으로 상상하는 이미지화 훈련을 해야 한다.

3 혼동 어휘를 배제하라!

난이도의 판단 기준은 문제 속에 혼동 어휘가 있는지 여부다. 난이도가 있는 문제는 분명 문제 속에 혼동 어휘가 존재할 것이다. 어떤 것이 진정한 힌트인지 옥석을 가리는 능력을 길러야 한다.

4 노트에 정리해서 암기하라!

어떤 내용이 답에서는 어떻게 표현되었는지 노트에 정리해서 암기하면, 실전에서 정답이 눈에 쏙쏙 들어올 것이다.
예 [녹음] 我太累了。나 너무 피곤해.
→ [보기] 他不想出去玩。그는 놀러 나가기 싫다.

문제 1

▶ 02-57

A 漂亮	B 是新的	C 是旧的	D 是跟朋友借的

🔍 **문제 분석** 대화의 상황 이해하기! ⟨ **1** , **3** 적용 ⟩

A 漂亮	B 是新的
C 是旧的	D 是跟朋友借的

A 예쁘다	B 새것이다
C 오래된 것이다	D 친구에게 빌린 것이다

女: 啊! 外面下雪了! 别睡啦! 你快来看看!

男: 真的? 咱们出去吧。正好试试你的新照相机!

问: 这个照相机怎么样?

여: 어! 밖에 눈 온다! 자지 말고 빨리 와서 봐 봐!

남: 정말? 우리 밖에 나가자. 마침 네 사진기 시험해 보면 되겠네!

질문: 이 사진기는 어떠한가?

해설 下雪(눈이 온다), 睡(잠을 잔다), 看(본다), 出去(나간다) 등의 여러 가지 상황을 들려주지만, 질문의 정답이 되는 정보를 파악해야 한다. 남자의 새 사진기를 시험해 보자고 말했으므로, 이 사진기가 새것이라는 것을 알 수 있다.

단어 漂亮 piàoliang 웹 예쁘다 | 新 xīn 웹 새롭다 | 旧 jiù 웹 오래되다 | 借 jiè 통 빌리다 | 下雪 xiàxuě 통 눈이 내리다 | 睡 shuì 통 (잠을) 자다 | 正好 zhènghǎo 뷘 마침 | 试 shì 통 시험 삼아 해 보다 | 照相机 zhàoxiàngjī 명 사진기

感动日记

오늘 새롭게 알게 된 내용, 가장 중요한 핵심 내용, 학습 소감과 각오 등을 적어 보세요.

A 学国际关系   B 跟父母商量   C 让孩子自己决定   D 不能听孩子的想法

🔍 **문제 분석**   혼동 어휘를 배제하고 대화 상황 이미지화하기!   〈 **1** . **2** . **3** 적용

A 学国际关系	A 국제 관계를 공부한다
B 跟父母商量	B 부모와 의논을 한다
C 让孩子自己决定	C 아이에게 스스로 결정하게 한다
D 不能听孩子的想法	D 아이의 생각을 들으면 안 된다

女：王师傅，您孩子今年该考大学了吧？	여: 왕 선생님, 선생님 자녀가 올해 대학 시험 보죠?
男：我正想找你呢。你说，让他报什么专业比较好呢？国际关系？	남: 마침 너를 찾아가려고 했어. 네가 보기에 그 아이가 어떤 전공을 신청하는 게 좀 좋겠니? 국제 관계?
女：这主要得看孩子的兴趣。	여: 중요한 것은 아이의 흥미예요.
男：也对，那我再回去和他商量商量。	남: 그 말도 맞군. 그럼 다시 돌아가서 아이와 상의를 좀 해야겠어.
问：女的是什么看法？	질문: 여자의 의견은 어떠한가?

해설   여자는 아이의 흥미 위주로 생각해야 한다고 했는데, 그 말은 아이에게 스스로 결정하도록 해야 한다는 의미다. 국제 관계 전공도 언급되기는 했지만, 그것은 남자의 생각이지 여자의 생각이 아니다. 대화문에서는 남자의 의견인지 여자의 의견인지 확실히 구분할 줄 알아야 한다.

단어   **国际** guójì 몡 국제 | **关系** guānxi 몡 관계 | **商量** shāngliang 됭 상의하다 | **决定** juédìng 됭 결정하다 | **想法** xiǎngfa 몡 생각 | **师傅** shīfu 몡 스승, 사부 | **报** bào 됭 신청하다 | **专业** zhuānyè 몡 전공 | **兴趣** xìngqù 몡 흥미

의미 파악은 화자가 한 말을 바탕으로 그 속에 어떤 의미가 숨어 있는지 알아내는 것이다. 표면적으로 들리는 몇 개의 단어에 집착하지 말고, 전체 문맥을 파악하고 머릿속으로 이미지화 훈련을 한다. 듣기 실력 향상에 큰 도움이 될 것이다.

듣기	이미지화	유추
① 我一个人能完成。 나 혼자서 완성해 낼 수 있어.	혼자서 할 수 있다면, 그 다음에 어떤 말이 생략된 걸까?	你不用来帮我。 너는 나를 도우러 올 필요 없다.
② 看这样的电影, 还不如回家看孩子。 이런 영화를 보느니 차라리 집에 가서 애나 보겠다.	이 영화가 어떻길래 집에 가서 애나 보겠다고 하는 걸까?	这部电影没意思。 이 영화는 재미가 없다.
③ 这个计划书11点钟就 完成了。 이 계획서는 11시에 이미 완성했다.	11点 뒤에 시간의 빠름을 나타내는 **就**가 있다는 것은 무엇을 의미할까?	计划书写得很快。 계획서를 빨리 썼다.
④ 什么风把你吹来了? 무슨 바람이 불어서 왔니?	상대방은 바람이 불어서 온 걸까?	他来得很突然。 그가 온 것이 매우 갑작스럽다. 他不经常来。 그는 자주 오지 않는다.
⑤ 她长得不怎么样。 그녀는 생김새가 별로다.	생김새를 평가하고 있다. **不怎么样**은 긍정의 어휘일까? 부정의 어휘일까?	她长得不好看。 그녀는 못생겼다.
⑥ 时间还早, 肯定来得及。 시간이 아직 이르니, 분명 시간 내에 갈 수 있다.	'시간이 이르다' '시간 내에 도착할 수 있다'는 어떤 의미일까?	不会迟到。 지각할 리 없다.

76

DAY 21

▶ 02-59

1. A 不用来接　　　　　　　　B 让女的请假
   C 一个人回不了家　　　　　D 不知道火车几点到

2. A 负责　　　　B 很专业　　　　C 过于认真　　　　D 符合要求

3. A 快结婚了　　　　B 还没结婚　　　　C 现在很幸福　　　　D 不能参加婚礼

4. A 身体不舒服　　　　　　　B 逛街非常累
   C 逛街很有意思　　　　　　D 女的逛街速度太快

DAY 22

▶ 02-60

1. A 全卖光了　　　　B 味道不错　　　　C 没有人要吃　　　　D 价格很贵

2. A 秋天了　　　　B 缺少阳光　　　　C 房间温度高　　　　D 快要冻死了

3. A 减肥　　　　B 聊天　　　　C 停电了　　　　D 电梯坏了

4. A 不难　　　　B 很轻松　　　　C 没希望　　　　D 不顺利

듣기 제3부분 긴 지문
기출문제 탐색전

MP3 바로 듣기

문제 ▶ 03-00

36. A 牙膏　　B 小知识　　C 皮肤病治疗法　　D 一个电视节目
37. A 生活　　B 工作　　C 医疗　　D 学习

❶ 총 5개의 긴 지문에서 지문당 2문제씩 총 10문제가 출제된다.

❷ 제2부분과 마찬가지로 4개의 보기는 '주어 + 술어 + 목적어', '동사구', '형용사구', '명사' 형태로 제시된다.

!Tip 제1·2부분처럼 한 문제의 보기만 보는 것이 아니라, 두 문제의 보기(총 8개)를 미리 숙지해야 한다.
일일이 해석할 시간이 충분하지 않더라도 '어떤 내용을 묻는 문제구나' 정도는 파악해야 한다.

❸ 문제는 녹음 지문의 순서와 일치하게 나올 확률이 높다.

!Tip 먼저 첫 번째 문제의 보기를 보면서 녹음을 듣다가 예상 답안이 발견되면 바로 답을 체크하고,
연이어 다음 문제 보기를 보면서 문제를 풀면 된다.

❹ 문제 범위를 알리는 멘트와 질문은 모두 여자 성우가 낭독한다.

[문제 범위] 第36－37题是根据下面一段话。
[질문] 36. 说话人在介绍什么?

❺ 문제당 약 15초의 시간이 주어진다.

듣기 제3부분의 마지막 유형은 긴 지문 문제다. 한 지문에 2문제 정도가 출제되며, 총 다섯 지문이 나온다. 대화문은 남녀가 말을 주고 받는 사이에 시간 간격이 있는 반면, 긴 지문은 한 사람이 이야기를 들려주는 방식으로, 내용이 조금 길어지기 때문에 학습자들이 부담을 갖는 영역이기도 하다. 하지만 긴 지문이 어렵다는 고정관념은 버리자! 단지 지문이 조금 더 길어졌다는 것뿐! 오히려 이야기의 줄거리를 예측하는 데는 긴 지문이 더 쉬울 수 있다. 최소 10개 이상의 지문을 완벽하게 학습해 보면 긴 지문도 넘지 못할 벽이 아니라는 사실을 깨닫게 될 것이다.

녹음 지문 1

第 36－37 题是根据下面一段话:

　　这个节目我一直在看，它介绍了很多生活中的小知识，包括怎样选择牙膏，擦脸应该用什么毛巾，怎样远离皮肤病等等。很多以前我没有注意到的问题，现在通过它了解了不少。

36. 说话人在介绍什么？
37. 说话人了解了哪方面的知识？

❶ 제3부분의 녹음 지문은 대략 70~100자 미만의 길이다. 듣기 제3부분의 대화문과 비슷한 정도니 겁먹을 필요는 없다.

❷ 내용은 일상생활과 관련된 내용이 대부분이지만, 내용을 전체적으로 파악해야 문제를 풀 수 있다. 안 들리는 부분에 너무 집착할 필요는 없다. 답은 주로 들리는 부분에 있다.

❸ 녹음 지문은 남녀 성우가 번갈아가면서 낭독한다. 첫 번째 지문을 여자가 낭독했다면, 두 번째 지문은 남자가 낭독한다.

❹ 녹음 지문이 끝나면 약간의 시간이 주어진다. 이때 빨리 머릿속으로 들은 내용을 정리한다.

재미 & 감동 주는 에피소드

재미와 감동을 주는 내용의 긴 지문은 총 5개 중 1~2개를 차지한다. 아직 고급 수준이 아닌 4급이라는 점을 감안하여 지문의 길이도 2~4 문장 정도로 출제되며, 내용도 그렇게 딱딱하거나 어렵지 않다. 하지만 내용이 아무리 쉬워도 이야기의 전반적인 내용을 이해하지 못하면 실수하게 되므로, 이야기의 흐름을 쫓아가며 듣는 습관을 길러 보자!

듣기 시크릿 백전백승

1 보기 내용을 미리 숙지하라!

긴 지문은 3~4줄의 비교적 긴 내용을 단 한 번 듣고 이해해야 하므로 심적 부담이 크다. 보기를 먼저 보고 무엇을 핵심으로 들어야 할지, 어떤 내용이 나올지 미리 예측하고 듣는 것이 중요하다.

2 질문은 순서대로 나온다!

한 지문에 2개의 문제가 출제되는데, 대부분 이야기의 전개 흐름과 질문의 순서가 일치한다. 따라서 첫 번째 문제의 답은 녹음의 앞부분에서 찾아내고, 두 번째 문제의 답은 녹음의 중간이나 뒷부분에서 찾아보거나, 전체 내용을 파악한 후에 고르는 것이 현명하다.

3 들은 내용에 체크하라!

녹음을 들을 때는 눈을 감거나 허공을 바라보는 것이 아니라, 반드시 보기를 보고 있어야 한다. 보기에 해당하는 내용이 나오면 바로 체크해 가며 정답을 고르는 연습을 하자.

▶ 03-01

1. A 帽子 B 裤子 C 衬衫 D 袜子
2. A 朋友 B 丈夫 C 路人 D 售货员

🔍 **문제 분석** 보기를 보면서 이야기의 흐름에 집중! ＜ 1 , 2 적용

昨天妻子让我陪她去买双袜子。进了商店她没看袜子，先去看了帽子，看上了一顶就买下了。然后，她又买了一条裤子，一件衬衫。把她身上带的钱全花完后我们就回家了。回家以后，我吃惊地发现我们竟然没有买袜子。	어제 나는 아내와 함께 양말을 사러 갔다. 상점에 들어가니 아내는 양말은 보지 않고 먼저 모자를 보러 갔고, 모자 하나를 보더니 이내 바로 사 버렸다. 그 다음으로 그녀는 또 바지 한 벌과 블라우스 한 벌을 샀다. 아내가 갖고 있던 돈을 모두 다 쓴 후에 우리는 집으로 돌아왔다. 집에 돌아온 후에 나는 우리가 양말을 사지 않은 것을 알아차리고 깜짝 놀랐다.

단어 妻子 qīzi 뗑 아내 | 陪 péi 통 동반하다, 수행하다 | 袜子 wàzi 뗑 양말 | 商店 shāngdiàn 뗑 상점 | 帽子 màozi 뗑 모자 | 裤子 kùzi 뗑 바지 | 衬衫 chènshān 뗑 블라우스, 와이셔츠 | 带 dài 통 (몸에) 지니다 | 花 huā 통 쓰다, 소비하다 | 回家 huíjiā 통 집으로 돌아가다 | 吃惊 chījīng 통 놀라다 | 发现 fāxiàn 통 발견하다 | 竟然 jìngrán 뿐 의외로, 뜻밖에도

1. A 帽子 B 裤子 C 衬衫 D 袜子	A 모자 B 바지 C 블라우스 D 양말
问: 他们计划买什么?	질문: 그들은 무엇을 살 계획이었는가?

해설 녹음의 첫 부분에서 화자가 아내와 함께 양말을 사러 갔다고 말했으므로, 그들이 사려고 했던 것이 양말이었음을 알 수 있다. 그 다음으로 帽子(모자), 裤子(바지), 衬衫(블라우스)이라는 말이 나왔지만, 이것들은 계획하지 않고 산 것이므로 정답이 될 수 없다. 이렇게 여러 단어가 나열된 문제를 풀 때는 단독으로 언급했던 단어가 정답이 될 확률이 높다. 녹음에서도 양말은 처음과 끝에 단독으로 언급했지만, 다른 단어들은 같이 연달아 나열했으므로 양말이 정답이 될 확률이 높다.

2. A 朋友 B 丈夫 C 路人 D 售货员	A 친구 B 남편 C 행인 D 판매원
问: 说话人是谁?	질문: 화자는 누구인가?

해설 녹음의 첫 부분에 妻子(아내)라는 단어를 들었다면, 이 이야기를 하는 화자가 남편(丈夫)이라는 것을 알 수 있다. 자주 언급되는 관계 어휘들을 알아 두면 문제를 풀 때 도움이 된다.

단어 朋友 péngyou 뗑 친구 | 丈夫 zhàngfu 뗑 남편 | 路人 lùrén 뗑 행인 | 售货员 shòuhuòyuán 뗑 판매원

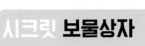
1 등장인물   ▶ 03-02

01 我 wǒ 나

02 孩子 háizi 아이

03 妻子 qīzi 아내

04 丈夫 zhàngfu 남편

05 男(女)朋友 nán(nǚ)péngyou 남자(여자) 친구

06 恋人 liànrén 연인

07 老师 lǎoshī 선생님

08 学生 xuésheng 학생

09 邻居 línjū 이웃

10 行人 xíngrén 행인

2 동작, 행위   ▶ 03-03

01 挣钱 zhèngqián 돈을 벌다

02 买衣服 mǎi yīfu 옷을 사다

03 逛街 guàngjiē 쇼핑하다

04 吃饭 chī fàn 밥을 먹다

05 吵架 chǎojià 말다툼하다

06 丢东西 diū dōngxi 물건을 잃어버리다

07 打电话 dǎ diànhuà 전화를 걸다

08 旅行 lǚxíng 여행하다

09 结婚 jiéhūn 결혼하다

10 散步 sànbù 산책하다

3 감정   ▶ 03-04

01 幸福 xìngfú 행복하다

02 舒服 shūfu 편안하다

03 发脾气 fā píqi 성질 부리다

04 难过 nánguò 괴롭다

05 害怕 hàipà 두려워하다

06 不愿意 bú yuànyì 원하지 않다

07 寂寞 jìmò 외롭다

08 失望 shīwàng 실망하다

09 感动 gǎndòng 감동하다

10 感谢 gǎnxiè 감사하다

4 이야기   ▶ 03-05

01 聊天 liáotiān 잡담하다

02 讲故事 jiǎng gùshi 이야기를 하다

03 开玩笑 kāi wánxiào 농담하다

04 笑话 xiàohua 우스갯소리

01 **亡羊补牢** wángyáng-bǔláo

소 잃고 외양간 고치기(일이 잘못된 뒤에는 손을 써도 소용이 없음을 비유)

02 **井底之蛙** jǐngdǐzhīwā

우물 안 개구리(넓은 세상의 형편을 알지 못하는 사람을 비유)

03 **对牛弹琴** duìniú-tánqín

소 앞에서 거문고를 켜다(아무리 일러 주어도 알아듣지 못하거나 효과가 없는 것을 비유)

04 **画龙点睛** huàlóng-diǎnjīng

화룡점정(가장 중요한 부분을 끝내 완성시키는 것을 비유)

05 **塞翁失马** sàiwēng-shīmǎ

새옹지마(인간의 길흉화복은 예측할 수 없음을 비유)

06 **朝三暮四** zhāosān-mùsì

조삼모사(간사한 꾀로 남을 속여 희롱함을 비유)

 한쌤의 러브레터

긴 내용을 들려준 후 학생들에게 들은 것을 이야기해 보라고 하면, 들은 내용을 자신만의 판타지 소설로 얘기하곤 한다. 자신의 대답과 지문 내용이 일치하지 않아서 창피하거나 낙담한 적이 있는가? 판타지 소설을 만들어 낼 수 있는 수준에 올랐다는 것은 아주 크게 칭찬받을 일이다. 가장 큰 문제는 멍하니 목적 의식 없이 듣고, 자신의 자존심을 지키기 위해 틀리느니 차라리 안 들렸다고 둘러대는 것이다. 한 단어도 안 듣고, 실수 한 번 안 하고, 어느 날 갑자기 100% 들리는 외국어는 없다. 안 들리고 말도 안 되는 판타지 이야기 만들기를 반복해 보자! 당신에게 곧 지문의 내용이 정확하게 들리기 시작할 것이다!

DAY 23

03-07

1. A 丢了五块钱　　　　　　　　B 找不到妈妈
   C 被爷爷批评了　　　　　　　　D 想找别人要五块钱

2. A 5块　　　　B 10块　　　　C 20块　　　　D 100块

3. A 感情　　　　B 和平　　　　C 花钱　　　　D 方向

4. A 该向东走　　　　　　　　　　B 不要吵架
   C 女朋友知道路　　　　　　　　D 女朋友最重要

DAY 24

03-08

1. A 很瘦　　　　B 很严格　　　　C 很亲切　　　　D 不疼爱他

2. A 要学会放弃　　　　　　　　　B 需要自己努力
   C 要懂得帮助别人　　　　　　　D 不用坚持到底

3. A 不懂拒绝　　　B 总被误会　　　C 不被理解　　　D 太重视输赢

4. A 学习方法　　　B 感情问题　　　C 教育责任　　　D 生活态度

02 주제 파악이 최우선인 설명문

DAY 25-26

설명문으로는 우리가 주위에서 자주 접할 수 있는 동물·사물에 대한 설명뿐 아니라, 다양한 소재의 지문이 나올 수 있다. 문화·교육·교통·풍속·과학·환경 보호·일반 상식 등이 그에 속한다. 이러한 설명문을 들을 때는 화자가 문장을 통해서 우리에게 하려는 말이 무엇인지 그 중심 의미를 파악해야 하며, 세부 정보도 꼼꼼히 파악해야 한다.

듣기 시크릿 백전백승

1 설명문 문제 유형을 익혀 두자!

설명문에는 어떤 사물에 대한 설명, 세계에서 이슈화되는 문제, 중국의 풍속 습관이나 명절, 문화 활동 등에 관한 내용이 자주 출제된다.

2 주제를 생각하며 들어라!

녹음 지문을 듣다 보면 반복해서 나오는 주제어가 있기 마련이다. 화자는 그 대상에 대한 특징과 자세한 설명을 곁들일 것이다. 중심 내용과 주제어가 무엇인지 파악하자.

3 절대 포기하지 마라!

설명문에 전문적인 단어가 많이 등장한다고 포기하는 것은 절대 금물이다. 우리를 절망하게 만드는 어려운 단어들은 대부분 함정이고, 간간히 들려오는 쉬우면서도 우리가 알고 있는 단어가 진정한 힌트이자 핵심어다. 포기하지 않고 연습하는 자가 곧 승리한다는 점을 명심하자.

4 다양한 상식을 쌓자!

설명문은 주로 잡지나 신문 등에서 발췌하여 출제하기 때문에 다양한 소재가 등장한다. 평상시 중국의 여러 가지 간행물을 통해 다양한 이야기를 접해 놓으면 도움이 될 것이다.

문제 ▶ 03-09

1. A 聪明　　　B 孤单　　　　C 怕人　　　　D 狗能照顾人
2. A 能看家　　B 不需要照顾　C 不会感到孤单　D 不听主人的话

🔍 **문제 분석** 무엇에 대해 설명하는지에 집중! < 1 , 2 적용

狗是一种聪明的动物，它能听懂人说的话，理解人的想法，会和人产生感情。人们喜欢养狗是因为在孤单的时候，狗会陪着他们，互相信任，互相照顾。	개는 총명한 동물 중의 하나다. 개는 사람의 말을 알아들을 수 있고, 사람의 생각을 이해하며, 사람과 정을 나눌 수 있다. 사람들이 개를 기르는 것을 좋아하는 이유는 (사람들이) 외로울 때, 개는 그들의 곁에 있어 주고, 서로 믿고 보살필 수 있기 때문이다.

단어 狗 gǒu 명 개 | 聪明 cōngming 형 총명하다. 똑똑하다 | 动物 dòngwù 명 동물 | 听懂 tīngdǒng 통 알아듣다 | 理解 lǐjiě 통 이해하다 | 想法 xiǎngfa 명 생각 | 产生 chǎnshēng 통 생기다. 발생하다 | 感情 gǎnqíng 명 감정 | 养 yǎng 통 기르다. 키우다 | 孤单 gūdān 형 외롭다 | 互相 hùxiāng 부 서로 | 信任 xìnrèn 통 신뢰하다 | 照顾 zhàogù 보살피다. 돌보다

1. A 聪明　　　B 孤单	A 똑똑하다　　　B 외롭다
C 怕人　　　D 狗能照顾人	C 사람을 두려워한다　D 개는 사람을 돌볼 수 있다
问: 根据这段话，狗有什么特点?	질문: 이 이야기에 따르면 개의 특징은 무엇인가?

해설 개는 총명한 동물이라고 녹음의 첫 부분에 언급되었기 때문에 정답은 A다. B의 孤单(외롭다)도 녹음에서 언급되었지만 사람이 외로울 때 개가 곁에 있어 준다는 얘기이므로 정답이 될 수 없다.

단어 怕 pà 통 두려워하다

2. A 能看家	A 집을 지킬 수 있기 때문에
B 不需要照顾	B 보살핌이 필요 없기 때문에
C 不会感到孤单	C 외롭다고 느끼지 않을 수 있어서
D 不听主人的话	D 주인의 말을 듣지 않기 때문에
问: 人们为什么喜欢狗?	질문: 사람들은 왜 개를 좋아하는가?

해설 사람들이 개를 기르기 좋아하는 이유는 외롭다고 느낄 때 개가 곁에 있어 줄 수 있기 때문이라고 했으므로, 정답은 C가 된다. B의 照顾(보살피다)도 녹음에서 언급되었지만 개가 보살핌이 필요 없는 것이 아니라, 사람과 개가 서로를 보살필 수 있다고 얘기한 것이므로 정답이 될 수 없다.

단어 看家 kānjiā 통 집을 지키다 | ★需要 xūyào 통 필요하다 | 主人 zhǔrén 명 주인

1 教育 jiàoyù 교육 ▶ 03-10

01 私教育 sījiàoyù 사교육

02 小皇帝 xiǎo huángdì 소황제

03 男女平等 nánnǚ píngděng 남녀평등

04 压力 yālì 스트레스, 부담

2 文化 wénhuà 문화 ▶ 03-11

01 节日 jiérì 명절

02 春节 Chūnjié 설날

03 中秋节 Zhōngqiūjié 추석

04 饮食文化 yǐnshí wénhuà 음식 문화

05 月光族 yuèguāngzú 월급을 모두 써 버리는 사람들

06 宗教 zōngjiào 종교

07 打麻将 dǎ májiàng 마작을 하다

08 名胜古迹 míngshèng-gǔjì 명승고적

3 交通 jiāotōng 교통 ▶ 03-12

01 交通工具 jiāotōng gōngjù 교통수단

02 公车 gōngchē 버스

03 地铁 dìtiě 지하철

04 火车 huǒchē 기차

05 飞机 fēijī 비행기

06 堵车 dǔchē 교통 체증

4 环境 huánjìng 환경 ▶ 03-13

01 环境污染 huánjìng wūrǎn 환경 오염

02 缺水国家 quēshuǐ guójiā 물 부족 국가

03 一次性用品 yícìxìng yòngpǐn 일회용품

04 天气 tiānqì 날씨

5 事物 shìwù 사물 ▶ 03-14

01 太阳 tàiyáng 태양

02 空气 kōngqì 공기

03 水 shuǐ 물

04 土壤 tǔrǎng 토양, 흙

05 手机 shǒujī 휴대전화

06 电脑 diànnǎo 컴퓨터

07 电话 diànhuà 전화

08 MP3 MP sān MP3 플레이어

6 动物 dòngwù 동물 ▶ 03-15

01 狗 gǒu 개

02 猫 māo 고양이

03 大象 dàxiàng 코끼리

04 猴子 hóuzi 원숭이

05 熊猫 xióngmāo 판다

06 鸟 niǎo 새

DAY 25

▶ 03-16

1. A 材料　　　　B 性格　　　　C 才能　　　　D 健康

2. A 孩子的性格　B 孩子的才能　C 孩子的看法　D 怎样教育孩子

3. A 语言　　　　B 画面　　　　C 名人　　　　D 费用

4. A 画面丰富　　B 语言精彩　　C 有好的想法　D 邀请名人

DAY 26

▶ 03-17

1. A 忙碌　　　　B 炒菜　　　　C 吃饺子　　　D 互相交流

2. A 热　　　　　B 寒冷　　　　C 舒服　　　　D 暖和

3. A 付款快　　　B 安全　　　　C 方便　　　　D 可以存钱

4. A 速度慢　　　B 竞争大　　　C 密码复杂　　D 很流行

03 고정관념을 버리고 듣는 견해문 DAY 27-28

견해문은 설명문처럼 어떤 사물에 대한 설명으로 그치는 것이 아니라, 생활 속에서 고찰해 볼 수 있는 다양한 주제에 대한 화자의 견해를 밝히는 글을 말한다. 우리가 상식으로 알고 있는 내용이 나올 수도 있지만, 화자 자신만의 고유한 견해를 피력할 수도 있으니, 자신의 생각을 배제하고 화자가 무엇을 말하고자 하는지에 귀를 기울여 보자!

듣기 시크릿 백전백승

1 기본 상식에 얽매이지 말라!

견해문은 말하는 이의 관점과 태도를 일목요연하게 설명하는 글이다. 화자는 사람들의 일반적인 생각이나 상식의 오류를 지적하고, 자신의 견해를 밝힌다. 따라서 자기가 알고 있는 상식에 얽매이지 말고 작가의 의견에 귀를 기울여야 한다.

2 주제어를 찾아라!

견해문은 화자가 도대체 무슨 말을 하려고 하는지, 어떤 의도로 이야기를 하는지에 포인트를 두고 들어야 한다. 주로 처음과 마지막에 화자의 중심 생각을 밝히는 경우가 많으므로, 녹음의 처음부터 끝까지 집중해서 주제어를 찾도록 노력해야 한다.

3 접속사를 최대한 활용하라!

인과·목적·조건 등을 나타내는 접속사를 주의해서 들으면, 이야기의 전체 내용과 핵심을 파악하는 데 도움이 된다.

4 주요 표현을 숙지하라!

이번 장의 '시크릿 보물상자'에는 견해문 듣기 지문에서 가장 기본이 되면서도 핵심이 되는 내용들이 정리되어 있으니, 반드시 암기해야 한다.

▶ 03-18

문제

1. A 麻烦 　　　 B 轻松 　　　 C 吃苦 　　　 D 感到成功

2. A 最好不哭 　　 B 想哭就哭 　　 C 尽量多哭 　　 D 哭不一定不好

문제 분석 말하는 사람의 관점에 주의! < **1** , **2** 적용

哭并不是坏事，遇到悲伤的事，哭一场就会感觉心里很痛快。人们成功的时候，会因为激动而落泪，获得爱情或友谊的时候，也会因为感动而哭。所以说，哭不一定是坏事。	우는 것은 결코 나쁜 일만은 아니다. 슬픈 일이 닥쳤을 때 한바탕 울고 나면 마음이 후련해진다. 사람들은 성공했을 때는 감격해서 눈물을 흘리고, 사랑이나 우정을 얻었을 때도 감동해서 울게 된다. 그러므로 우는 것이 반드시 나쁜 일만은 아니라고 말하는 것이다.

단어 哭 kū 图 울다 | 坏事 huàishì 図 나쁜 일 | 悲伤 bēishāng 図 마음이 아프다, 상심하다 | 感觉 gǎnjué 图 느끼다, 생각하다 | 痛快 tòngkuài 図 통쾌하다, 후련하다 | 成功 chénggōng 图 성공하다 | 激动 jīdòng 图 감격하다, 흥분하다 | 落泪 luòlèi 图 눈물을 흘리다 | 获得 huòdé 图 얻다, 획득하다 | 爱情 àiqíng 図 애정, 사랑 | 友谊 yǒuyì 図 우정 | 感动 gǎndòng 图 감동하다 | 不一定 bù yídìng 图 반드시 ~한 것은 아니다

1. A 麻烦 　　 B 轻松	A 귀찮다 　　　 B 편안하다
C 吃苦 　　 D 感到成功	C 괴롭다 　　　 D 성공을 느낀다
问: 伤心时哭一哭会怎么样?	질문: 속상할 때 한 번 울고 나면 어떠한가?

해설 녹음에서는 한바탕 울고 나면 마음이 후련해진다고 했으므로, 비슷한 의미를 지닌 B가 정답이 된다. D도 언급된 내용이지만 사람들이 눈물을 흘리게 되는 상황 중의 하나를 예로 든 것이므로, 질문의 내용과는 일치하지 않는다.

단어 麻烦 máfan 図 귀찮다, 성가시다 | 轻松 qīngsōng 図 편안하다, 홀가분하다 | 吃苦 chīkǔ 图 고생하다, 고통을 맛보다 | 感到 gǎndào 图 느끼다

2. A 最好不哭	A 울지 않는 것이 가장 좋다
B 想哭就哭	B 울고 싶을 때는 울어야 한다
C 尽量多哭	C 가능한 한 많이 울어라
D 哭不一定不好	D 우는 것이 꼭 안 좋은 것만은 아니다
问: 这段话主要告诉我们什么?	질문: 이 이야기에서 주로 말하고자 하는 것은?

해설 마지막에 결과적으로 우는 것이 반드시 나쁜 일만은 아니라고 했으므로, 정답은 D가 된다. 긴 지문에서 글의 주제를 물어보는 문제가 종종 나오는데 주제는 보통 앞이나 뒤에 많이 나오므로 처음부터 끝까지 집중해서 들어야 한다.

단어 最好 zuìhǎo 図 가장 바람직한 것은, 제일 좋기는 | 尽量 jǐnliàng 图 가능한, 되도록

1 견해를 나타내는 표현　　　　　　　　　　　　　　　▶ 03-19

01 我认为 내가 여기기에는

02 我觉得 내가 생각하기에

03 未必 = 不一定 반드시 그런 것은 아니다

04 意味着… ~을 의미한다

05 说实话 사실대로 말하면

06 一般来说 일반적으로 말해서

2 강조를 나타내는 표현　　　　　　　　　　　　　　　▶ 03-20

01 一定要知道 반드시 알아야 한다

02 关键是 관건은 ~이다

03 尤其是 = 特别是 특히, 더욱이

04 连…也 / 更 심지어 ~조차도

05 不是…, 而是… ~가 아니라 ~이다

3 예를 들 때 사용하는 표현　　　　　　　　　　　　　▶ 03-21

01 比如(说) = 比方说 예를 들어 말하면

02 拿…来说 ~으로 말하자면

03 总的来说 = 总之 총괄적으로 말해서

04 调查表明 사실이 증명한다, 조사에 의하면

NEW 단어 + TIP

• 比如 bǐrú [접] 예를 들어 말하면

　어떤 단어를 설명하거나, 자신의 주장을 뒷받침하는 근거를 제시할 때, 比如 bǐrú, 例如 lìrú, 比方 bǐfang (예를 들면)이라는 어휘를 사용할 수 있다.

DAY 27

▶ 03-22

1. A 金钱　　　　B 条件　　　　C 爱情　　　　D 环境

2. A 不要吵架　　　　　　　B 减少误会
　 C 礼貌对人　　　　　　　D 互相支持、信任

3. A 酒　　　　B 生活　　　　C 面包　　　　D 巧克力

4. A 辣中带香　　　　　　　B 甜里有苦
　 C 中间最好吃　　　　　　D 不是谁都能吃到

DAY 28

▶ 03-23

1. A 不努力　　　B 缺少自信　　　C 成绩下降　　　D 休息不好

2. A 时间排满　　　B 养成好习惯　　　C 常表扬孩子　　　D 多给孩子时间

3. A 儿童　　　B 亲戚　　　C 老人　　　D 不熟悉的人

4. A 对老人讲　　　B 笑话要短小　　　C 说话要流利　　　D 不能对孩子讲

04 각종 공고 & 안내 멘트

DAY 29-30

듣기 제3부분의 긴 지문은 다양한 주제로 출제되고 있다. 그중 눈에 띄는 것은 TV · 라디오 진행자의 멘트나 뉴스 · 비행기 · 기차 · 지하철의 안내 방송 멘트, 그리고 각종 공고 등에 관한 내용이다. 이러한 문제 유형은 자주 출제되는 고정적인 표현을 외워 두면 상당히 도움이 되므로, 필수 표현을 외우도록 하자.

듣기 시크릿 백전백승

1 고정적인 표현을 많이 외워 두자!

방송 프로그램을 진행하는 사회자가 나와서 첫인사를 한다거나, 지하철에서 안내 방송이 나올 때 사용되는 멘트는 대부분 고정적인 표현이다. 미리 숙지해 놓으면 내용을 파악하는 데 큰 도움이 된다.

2 문제가 아닌 정보로 생각하라!

학습자들은 듣기나 독해 지문을 대할 때, 그냥 '문제'로만 생각하지, '정보'라고는 생각하지 않는 경우가 많다. 新HSK 문제로 출제되었다는 것은 내용이나 어휘 사용 면에서 중국어 학습자들이 알아 두면 유익한 내용임을 입증한다. 문제로만 푸는 데 그치지 말고, 배운 내용을 습득해서 실생활에도 적용할 수 있도록 해 보자!

내가 생각하는 HSK란? - HSK는 [   ]다.

- HSK는 곰탕이다. 오랫동안 우려야 구수한 국물 맛을 볼 수 있기 때문이다. – 정영진
- HSK는 군대다. 가기 전에는 무섭고 힘들지만, 일단 통과하면 별거 아니다. – 김광덕
- HSK는 수학이다. 어렵고 아무리 해도 끝이 없지만 답은 있다. 답을 알고 나면 기쁘다. – 문유진
- HSK는 휴대전화다. 계속 더 좋은 급수를 따야 하니까. – 김설화
- HSK는 술이다. 처음엔 쓰지만 마실수록 중독되듯이, HSK도 처음에는 어렵지만 공부할수록 즐기게 된다. – 정규선

1. A 牙刷   B 小知识   C 皮肤病治疗法   D 一个电视节目
2. A 生活   B 工作   C 皮肤   D 学习

문제 분석 핵심어 节目의 의미에 주의!   1 . 2 적용

这个节目我一直在看，它经常介绍生活中的小知识，包括怎样选择牙刷，擦脸应该用什么毛巾，怎样远离皮肤病等等。很多以前我没有想过的问题，现在通过它了解了不少。	나는 계속 이 프로그램을 보는데 프로그램에서는 어떻게 칫솔을 고르는지, 얼굴을 닦을 때에는 어떤 수건을 써야 하는지, 어떻게 피부병을 멀리 할 수 있는지 등의 생활 속의 작은 지식을 자주 소개해 준다. 예전에는 생각하지 못했던 많은 문제들을 지금은 이 프로그램을 통해서 많이 알게 되었다.

단어 节目 jiémù 몡 프로그램 | 一直 yìzhí 믠 줄곧 | 经常 jīngcháng 믠 자주, 항상 | 介绍 jièshào 동 소개하다 | 生活 shēnghuó 몡 생활 | 知识 zhīshi 몡 지식 | 包括 bāokuò 동 포함하다 | 选择 xuǎnzé 동 선택하다 | 牙刷 yáshuā 몡 칫솔 | 擦 cā 동 닦다 | 毛巾 máojīn 몡 수건 | 皮肤病 pífūbìng 몡 피부병 | 问题 wèntí 몡 문제 | 了解 liǎojiě 동 이해하다

1. A 牙刷 B 小知识	A 칫솔 B 작은 지식
C 皮肤病治疗法 D 一个电视节目	C 피부병 치료법 D 한 TV 프로그램
问: 说话人在介绍什么?	질문: 화자는 무엇을 소개하고 있는가?

해설 어떤 프로그램을 통해서 여러 가지 생활 속의 작은 지식들을 알게 된 이야기를 하고 있으므로, 지금 화자는 TV 프로그램을 소개하고 있다는 것을 알 수 있다. A, B, C 모두 녹음에서 언급된 단어들이지만 그 내용들은 화자가 소개하는 것이 아니라, TV 프로그램에서 소개해 줬던 내용들이므로 질문의 내용과 일치하지 않는다.

단어 治疗法 zhìliáofǎ 몡 치료법 | 电视 diànshì 몡 텔레비전, TV

2. A 生活 B 工作 C 皮肤 D 学习	A 생활 B 일 C 피부 D 공부
问: 说话人了解了哪方面的知识?	질문: 화사는 어떤 문야의 지식을 알게 됐는가?

해설 화자는 이 프로그램에서 생활 속의 작은 지식을 소개한다고 했으므로 정답은 A가 된다. 화자가 예를 들어 말한 칫솔 고르는 법, 수건 고르는 법, 피부병에 관한 이야기 등은 모두 생활에 필요한 정보들이므로 프로그램에서 소개하는 것이 일상생활과 관련이 있음을 알 수 있다.

단어 工作 gōngzuò 몡 일, 업무 | 皮肤 pífū 몡 피부 | 学习 xuéxí 몡 학습, 공부

1 방송 멘트(TV, 라디오)

▶ 03-25

01 各位观众，晚上好！ 시청자 여러분, 안녕하십니까?

02 现在是新闻节目时间。 지금은 뉴스 방송 시간입니다.

03 欢迎收看！ 많은 시청 바랍니다!

04 谢谢收听！ 들어주셔서 감사합니다!

2 교통 안내 방송(버스, 지하철, 비행기)

▶ 03-26

01 五道口站快要到了。 우다오커우역에 곧 도착합니다.

02 请下车的乘客准备下车！ 내리실 승객은 준비하십시오!

03 飞机就要起飞了，请您坐好，系好安全带。 비행기가 곧 이륙합니다. 자리에 앉아, 안전벨트를 착용해 주세요.

04 我们为您提供及时周到的服务。谢谢！ 당신을 위해 신속하고 꼼꼼한 서비스를 제공해 드리겠습니다. 감사합니다!

3 공고문(구인, 집 매매)

▶ 03-27

01 本公司招聘工作人员。 저희 회사는 사원을 모집합니다.

02 这房子三室一厅，装修得很好。 이 집은 방 3개에 거실 하나로, 인테리어가 아주 잘되어 있습니다.

4 편지글

▶ 03-28

01 尊敬的韩老师！ 존경하는 한 선생님!

02 亲爱的朋友 사랑하는 친구

03 好久没见了，我非常想念你。 오랜만이다. 나는 네가 무척 그리워.

04 祝你身体健康，工作顺利，生活愉快！ 몸 건강하고, 일 잘 풀리고, 즐겁게 생활하길 바란다!

5 환영사

▶ 03-29

01 表示热烈欢迎。 열성적으로 환영을 표합니다.

02 有机会和你们聚在一起，我感到非常高兴。 당신들과 함께 할 기회가 생겨서 저는 매우 기쁩니다.

03 请大家举杯，为我们的友谊干杯！ 모두들 잔을 들고, 우리의 우정을 위하여 건배합시다!

DAY 29

▶ 03-30

1. A 主动买票　　B 准备下车　　C 注意安全　　D 禁止抽烟

2. A 船上　　　　B 飞机上　　　C 出租车上　　D 公共汽车上

3. A 星期三　　　B 星期四　　　C 星期五　　　D 星期六

4. A 亚洲　　　　B 地球　　　　C 老虎　　　　D 植物

DAY 30

▶ 03-31

1. A 导游　　　　B 记者　　　　C 校长　　　　D 领导

2. A 访问　　　　B 开学　　　　C 公司开会　　D 毕业典礼

3. A 安静　　　　B 房子是底层　　C 离公司近　　D 交通方便

4. A 调查表　　　B 体育新闻　　　C 租房广告　　D 杂志

第 一 部 分

第1-10题：判断对错。

> 例如：我想去办个信用卡，今天下午你有时间吗？陪我去一趟银行？
>
> ★ 他打算下午去银行。 　　　　　　　　　　　　　　（ ✓ ）
>
> 现在很少看电视，其中一个原因是，广告太多了，不管什么时间，也不管什么节目，只要你打开电视，总能看到那么多的广告，浪费我的时间。
>
> ★ 他喜欢看电视广告。 　　　　　　　　　　　　　　（ ✗ ）

1. ★ 他现在是警察。 　　　　　　　　　　　　　　（ 　 ）

2. ★ 张秘书第一次烫头发。 　　　　　　　　　　　（ 　 ）

3. ★ 地铁不会堵车。 　　　　　　　　　　　　　　（ 　 ）

4. ★ 结果比过程更重要。 　　　　　　　　　　　　（ 　 ）

5. ★ 他是售货员。 　　　　　　　　　　　　　　　（ 　 ）

6. ★ 世界杯吸引了很多公司。 　　　　　　　　　　（ 　 ）

7. ★ 孩子要少玩游戏。 　　　　　　　　　　　　　（ 　 ）

8. ★ 名片需要客人自己取。 　　　　　　　　　　　（ 　 ）

9. ★ 经理仍然很生气。 　　　　　　　　　　　　　（ 　 ）

10. ★ 毕业让人又高兴又难过。 　　　　　　　　　　（ 　 ）

第 二 部 分

第11-25题：请选出正确答案。

例如：女：该加油了，去机场的路上有加油站吗?

男：有，你放心吧。

问：男的主要是什么意思?

A 去机场　　　　B 快到了　　　　C 油是满的　　　　D 有加油站 ✓

11. A 看书　　　　　B 在家休息　　　C 参加考试　　　D 去图书馆

12. A 客人　　　　　B 妻子　　　　　C 亲戚　　　　　D 同事

13. A 放弃减肥　　　B 继续运动　　　C 不想吃饭　　　D 很有信心

14. A 饭馆很大　　　B 正在打折　　　C 离得很远　　　D 菜比较便宜

15. A 很难写　　　　B 没有信心　　　C 不用担心　　　D 没办法完成

16. A 下次要选择筷子　　　　　　　　B 下次自己做饭
    C 下次要勺子　　　　　　　　　　D 注意环保

17. A 咖啡　　　　　B 绿茶　　　　　C 啤酒　　　　　D 果汁

18. A 生病了　　　　B 上大学了　　　C 找到工作了　　D 考试通过了

19. A 不好看　　　　B 太贵了　　　　C 颜色暗　　　　D 不合适

20. A 一些解释　　　B 电话号码　　　C 公司信息　　　D 他的意见

21. A 不照相了　　　B 用手机照相　　C 不进去参观了　D 让男的照相

22. A 没意思　　　　B 很有名　　　　C 内容太多　　　D 翻译得不好

23. A 开车去　　　　B 坐地铁　　　　C 坐出租车　　　D 骑自行车

24. A 太热了　　　　B 浪漫一点　　　C 可以睡懒觉　　D 不用去上班

25. A 洗澡　　　　　B 洗脸　　　　　C 打开窗户　　　D 打扫卫生间

第 三 部 分

第26-45题：请选出正确答案。

例如： 男：把这个文件复印五份，一会儿拿到会议室发给大家。

女：好的。会议是下午三点吗？

男：改了，三点半，推迟了半个小时。

女：好，602 会议室没变吧？

男：对，没变。

问：会议几点开始？

A 2:00   B 3:00   C 3:30 ✓   D 6:00

26. A 超市   B 餐厅   C 停车场   D 酒店

27. A 结婚了   B 是大学生   C 性格活泼   D 已经工作了

28. A 旅游   B 看弟弟   C 参加会议   D 参加婚礼

29. A 买礼物   B 中国制造   C 外国产品   D 旅行计划

30. A 5月   B 6月   C 9月   D 10月

31. A 很可爱   B 很诚实   C 很勇敢   D 努力认真

32. A 老师   B 丈夫   C 哥哥   D 爸爸

33. A 眼镜丢了   B 忘带钥匙了   C 钥匙丢了   D 包丢了

34. A 没有车　　　　B 人都走了　　　C 起床起晚了　　　D 认为已经晚了

35. A 天黑了　　　　　　　　　　　　B 香蕉不好吃
    C 孙子去上课　　　　　　　　　　D 作业没写完

36. A 学法律专业　　　　　　　　　　B 不喜欢社团活动
    C 经常帮助别人　　　　　　　　　　D 工作经验丰富

37. A 在律师事务所工作　　　　　　　　B 继续学习
    C 继续在法律社团工作　　　　　　　D 开公司

38. A 精彩　　　　　B 无聊　　　　　C 轻松　　　　　D 舒适

39. A 关心别人　　　　　　　　　　　　B 微笑生活
    C 信任自己　　　　　　　　　　　　D 爱情的作用

40. A 支持　　　　　B 反对　　　　　C 怀疑　　　　　D 表扬

41. A 银行　　　　　B 图书馆　　　　C 动物园　　　　D 大使馆

42. A 经理　　　　　B 售货员　　　　C 顾客　　　　　D 供货商

43. A 已经发奖金了　　　　　　　　　　B 工资涨了
    C 去年的收入更高　　　　　　　　　D 收入增加了

44. A 金钱　　　　　B 流水　　　　　C 衣服　　　　　D 生命

45. A 怎么赚钱　　　　　　　　　　　　B 珍惜友情
    C 不要乱花钱　　　　　　　　　　　D 不要浪费时间

독해

독해 제1부분 빈칸 채우기
기출문제 탐색전

문제 1

A 全部　　B 禁止　　C 压力　　D 符合　　E 正好　　F 空气

飞机上(B)使用手机，飞行过程中也要关上。

문제 2

A 保证　　B 打折　　C 恼火　　D 辛苦　　E 幸福　　F 解释

A: 这个房间又脏又乱，星期六我去打扫、整理了一下。
B: 原来是你呀!(D)了，谢谢你。

독해 제1부분은 전체 40문제 중 10문제를 차지한다. 첫 번째 유형은 주어진 문장의 빈칸에 알맞은 단어를 보기에서 선택하는 것이고, 두 번째 유형은 두 사람의 대화문 중 빈칸에 알맞은 단어를 보기에서 선택하는 것이다. 먼저 제시된 단어의 의미를 대략적으로 이해한 후, 문제의 문장 구조를 파악하여 품사를 유추해 내는 것이 관건이다. 품사 유추하는 방법을 전수받고, 엑기스 정리 내용을 암기하여 독해 제1부분 만점에 도전장을 내 보자!

🔍 유형 분석

❶ 독해 제1부분은 문장형 5문제, 대화형 5문제로 총 10문제가 출제된다. (독해 부분의 25% 차지)

❷ 보기 어휘는 6개가 제시되며, 예제 1개와 문제 5개로 구성되어 있다.

❸ 예제의 답이 되거나 이미 답으로 선택한 단어를 사선(/) 표시로 삭제해 두면, 문제 푸는 시간도 단축되고 정답 확률도 높아진다.

❹ 문제가 제시된 순서대로 풀려 하지 말고, 확실히 아는 문제, 자신 있는 문제부터 먼저 푼다.

❺ 5문제의 답을 다 맞히지 못하면 헷갈리는 문제의 정답을 바꾸어 쓰게 되어 여러 문제를 동시에 틀리게 되므로, 신중하게 답을 선택해야 한다.

❻ 문제 푸는 방법
　① 문장 해석을 통해 의미상 가장 자연스러운 단어를 찾아낸다.
　② 자주 함께 다니는 어휘 짝꿍(搭配)을 힌트로 찾아낸다.
　③ 어떤 품사인지 유추하여 정답을 찾아낸다.

❼ 독해 제2 · 3부분에 비하면 비교적 쉬운 문제이므로, 7분 안에 풀 수 있도록 훈련한다.

01 화려하게 수식해 주는 '문장의 꽃' 부사 | DAY 1-2

독해 제1부분 제시 단어 중에 그 위치가 가장 헷갈리는 품사가 바로 부사다. 하지만 4급 시험 문제에는 특징을 가진 부사 문제가 자주 출제되므로, 부사를 특징별·종류별로 암기해 두면 문제 풀이가 간단해진다. 부사는 일반적으로 술어부의 가장 앞. 또는 주어 바로 뒤에 위치하지만, 때로는 주어나 수량사 앞에도 위치할 수 있다. 다양한 관점으로 부사를 이해해 보자!

독해 시크릿 백전백승

1 부사 유추하기

조동사는 뒤에 동사를, 전치사는 뒤에 명사를 반드시 끌고 나오므로 해석에 물결표(~)가 있지만, 부사는 문장 안에서 위치가 비교적 자유롭기 때문에 해석이 깔끔하게 똑! 떨어진다.

예 **突然问了。** 갑자기 물었다. → 부사가 있으면 의미가 더 완전해진다.

조동사	会 huì	~할 수 있다	**会说汉语** 중국어를 말할 수 있다 [학습]
전치사	往 wǎng	~를 향해서	**往前走** 앞으로 걸어라 [방향]
부사	已经 yǐjing	이미	**已经来了** 이미 왔다 [시간]

2 주어 + [부사] + 조동사 + 전치사구(전치사 + 명사) + 술어(동사) + 목적어

예 我　[很]　想　跟你　吃　饭。 나는 정말 너와 밥을 먹고 싶다.
　 주어　부사　조동사　전치사구　술어(동사)　목적어
　 Tip 부사 위치 1순위는 조동사 앞, 2순위는 전치사 앞, 3순위는 술어 앞이다.

3 부사 찾기 비법

① 음절 수 힌트: 일반적으로 2음절 부사가 자주 출제된다.
② 해석 힌트: 해석 시 물결표(~)가 없이 깔끔하게 해석된다.
③ 어순 힌트: 부사는 주어 뒤/술어 앞에 나온다.
　　　　　복잡한 문장에서는 부정부사나 전치사, 조동사 앞에 나온다.

문제 1

| A 顺便 | B 难道 | C 按时 | D 恐怕 | E 到底 | F 稍微 |

（　　）怎么办？他想来想去，决定离开。

🔍 **문제 분석** 술어 怎么办 앞이므로 부사가 들어갈 수 있다. 〈 **1** . **2** 적용 〉

| A ~한 김에 | B 설마 ~하겠는가 | C 제때에 | D 아마도 | E 도대체 | F 조금, 약간 |

（E 도대체）어떻게 해야 하지? 그는 이리저리 생각하다가 떠나기로 결정했다.

해설 문제를 읽을 때는 해석에만 급급해하지 말고, 힌트가 될만한 요소를 찾아내야 한다. 문제에서는 ⋯怎么办?이라는 의문문이 등장하였다. 의문대사가 쓰인 의문문에는 부사 到底 혹은 동의어 究竟을 넣어 주어야 한다.

단어 到底 dàodǐ 🔟 도대체 | 想来想去 xiǎnglái xiǎngqù 이리저리 생각하다 | 决定 juédìng 🔟 결정하다 | 离开 líkāi 🔟 떠나다, 벗어나다

문제 2

| A 果然 | B 偶尔 | C 随便 | D 大概 | E 千万 | F 最好 |

A: 你们毕业以后经常联系吗？
B: 不，我们俩都工作很忙，只是（　　）见个面。

🔍 **문제 분석** 부사 只是 뒤, 동사 见面 앞에는 부사가 쓰여야 한다. 〈 **1** . **2** 적용 〉

| A 과연 | B 가끔 | C 함부로 | D 대략 | E 제발, 절대로 | F ~하는 게 제일 좋다 |

A: 너희 졸업한 후에도 자주 연락하니?
B: 아니. 우리 둘 다 일이 너무 바빠서, 그냥 (B 가끔) 만나.

해설 부사 偶尔은 '가끔, 때때로'라는 뜻으로, 동작의 발생 횟수가 그리 많지 않음을 나타낸다. 동의어로는 有时가 있다.

단어 毕业 bìyè 🔟 졸업하다 | 以后 yǐhòu 🔟 이후 | 经常 jīngcháng 🔟 자주, 종종 | 联系 liánxì 🔟 연락하다 | 工作 gōngzuò 🔟 일, 근무 | 忙 máng 🔟 바쁘다 | 只是 zhǐshì 🔟 다만, 단지 | 偶尔 ǒu'ěr 🔟 가끔, 때때로 | 见面 jiànmiàn 🔟 만나다

💡 **Tip** 偶尔과 偶然 구분법 — 한자로 음독하라!
偶然(ǒurán)은 한자로 '우연'이라고 읽는데 뜻과 완전히 일치한다. 偶尔(ǒu'ěr)은 '이따금씩, 가끔'이라는 뜻이다.

1 의문문에 자주 쓰이는 부사

到底　难道	**공통점** 의문문에 쓰이는 부사인 만큼 문장 맨 끝에 물음표(?)가 따라 나온다.	
01	到底 dàodǐ (=究竟 jiūjìng)	도대체, 대관절	这到底是怎么回事? 이게 도대체 어떻게 된 일이야? ＊ 의문대사 什么, 怎么, 什么时候 등과 함께 쓰인다.
02	难道 nándào	설마 ~인가?	难道你没听说过这件事吗? 너 설마 이 일을 못 들은 것은 아니겠지? ＊ 문장 맨 끝에 吗, 不成 등이 나온다.

2 부정적인 표현과 함께 쓰이는 부사

从来　恐怕　千万	**공통점** 뒤에 부정부사 不, 没, 别, 不要 등이 자주 함께 쓰인다.	
01	从来 cónglái	여태껏, 지금까지	他从来不喝酒。 그는 여태껏 술을 안 마셨다.
02	恐怕 kǒngpà	아마도	恐怕来不及了。 아마도 시간이 안 될듯해. ＊ 뒤에 不会, 听不懂 등의 표현이 자주 나온다.
03	千万 qiānwàn	제발, 절대로	千万别告诉她。 제발 그녀에게 알리지 마. ＊ 뒤에 别, 不要 등과 호응한다.

3 수량사와 자주 쓰이는 부사

至少　大约　一共　几乎　差不多　大概	**공통점** 뒤에 수량을 나타내는 말이 나올 수 있다.	
01	至少 zhìshǎo (=起码 qǐmǎ)	최소한	全世界至少有20亿观众。 전 세계에 최소한 20억 명의 관중이 있다.
02	大约 dàyuē	대략	我妈大约能拿到2000块钱。 우리 엄마는 대략 2000위안을 받을 수 있다.
03	一共 yígòng	모두	这些东西一共300块钱。 이 물건들은 모두 300위안이에요.
04	几乎 jīhū	거의	我几乎三天没睡。 나는 거의 3일 동안 잠을 못 잤다. 几乎所有的人都… 거의 모든 사람들이 다 ~ 几乎每天都… 거의 매일 ~ ＊ 뒤에 都를 자주 끌고 나온다.
05	差不多 chàbuduō	거의	差不多等了两个小时。 거의 2시간을 기다렸다.
06	大概 dàgài	대략	学校的留学生大概有300多个人。 학교의 유학생은 대략 300명이 넘는다.

108

4 뒤 절에 잘 나오는 부사

然后 终于 其实 甚至 尤其是 顺便 果然
공통점 2개의 절이 있을 경우, 뒤 절에 위치한다.

01	然后 ránhòu	그런 후에	先去吃饭，然后去听课吧。 먼저 밥을 먹은 후에 수업을 들으러 가자. ＊ 동작의 선후를 나타내며, 앞 절의 (首)先 등과 호응한다.
02	终于 zhōngyú	결국	经过努力，终于成功了。 노력을 거쳐 결국 성공했다. ＊ 앞 절이 생략되면 终于가 앞 절에 나올 수도 있다.
03	其实 qíshí	사실은	看起来简单，其实并不容易。 보기에는 쉬워 보이지만, 사실 결코 쉽지 않다. ＊ 앞 절의 내용을 보충·수정하는 역할을 한다.
04	甚至 shènzhì	심지어, ~조차	他很伤心，甚至饭也不吃。 그는 매우 슬퍼서 밥조차 먹지 못한다.
05	尤其是 yóuqíshì	특히, 더욱이	我喜欢吃中国菜，尤其是饺子。 나는 중국요리를 좋아하는데 특히 만두를 좋아한다. ＊ 전체 중에서 일부를 강조한다.
06	顺便 shùnbiàn	~하는 김에	出去时，顺便把门关上吧。 나가는 김에 문 좀 닫아 줘. ＊ 첫 번째 동사 하는 김에 두 번째 동사를 한다.
07	果然 guǒrán	과연	天气预报说今天有雨，果然下雨了。 일기예보에서 오늘 비가 온다고 했는데 과연 비가 왔다. ＊ 예측하거나 알고 있던 내용과 사실이 일치할 때 쓰인다.

5 특징 있는 부사

稍微 原来 最好 多么 往往	**공통점** 각각 서로 호응하는 짝꿍이 있거나 특징이 있다.

01	稍微 shāowēi	조금, 약간	你稍微等一下。 조금만 기다려. ＊ 술어 뒤의 一下, 一点儿, 一会儿 등과 호응한다.
02	原来 yuánlái	알고 보니	怪不得汉语说得好，原来是中国人。 어쩐지 중국어를 잘하더라니, 알고 보니 중국인이었어. ＊ 종종 怪不得, 难怪와 호응한다.
03	最好 zuìhǎo	제일 좋은 것은	你最好跟妈妈商量吧。 제일 좋은 것은 엄마와 상의하는 거야. ＊ 문장 끝의 吧와 자주 호응한다. [最好…吧]

04	多么 duōme	얼마나	这里的风景多么美啊! 이곳의 풍경이 얼마나 아름다운지! * 문장 끝의 啊와 자주 호응한다. [多么…啊]
05	往往 wǎngwǎng	종종	下雨天，他往往迟到。 비 오는 날에 그는 종종 지각을 한다. * 어떤 조건 안에서 규칙적인 행동을 보일 때 사용된다.

6 기타 부사

01	按时 ànshí	정해진 시간에	按时到达 정해진 시간에 도착하다 按时吃药 정해진 시간에 약을 먹다
02	及时 jíshí	제시간에, 즉시	及时去医院 제때에 병원에 간다 及时解决 제때에 해결한다
03	重新 chóngxīn	새로이, 다시	重新开始 다시 시작하다 重新打印 다시 출력하다
04	故意 gùyì	고의로, 일부러	故意装出不知道的样子。 일부러 모르는 척한다.
05	好像 hǎoxiàng	마치 ~인 것 같다	他好像有心事。 그는 걱정거리가 있는 것 같다.
06	忽然 hūrán	갑자기	她忽然哭起来了。 그녀는 갑자기 울기 시작했다.
07	偶尔 ǒu'ěr	가끔씩	我们偶尔见面。 우리는 가끔 만난다.
08	仍然 réngrán	여전히	他性格仍然没有改变。 그의 성격은 여전히 변화가 없다.
09	逐渐 zhújiàn	점차	天气逐渐热了起来。 날씨가 점차 더워지기 시작했다.
10	完全 wánquán	완전히	两个人的性格完全不同。 두 사람의 성격은 완전히 다르다.
11	一直 yìzhí	줄곧, 계속	大雪一直下了两天两夜。 폭설은 이틀 밤낮으로 줄곧 내렸다.

 한샘의 러브레터

독해 제부분의 보기에 제시된 어휘를 잘 몰라서 문제 풀기가 힘들다면, 해설집의 어휘 뜻을 먼저 숙지하고 문제를 푼다. 지금 여러분이 공부하는 목적은 몇 점을 받을 수 있는지 실력을 테스트하는 것이 아니라, 오늘 얼마나 배워서 다음에 얼마나 더 잘 풀 수 있는가 하는 것이기 때문이다.

DAY 1

A 顺便　B 难道　C 按时　D 恐怕　E 到底　F 稍微

例如: (　　　)怎么办? 他想来想去，决定离开。

1. 工资昨天就已经发了，(　　　)你还没收到吗? 你看看有没有银行的提醒短信。

2. 你如果放弃了这次机会，以后(　　　)再也不会有这么好的事儿了。

3. 你去买啤酒吗? (　　　)帮我买一盒牛奶吧。

4. 她们双胞胎长得特别像，区别只是姐姐的皮肤比妹妹(　　　)白一些。

5. 你病得很厉害，一定要听医生的话，(　　　)吃药。

NEW 단어 + TIP

- 刚 gāng 튄 방금, 막, 지금

동작의 발생한 상황이 얼마 전에 일어났음을 뜻하는 부사이다.

⑩ 爸爸寄来的信, 我刚收到。 아빠가 보내온 편지를 나는 방금 받았다.

刚은 刚刚보다 사용되는 범위가 넓어서, 지나간 과거의 일에도 쓰일 수 있다.

⑩ 我刚认识她的时候, 她还很年轻。 내가 그녀를 처음 만났을 때, 그녀는 아직 젊었었다.

- 是否 shìfǒu 튄 ~인지 아닌지

是不是의 의미로 일반적으로 동사나 형용사, 술어를 수식하고, 평서문이나 의문문에 쓰일 수 있다.

⑩ 她是否能做完, 还不一定。 그녀가 완성할 수 있을지 여부는 아직 확실치 않다.

你是否身体健康? 당신은 건강하십니까?

DAY 2

A 果然　B 偶尔　C 随便　D 大概　E 千万　F 最好

例如：A：你们毕业以后经常联系吗？
　　　B：不，我们俩都工作很忙，只是(B)见个面。

1. A：你们学校的硕士和博士研究生有多少人？
　 B：准确数字不太清楚，(　　　)有三四十个人。

2. A：咱俩把沙发往窗户那儿抬一下，这样看电视更舒适些。
　 B：别开玩笑了，咱们根本抬不动，(　　　)等你爸回来再弄吧。

3. A：为了这次比赛，她刻苦准备了好几个月。我一直觉得冠军肯定是她。
　 B：结果已经出来了，她(　　　)拿了冠军。

4. A：你有什么好主意吗？
　 B：这方面我不太了解，我不敢(　　　)说，你问问老张吧。

5. A：你喜欢吃什么水果？我这边什么都有，随便吃，(　　　)别客气。
　 B：谢谢，那我就不客气了。

02 한자와 싱크로율 100%인 명사

모든 사물은 각각의 고유한 이름을 가지고 있으며, 우리는 이것을 '명사'라고 한다. 명사는 문장 속에서 크게 3가지 성분, 즉 주어 · 목적어 · 전치사구(전치사 + 명사)로 쓰인다. 이 3개의 위치만 잘 익혀 두면 명사 문제를 푸는 데 큰 도움이 될 것이다.

독해 시크릿 백전백승

1 명사 유추하기

아래 단어들을 한자로 음독해 보자!

报道 bàodào	보도	发展 fāzhǎn	발전	方法 fāngfǎ	방법
程度 chéngdù	정도	关键 guānjiàn	관건	附近 fùjìn	부근

우리말의 70% 이상이 한자어로 중국어 명사를 한자로 읽었을 때, 우리말과 일치하는 확률이 아주 높다. 간단히 익힐 수 있는 한자들이 많으니, 겁내지 말고 명사 익히기에 도전하자!

2 주어[명사] + 부사 + 조동사 + 전치사구 + 술어 + 보어

예 最近的[女孩儿]　　都　　想　　把自己　　　打扮　　得很漂亮。
　　주어(관형어 + 명사)　　부사　　조동사　전치사구(전치사 + 대사)　술어(동사)　보어(형용사)
　　요즘 여자애들은 모두 자신을 예쁘게 꾸미고 싶어 한다.

주어 + 부사 + 조동사 + 전치사 + [명사] + 술어(동사) + 목적어[명사]

예 我　不　想　　给[老师]　　　　打　　[电话]。　　나는 선생님께 전화하고 싶지 않다.
　 주어　부사　조동사　전치사구(전치사 + 명사)　술어(동사)　목적어(명사)

3 명사 찾기 비법

① 음절 수 힌트: 일반적으로 2음절 명사 문제가 자주 출제된다.
② 해석 힌트: 한자 독음으로 읽어 보면 우리말과 일치할 확률이 높다.
③ 어순 힌트: 주어(문장 맨 앞), 목적어(맨 끝), 전치사구(문장 중간) 위치에 나온다.
④ 문장 구조 힌트: 구조조사 的 이하 부분(관형어(的) + 명사)
　　　　　　　　　　동사 술어 뒷자리(동사 + 명사)
　　　　　　　　　　수량사 뒷자리(지시대사 + 수사 + 양사 + 명사)

문제 1

| A 质量 | B 任务 | C 速度 | D 个子 | E 距离 | F 礼貌 |

别以为张师傅(　　)没你高, 力气也没你大, 其实他可是个大力士。

🔍 **문제 분석** 张师傅의 '무엇'이 高와 어울릴 수 있는지 적당한 명사를 찾는다. (**2** 적용)

| A 질 | B 임무 | C 속도 | D 키 | E 거리 | F 예의 |

장 선생님이 너보다 (D 키)가 크지 않다고, 힘도 세지 않다고 여기지 마. 사실 그는 헤라클레스야.

해설 보기 중에서 높다, 크다(高)와 어울리는 명사는 个子(키)밖에 없다.
예 个子高 키가 크다 / 个子矮 키가 작다

단어 以为 yǐwéi 图 여기다, 간주하다 | 师傅 shīfu 图 스승, 사부 | 个子 gèzi 图 키 | 高 gāo 图 높다, (키가) 크다 | 其实 qíshí 图 사실 | 可是 kěshì 图 정말 | 大力士 dàlìshì 图 헤라클레스

문제 2

| A 重点 | B 一切 | C 结果 | D 玩笑 | E 节目 | F 周围 |

A: 你的报告怎么还没写完?
B: 我家(　　)太不安静, 没法儿写。

🔍 **문제 분석** 我家의 수식을 받는 명사가 필요하다. (**2** , **3** 적용)

| A 중점 | B 전부 | C 결과 | D 농담 | E 프로그램 | F 주변 |

A: 네 보고서는 왜 아직까지 완성이 안 됐어?
B: 저희 집 (F 주변)이 너무 시끄러워서 쓸 수가 없었어요.

해설 安静은 어떤 장소나 상황이 '조용하다'는 의미로 쓰인다. 따라서 주어에는 장소가 나올 가능성이 높아진다. 제시된 단어 중에서 我家의 수식을 받을 수 있는 명사인 周围(주위, 주변)가 가장 타당하다.

단어 报告 bàogào 图 보고서 | 怎么 zěnme 메 어째서, 왜 | 还 hái 图 아직 | 写 xiě 图 쓰다 | 完 wán 图 완성하다 | 周围 zhōuwéi 图 주위 | 安静 ānjìng 图 조용하다 | 没法儿 méifǎr 图 어찌할 수 없다, 방법이 없다

1 한자와 싱크로율 100%인 명사

아래에 제시된 단어를 한자로 음독하면 뜻을 알 수 있다. 한자로 못 읽겠다면 옆에 제시된 병음을 큰소리로 읽어 보거나, 그 다음 칸에 제시된 문장과 뜻을 보면서 차례대로 유추해 본다.

문제 단어		병음 힌트	문장 힌트	해석 힌트	정답
01	温度	wēndù	温度很低	온도가 매우 낮다	온도
02	气候	qìhòu	气候差异很大	기후 차이가 매우 크다	기후
03	结果	jiéguǒ	结果还没出来	결과는 아직 나오지 않았다	결과
04	竞争	jìngzhēng	竞争非常激烈	경쟁이 매우 격렬하다	경쟁
05	经验	jīngyàn	经验很丰富	경험이 매우 풍부하다	경험
06	态度	tàidu	他的态度真让人生气	그의 태도는 사람을 화나게 한다	태도
07	周围	zhōuwéi	我家周围都是酒吧	우리 집 주변은 전부 술집이다	주위(주변)
08	理想	lǐxiǎng	我的理想是当老师	나의 꿈은 선생님이 되는 것이다	이상(꿈)
09	一切	yíqiè	这里一切都很好	이곳의 모든 것이 다 좋다	일체(모든 것)
10	批评	pīpíng	受到批评	꾸지람을 듣다	비평(꾸지람)
11	礼物	lǐwù	收到礼物	선물을 받다	예물(선물)
12	环境	huánjìng	污染环境	환경을 오염시키다	환경
13	文章	wénzhāng	写一篇文章	글 한 편을 쓰다	문장(글)
14	准备	zhǔnbèi	请你做好准备	준비를 잘 하세요	준비
15	计划	jìhuà	不要改变计划	계획을 바꾸지 마세요	계획
16	距离	jùlí	我和他有一段距离	나와 그는 약간의 거리가 있다	거리
17	印象	yìnxiàng	给我留下深刻的印象	나에게 깊은 인상을 남겼다	인상
18	过程	guòchéng	在研究过程中发现	연구 과정 중에 발견하다	과정

2 한자와 싱크로율 70%인 명사

다음 단어들은 한자로 음독했을 때, 우리말과 100% 일치하지는 않지만 뜻은 어느 정도 유추할 수 있는 것들이다. 정답에 제시된 한자 독음과 중국어의 뜻을 연결하여 기억해 두자.

	문제 단어	병음 힌트	문장 힌트	해석 힌트	정답
01	作者	zuòzhě	作者在签名	작가가 사인을 하고 있다	작자 → 작가
02	质量	zhìliàng	质量很不错	품질이 아주 좋다	질량 → 품질
03	邀请	yāoqǐng	应邀请	초대에 응하다	요청 → 초대
04	专业	zhuānyè	选择专业	전공을 선택하다	전업 → 전공
05	工具	gōngjù	交流工具	교류하는 수단	공구 → 수단
06	重点	zhòngdiǎn	抓住重点	핵심을 잡다	중점 → 핵심
07	礼貌	lǐmào	他不懂礼貌	그는 예의를 모른다	예모 → 예의
08	主意	zhǔyi	那是个好主意	그것은 아주 좋은 생각이다	주의 → 생각, 아이디어
09	翻译	fānyì	请了一名翻译	통역사를 한 분 모셨다	번역 → 번역가, 통역사
10	信心	xìnxīn	大家对他有信心	모두 그에게 믿음을 갖고 있다	신심 → 믿음
11	专家	zhuānjiā	教育方面的专家	교육 분야의 전문가	전가 → 전문가
12	好处	hǎochu	抽烟对你没有好处	흡연은 너에게 좋은 점이 없다	호처 → 좋은 점
13	表扬	biǎoyáng	得到了老师的表扬	선생님의 칭찬을 받다	표양 → 칭찬
14	当地	dāngdì	去当地学比较好	현지에 가서 배우는 것이 비교적 좋다	당지 → 현지, 본고장
15	眼前	yǎnqián	他在我眼前	그가 내 눈앞에 있다	안전 → 눈앞
16	改天	gǎitiān	改天再说吧	다음에 다시 얘기하자	개천 → 다음, 다른 날
17	将来	jiānglái	将来能当模特儿	미래에 모델이 될 수 있다	장래 → 미래

DAY 3

A 质量　　B 任务　　C 速度　　D 个子　　E 距离　　F 礼貌

例如: 别以为张师傅(D)没你高，力气也没你大，其实他可是个大力神。

1. 他弟弟不但聪明，而且很懂(　　　)，给客人们留下了非常好的印象。

2. 这儿离故宫还有一段(　　　)，你还是打的去吧。

3. 您就放心地把(　　　)交给我吧，我保证能够按时完成。

4. 爸爸，你开慢点儿，这里是儿童保护区，(　　　)不能超过每小时40公里。

5. 天气预报说，这周六的空气(　　　)非常差，建议我们减少室外活动。

NEW 단어 + TIP

- **左右** zuǒyòu 몡 가량, 안팎

  左右(좌우)는 동사로 '좌지우지한다'는 뜻도 있지만, 수량이나 시간을 나타내는 표현 뒤에 쓰여 대략의 수치를 나타내기도 한다. 그러므로, 독해 1부분에서 左右가 나오면 수량사 뒤에 위치한다는 사실을 잊지 말자.

  예 3点左右 / 两百人左右 / 50岁左右

- **作家** zuòjiā 몡 작가

  小说(소설), 书(책), 文章(문장) 등과 같은 어휘가 나오면, 作家(작가)라는 단어가 함께 등장할 가능성이 높다.

- **错误** cuòwù 몡 실수, 잘못

  错误는 동사 犯错误(실수를 범하다), 承认错误(실수를 인정하다) 등으로 자주 표현 된다. 따라서 함께 호응하는 동사 犯 fàn과 承认 chéngrèn을 함께 기억해 두는 것이 좋다.

DAY 4

> A 重点　B 一切　C 结果　D 玩笑　E 节目　F 周围
>
> 例如：A：你的报告怎么还没写完？
>
> 　　　B：我家(　　)太不安静，没法儿写。

1. A：小王昨天哭了，你不应该跟她开那种(　　　)。

   B：真的吗？那我去跟她道个歉吧。

2. A：经理，这是我新做好的报告，您确认一下。

   B：内容太单调，不够详细，缺少(　　　)，明天我们得再开个会，
   继续讨论。

3. A：明天就要去北京上大学了，(　　　)都准备好了吗？

   B：还没有，心里也挺紧张呢。

4. A：昨天那场足球友谊赛(　　　)怎么样了？

   B：那还用说吗？百分之百是我们班赢了啊！

5. A：每年春节联欢晚会的(　　　)都特别精彩，不知今年怎么样？

   B：应该不错吧。电视上早就打出了广告。

03 很을 좋아하고 목적어를 싫어하는 형용사 [DAY 5-6]

형용사는 동사처럼 구체적인 동작이 아니라, 사물이나 사람의 상태를 묘사하는 성격이 강하다. 형용사의 가장 큰 특징은 很과 같은 정도부사와는 아주 잘 다니지만, 목적어를 끌고 나올 수는 없다는 것이다. 또한 형용사는 술어 앞에서 地를 수반하거나 地가 없는 형태로 부사어가 되기도 하며, 술어 뒤에서 보어 역할을 할 수도 있다. 술어, 부사어, 보어로 쓰이는 형용사를 완벽하게 마스터해 보자!

독해 시크릿 백전백승

1 형용사 유추하기

형용사는 상태를 묘사하는 말로, 대개 '~ㄴ다'라고 동사형으로 해석할 수 없다.

凉快 liángkuai	서늘하다 (○), 서늘한다 (×)	流利 liúlì	유창하다 (○), 유창한다 (×)
吵 chǎo	시끄럽다 (○), 시끄런다 (×)	浪漫 làngmàn	낭만적이다 (○), 낭만적인다 (×)
精彩 jīngcǎi	훌륭하다 (○), 훌륭한다 (×)	无聊 wúliáo	무료하다 (○), 무료한다 (×)

2 주어 + 부사 + 술어[형용사] + 목적어

예 他　　终于　　[成功]　　了。　그는 드디어 성공했다.
　주어　　부사　　술어(형용사)

주어 + 전치사구(전치사 + 명사) + 정도부사 + 술어[형용사] + 목적어

예 老师　　对学生　　很　　[严格]。　선생님은 학생에 대해 매우 엄격하시다.
　주어　전치사 + 명사　정도부사　술어(형용사)

3 형용사 찾기 비법

① 부사 힌트: 형용사는 很, 非常, 十分, 特别, 太 등과 같은 '정도부사'와 자주 함께 나온다.

　　　예 他非常努力。 그는 매우 노력한다.

② 목적어 힌트: 형용사 뒤에는 목적어가 없다.

　　　　예 漂亮她。(×) → 她很漂亮。(○) 그녀는 매우 예쁘다.

③ 해석 힌트: '~한다 / ㄴ다'로 해석할 수 없는 경우가 많다.

④ 문장 구조 힌트: 구조조사 地와 함께 쓰일 수도 있다. (형용사 + 地 + 술어)

!Tip 동작 묘사를 강조하고 싶을 때는 地를 사용하고, 강조하지 않을 때는 생략할 수 있다. 이때 형용사를 부사로 착각하지 않도록 주의한다. 예 仔细(地)看 자세히 보다

문제 1

| A 难过 | B 流行 | C 顺利 | D 复杂 | E 严重 | F 粗心 |

这条裙子最近很(　　)，我也想去买一条。

🔍 **문제 분석** 정도부사 很 다음에는 형용사가 나와야 한다. ◁ **2 . 3** 적용

| A 괴롭다 | B 유행하다 | C 순조롭다 | D 복잡하다 | E 심각하다 | F 세심하지 못하다 |

이 치마는 요새 무척 (B 유행하는) 거야, 나도 하나 사고 싶다.

해설 형용사 술어의 힌트는 주어를 살펴보면 된다. 주어 这条裙子는 요즘 어떻다는 걸까? 특정 시기에 사람들의 인기를 얻어 널리 입혀지는 것을 流行(유행하다)이라고 하므로, 정답은 B다.

단어 裙子 qúnzi 몡 치마 | 最近 zuìjìn 몡 최근 | 流行 liúxíng 혱 유행하다 | 想 xiǎng 조동 ~하고 싶다 | 买 mǎi 동 사다

문제 2

| A 严格 | B 热闹 | C 流利 | D 直接 | E 满 | F 正式 |

A: 张经理，这份会议材料要打印几份？
B: 先印8份，打印好以后，(　　)送到会议室吧。

🔍 **문제 분석** 술어 送到 앞에 들어갈 부사어를 고른다. 동사나 형용사가 부사어가 될 수 있다. ◁ **2 . 3** 적용

| A 엄격하다 | B 떠들썩하다 | C 유창하다 | D 직접적인 | E 가득하다 | F 정식의 |

A: 장 사장님, 이 회의 자료는 몇 부 출력할까요?
B: 우선 8부 출력해서, (D 직접) 회의실로 갖다 줘요.

해설 사장님과 직원의 대화다. 회의 자료를 출력해서 그냥 보관하고 있거나 다시 검토를 받는 것이 아니라, 지금 회의할 때 필요한 것이니 회의실로 직접 가져다 달라는 의미여야 하므로, 정답은 D다.

단어 经理 jīnglǐ 몡 사장 | 会议 huìyì 몡 회의 | 材料 cáiliào 몡 자료 | 打印 dǎyìn 동 출력하다, 프린트하다 | 以后 yǐhòu 몡 이후 | 直接 zhíjiē 혱 직접적인 | 送 sòng 동 보내다, 전달하다

형용사는 술어 이외에 관형어, 부사어, 보어로도 쓰일 수 있다.

1 관형어

형용사는 구조조사 的의 도움을 받아 명사를 수식하는 관형어 역할을 할 수 있다.

형식	형용사 + 的 + 명사 관형어	
예시	漂亮的**女孩子** 예쁜 여자아이 丰富的**知识** 풍부한 지식	优秀的**学生** 우수한 학생 高兴的**样子** 즐거워하는 모습

단, 1음절 형용사는 的의 도움을 받지 않고도 명사를 수식할 수 있다.

예 **好**老师 좋은 선생님　　**老**朋友 오랜 친구　　**大**房间 큰 방　　**新**书 새 책

2 부사어

형용사는 구조조사 地의 도움을 받아 술어를 수식하는 부사어 역할을 할 수 있다.

형식	형용사 + 地 + 술어 부사어	
예시	积极(地)**回答** 적극적으로 대답하다 慢慢(地)**拿起** 천천히 들어 올리다	认真(地)**学习** 열심히 공부하다

3 단독 수식어

일부 형용사는 술어보다 관형어나 부사어의 성격이 강해서, 구조조사의 도움 없이도 바로 명사나 술어를 수식할 수 있다.

★ **直接** 직접적인	**直接**告诉 직접 알려 주다	**直接**送到办公室 바로 사무실로 보내다
★ **具体** 구체적인, 특정한	**具体**时间 특정 시간	**具体**说明 구체적으로 설명하다
★ **绝对** 절대적인, 절대로	**绝对**优势 절대적인 우세	**绝对**安全 절대적으로 안전하다
★ **单独** 단독으로, 홀로	**单独**房间 단독으로 된 방	**单独**跟你谈 단독으로 너와 상의하다
★ **个别** 개별적, 일부의	**个别**现象 일부 현상	**个别**处理 개별적으로 처리하다
★ **共同** 공동의, 함께	**共同**爱好 공통의 취미	**共同**努力 함께 노력하다

4 정도부사와 함께 쓰이는 형용사

정도부사는 말 그대로 형용사의 정도가 얼마나 심한지를 나타내 주는 역할을 한다.

예 很 hěn 매우   非常 fēicháng 대단히   太 tài 너무   挺 tǐng 꽤

够 gòu 충분히   十分 shífēn 아주   怪 guài 몹시   最 zuì 가장

比较 bǐjiào 비교적   稍微 shāowēi 약간   有点儿 yǒudiǎnr 조금

01	方便 fāngbiàn	편리하다	交通很方便 교통이 매우 편리하다
02	难过 nánguò	괴롭다	心里很难过 마음이 매우 괴롭다
03	健康 jiànkāng	건강하다	身体很健康 몸이 매우 건강하다
04	孤单 gūdān	외롭다	觉得很孤单 매우 외롭다고 느낀다
05	丰富 fēngfù	풍부하다	营养很丰富 영양이 매우 풍부하다
06	流行 liúxíng	유행하다	最近很流行 최근에 매우 유행이다
07	热闹 rènao	시끌벅적하다	春节很热闹 설날은 매우 시끌벅적하다
08	顺利 shùnlì	순조롭다	一切都很顺利 모든 게 다 순조롭다
09	复杂 fùzá	복잡하다	这个问题很复杂 이 문제는 매우 복잡하다
10	轻松 qīngsōng	홀가분하다	考完试了，很轻松 시험이 끝나니, 매우 홀가분하다
11	简单 jiǎndān	간단하다	看起来，很简单 보기에, 아주 간단하다
12	舒服 shūfu	편안하다	身体很不舒服 몸이 매우 불편하다
13	活泼 huópo	활발하다	这孩子非常活泼 이 아이는 대단히 활발하다
14	精彩 jīngcǎi	훌륭하다	这场比赛非常精彩 이 시합은 대단히 훌륭하다
15	认真 rènzhēn	진지하다, 성실하다	他做事挺认真 그는 일하는 게 꽤 성실하다
16	遗憾 yíhàn	유감스럽다	我觉得挺遗憾的 나는 꽤 유감스럽게 느낀다
17	麻烦 máfan	성가시다, 번거롭다	这件事很麻烦 이 일은 매우 번거롭다
18	辛苦 xīnkǔ	고생하다	您太辛苦了 당신 너무 고생하셨어요
19	无聊 wúliáo	무료하다, 재미없다	这部电影太无聊了 이 영화는 너무 재미없다
20	理想 lǐxiǎng	이상적이다	成绩不太理想 성적이 그다지 이상적이지 못하다
21	紧张 jǐnzhāng	긴장하다	心里有点儿紧张 마음이 조금 긴장된다
22	可惜 kěxī	애석하다, 안타깝다	你不能来，真可惜 못 온다니, 정말 안타깝다

5 다양한 형태로 쓰인 형용사: 술어, 부사어, 보어

형용사는 문장 안에서 서술어의 역할을 할 뿐만 아니라, 술어 앞에서 부사어, 술어 뒤에서 보어 역할도 한다. 문장 속에서 다양하게 쓰이는 형용사를 알아보자.

01	受不了 shòubuliǎo	견딜 수 없다	实在受不了 정말로 견딜 수가 없다
02	安静 ānjìng	조용하다	教室里安静极了 교실이 매우 조용하다
03	合适 héshì	적합하다, 어울리다	对你合适 너에게 어울린다
04	满意 mǎnyì	만족하다	对成绩不满意 성적에 불만족하다
05	熟悉 shúxī	익숙하다	对这里不太熟悉 이곳에 대해 별로 익숙하지 않다
06	严格 yángé	엄격하다	老师对我们很严格 선생님은 우리에게 엄격하시다
07	兴奋 xīngfèn	흥분하다	他兴奋得不得了 그는 흥분해서 어쩔 줄 몰라 했다
08	激动 jīdòng	흥분하다	激动地说 흥분하여 말하다
09	详细 xiángxì	상세하다	详细地介绍 상세하게 소개하다
10	耐心 nàixīn	참을성 있다, 인내심 있다	耐心地解释 인내심 있게 설명하다
11	辛苦 xīnkǔ	고생하다, 힘들다	辛辛苦苦地工作 힘들게 일하다
12	幸福 xìngfú	행복하다	妈妈很幸福地笑了 엄마는 행복하게 웃으셨다
13	随便 suíbiàn	제멋대로 하다	他穿得很随便 그는 옷을 자유롭고 편하게 입었다
14	主动 zhǔdòng	자발적이다	主动提出离婚 자발적으로 이혼 얘기를 꺼내다
15	直接 zhíjiē	직접적이다	直接到电影院门口 직접 영화관 입구로 오다
16	热情 rèqíng	열정적이다, 친절하다	感谢你的热情招待 친절한 접대에 감사합니다
17	严重 yánzhòng	심각하다	病得很严重 병이 매우 심각하다
18	正式 zhèngshì	정식이다, 격식 있다	穿得很正式 격식 있게 차려입었다
19	流利 liúlì	유창하다	说得很流利 유창하게 말하다
20	马虎 mǎhu 粗心 cūxīn	세심하지 못하다	做得马虎 처리가 세심하지 못하다

DAY 5

A 难过　B 流行　C 顺利　D 复杂　E 严重　F 粗心

例如: 这条裙子最近很(B), 我也想去买一条。

1. 我的感冒更(　　　)了，明天我想请一天假。

2. 不管做什么事情，都要认真、仔细，不要太马虎、太(　　　)。

3. 人在伤心(　　　)的时候，大哭一场也许是不错的办法。

4. 本来很简单的事，现在变得(　　　)起来了。

5. 原来你已经从天津回来了？一切都很(　　　)吧？

NEW 단어 + TIP

- 空 kōng 명 하늘, 공중, 공기

  kòng 형 (시간, 장소 등을) 비우다 명 짬, 겨를, 시간

  空은 성조에 따라 그 의미도 달라진다. 1성으로 발음하면 '공기, 공중'이라는 뜻으로 空调(에어컨), 空中小姐(승무원) 등의 단어가 있고, 4성으로 발음하면 '비다'의 뜻으로, 空房间(빈방), '시간, 짬'이라는 뜻으로 今天没有空(오늘은 시간이 없어) 등의 표현으로 자주 등장 한다.

- 棒 bàng 형 (수준이) 높다, (성적이) 뛰어나다

  棒은 부수에 나무 목(木)이 들어있어, '몽둥이'라는 뜻을 가지고 있다. 그래서 '야구'를 棒球라고 한다. 하지만, 독해 1부분에서는 '수준이 높고, 훌륭하다'는 형용사 용법을 묻는 문제로 출제될 가능성이 훨씬 높다.

- 开心 kāixīn 형 즐겁다, 유쾌하다

  开心은 글자 그대로 '마음이 열린다 → 즉, 즐겁고 유쾌하다'는 뜻으로 쓰인다.

DAY 6

A 严格　B 热闹　C 流利　D 直接　E 满　F 正式

例如：A：张经理，这份会议材料要打印几份？

　　　B：先印8份，打印好以后，（ D ）送到会议室吧。

1. A：你穿这种衣服太随便了，今天开会得穿(　　　)点儿。

　 B：怕什么，除了你，那儿没人认识我。

2. A：外面有很多人，停着很多辆车，特别(　　　)。

　 B：今天老王的女儿结婚，我们也去祝贺一下吧。

3. A：简直受不了，这么简单的动作让我们练二三十遍。

　 B：老师对你们(　　　)些好，都是为了帮你们打好基础。

4. A：刚刚那个售货员说什么了？

　 B：她说购物(　　　)300元就可以免费参加抽奖活动，第一名是一台笔记本。

5. A：真羡慕你，能说一口(　　　)的汉语。

　 B：我来中国已经5年了，只要平时多跟中国人聊天儿，你也可以的。

04 문장의 中心! 능력 있는 동사

DAY 7-8

독해 제1부분에서 출제 빈도 1순위인 품사는 동사다. 독해에서 높은 점수를 얻으려면 동사를 잘 알아야 한다는 뜻이다. 동사는 문장 속에서 가장 중요한 술어 역할을 한다. 앞으로는 부사, 조동사, 전치사구를 내보내고, 뒤로는 보어, 목적어를 끌고 나올 수 있는 아주 능력 있는 품사. 이번 장에서는 동사를 완벽하게 마스터해 본다!

독해 시크릿 백전백승

1 동사 유추하기

동사는 움직임을 나타내는 말이므로, '~ㄴ다'라고 해석하는 것이 자연스럽다.

说话 shuōhuà	말한다	学习 xuéxí	공부한다
开车 kāichē	운전한다	散步 sànbù	산책한다
做饭 zuòfàn	밥을 짓는다	打字 dǎzì	타자를 친다

2 주어 + 부사 + 조동사 + 전치사구(전치사 + 명사) + 술어[동사] + 목적어

3 동사 찾기 비법

① 동사는 정도부사의 수식을 받지 않는다. (단, 심리동사는 예외)

　예 很吃饭(×) → 吃饭(○) 밥을 먹다

② 목적어 힌트: 동사 뒤에는 목적어가 올 수 있다.

　예 练习听力 듣기를 연습하다

③ 해석 힌트: '~한다 / ㄴ다'로 해석이 가능하다.

　예 学习 공부한다 / 睡觉 잠잔다 / 打扫 청소한다

④ 문장 구조 힌트: 앞에 조동사(想, 要, 肯, 敢, 能, 会, 可以, 应该 등)가 올 수 있고, 뒤에 동태조사(了, 着, 过) 또는 보어 형태가 올 수 있다.

⑤ 부수 힌트: 讠, 口, 辶, 扌, 礻, 足 등의 부수가 나오면 동사일 가능성이 높다.

　예 讨论 토론하다 / 允许 허락하다 / 吃 먹다 / 喝 마시다 / 进 들어가다 /

　　追 쫓다 / 选择 선택하다 / 打扫 청소하다 / 踢 (발로) 차다

문제 1

> | A 放弃 | B 举办 | C 允许 | D 道歉 | E 推迟 | F 符合 |

他的腿受伤了，只好(　　)了比赛。

🔍 **문제 분석** 빈칸 뒤 동태조사 了가 있고, 그 뒤 명사 목적어(比赛)가 있으므로, 빈칸에는 동사가 필요하다.

> **2** , **3** 적용

> | A 포기하다 | B 개최하다 | C 허락하다 | D 사과하다 | E 연기하다 | F 부합하다 |

그는 다리에 부상을 입어서 어쩔 수 없이 경기를 (A 포기했다).

해설 동사의 힌트는 목적어이므로 목적어(比赛)와 어울리는 동사를 찾아야 한다. 参加比赛(시합에 참가하다)라고도 할 수 있지만 앞 절에 그가 다리를 다쳤다고 했으므로, 어쩔 수 없이 시합을 포기하다(放弃)라는 표현이 가장 적당하다.

단어 腿 tuǐ 몡 다리 | 受伤 shòushāng 통 부상당하다 | 只好 zhǐhǎo 틧 어쩔 수 없이 | 放弃 fàngqì 통 포기하다 | 比赛 bǐsài 몡 경기

문제 2

> | A 商量 | B 超过 | C 吸引 | D 出生 | E 后悔 | F 提醒 |

A: 最近我老咳嗽，吃点儿什么药好？
B: 别再抽烟了，快点戒掉，等身体出现问题，(　　)就来不及了。

🔍 **문제 분석** 동사는 술어로 쓰이는 경우가 많지만, 때로는 관형어·부사어·보어 혹은 주어가 될 수도 있다.

> **2** , **3** 적용

> | A 상의하다 | B 초과하다 | C 매료시키다 | D 태어나다 | E 후회하다 | F 일깨우다 |

A: 요즘 계속 기침을 하는데, 무슨 약을 먹는 게 좋을까?
B: 더는 담배 피우지 말고 빨리 끊어. 건강에 문제가 생기고 나서 (E 후회하면) 늦으니까.

해설 내용을 다시 곱씹어 보자. 건강에 문제가 생기면 뒤늦게 후회(后悔)해도 소용이 없다는 내용이므로, 정답은 E다.

단어 最近 zuìjìn 몡 요즘 | 老 lǎo 틧 계속 | 咳嗽 késou 통 기침하다 | 什么 shénme 때 무슨, 무엇 | 药 yào 몡 약 | 抽烟 chōuyān 통 담배를 피우다 | 戒 jiè 통 끊다, 중단하다 | 身体 shēntǐ 몡 건강, 몸 | 出现 chūxiàn 통 나타나다 | 问题 wèntí 몡 문제 | 后悔 hòuhuǐ 통 후회하다 | 来不及 láibují 통 (시간상) ~하지 못하다

1 동사와 짝꿍 목적어

동사의 가장 큰 특징은 목적어를 끌고 나올 수 있다는 점이다. 어떤 동사가 어떤 형태의 목적어
와 자주 함께 쓰이는지 익혀 보자.

01	离开 líkāi	떠나다	离开北京 베이징을 떠나다
02	了解 liǎojiě	이해하다	了解情况 상황을 이해하다
03	通知 tōngzhī	통지하다, 알리다	通知大家 모두에게 통지하다
04	超过 chāoguò	초과하다, 넘다	超过费用 비용을 초과하다
05	收拾 shōushi	정리하다	收拾房间 방을 정리하다
06	赶上 gǎnshàng	시간에 대다, 따라잡다	赶上火车 기차를 시간 맞춰 타다
07	利用 lìyòng	이용하다	利用机会 기회를 이용하다
08	举行 jǔxíng	거행하다	举行婚礼 결혼식을 거행하다
09	符合 fúhé	부합하다, 일치하다	符合要求 요구에 부합하다
10	提高 tígāo	향상시키다, 높이다	提高水平 수준을 향상시키다
11	表示 biǎoshì	나타내다, 표시하다	表示感谢 감사를 표하다
12	小心 xiǎoxīn	조심하다	小心感冒 감기 조심하다
13	回忆 huíyì	회상하다	回忆往事 지난 일을 회상하다
14	安排 ānpái	(시간 등을) 안배하다	安排日程 일정을 짜다
15	坚持 jiānchí	견지하다, 유지하다	坚持减肥 다이어트를 계속하다
16	保持 bǎochí	유지하다	保持习惯 습관을 유지하다
17	注意 zhùyì	주의하다	注意身体 건강에 유의하다
18	引起 yǐnqǐ	(주의를) 끌다, 야기하다	引起注意 주의를 끌다
19	吸引 xīyǐn	매료시키다, 사로잡다	吸引了我 나를 매료시켰다
20	修改 xiūgǎi	수정하다	修改文章 글을 수정하다
21	处理 chǔlǐ	처리하다	处理问题 문제를 처리하다
22	整理 zhěnglǐ	정리하다	整理房间 방을 정리하다
23	保护 bǎohù	보호하다	保护环境 환경을 보호하다
24	参加 cānjiā	참가하다	参加活动 활동에 참가하다

2 다양한 형태로 목적어를 취하는 동사

동사는 대개 하나의 목적어를 취하지만 목적어를 취할 수 없는 자동사와 이합동사도 있고, 목적어를 2개 취할 수 있는 수여동사도 있다. 특히 목적어를 갖지 못하는 동사는 전치사구를 이끈다는 점에 주목하여, 다음 동사들을 공부해 보자.

01	提醒 tíxǐng	일깨우다	再三提醒我 여러 번 나를 일깨워 주다
02	包括 bāokuò	포함하다	包括三个部分 3개 부분을 포함하다
03	接受 jiēshòu	받아들이다	接受他的意见 그의 의견을 받아들이다
04	表达 biǎodá	나타내다, 표현하다	表达反对意见 반대 의견을 표현하다
05	理解 lǐjiě	이해하다	理解你的想法 당신의 생각을 이해하다
06	保证 bǎozhèng	보장하다	保证商品的质量 상품의 품질을 보장하다
07	受到 shòudào	받다	受到很大的欢迎 매우 큰 환영을 받다(= 아주 인기가 많다)
08	觉得 juéde	~라고 느끼다	觉得很难受 매우 괴롭다고 느끼다
09	适合 shìhé	적합하다	适合出去散步 나가서 산책하기에 적합하다
10	坚持 jiānchí	견지하다, 유지하다	坚持走路上班 걸어서 출근하는 것을 지속하다
11	增加 zēngjiā	증가하다	增加了2倍 2배 증가했다
12	反映 fǎnyìng	반영하다	反映了这一情况 이 상황을 반영했다
13	误会 wùhuì	오해하다	误会了我的意思 나의 뜻을 오해했다
14	适应 shìyìng	적응하다	适应了这里的生活 이곳의 생활에 적응했다
15	试 shì	시험 삼아 ~해 보다	试一下衣服 옷을 한번 입어 보다
16	找 zhǎo	거슬러 주다	找你30块钱 30위안을 너에게 거슬러 주다
17	告诉 gàosu	알리다	告诉他一件事 그에게 한 가지 일을 알려 주다
18	鼓掌 gǔzhǎng	손뼉을 치다	为他鼓掌 그에게 박수를 보내다
19	解释 jiěshì	설명하다	向学生解释 학생에게 설명하다
20	商量 shāngliang	상의하다	跟她商量 그녀와 상의하다
21	打招呼 dǎ zhāohu	인사하다	跟我打招呼 나와 인사하다
22	介绍 jièshào	소개하다	向大家介绍 모두에게 소개하다
23	道歉 dàoqiàn	사과하다	向客人道歉 손님에게 사과하다
24	负责 fùzé	책임지다	由我来负责 내가 책임지다

DAY 7

> A 放弃　B 举办　C 允许　D 道歉　E 推迟　F 符合
>
> 例如: 他的腿受伤了, 只好(A)了比赛。

1. 你这么做不(　　　)公司的规定, 会破坏公司的管理。

2. 我刚才听广播说明天可能会下大雨, 足球比赛恐怕要(　　　)了。

3. 飞机在起飞及降落的时候, 不(　　　)使用手机和电脑。

4. 这次演出活动(　　　)得非常成功, 吸引了很多当地的观众。

5. 这件事确实是你做得不对, 你应该向老师(　　　), 好好儿表示歉意。

 내가 생각하는 HSK란? – HSK는 [　　　　]다.

- HSK는 양파다. 벗겨도 벗겨도 공부할 새로운 내용이 또 생긴다. – 최은실
- HSK는 신상 가방이다. HSK 증서를 너무 갖고 싶다. – 김정
- HSK는 취업의 징검다리다. – 장태수
- HSK는 잇몸 약이다. 씹고 뜯고 맛보고 즐겨야 하니까. – 최화실
- HSK는 용돈이다. 용돈을 많이 받으면 행복하듯이, 점수를 높게 받으면 기분이 좋으니까. – 방혜지
- HSK는 경쟁력이다. 중국어는 앞으로 영어 못지 않게 많이 쓰일 언어니까. – 신영롱

DAY 8

| A 商量 | B 超过 | C 吸引 | D 出生 | E 后悔 | F 提醒 |

例如：A：最近我老咳嗽，吃点儿什么药好？

B：别再抽烟了，快点戒掉，等身体出现问题，(E)就来不及了。

1. A：周末的演出时间换到晚上7点了，你告诉小王了没？

B：还没呢，忙了一上午，你不(　　　)我的话，我还真给忘了。

2. A：你女朋友最(　　　)你的地方是什么？

B：她又漂亮又善良，而且有幽默感，我跟她在一起很开心。

3. A：哇，这只小狗好可爱啊，它叫什么？

B：它叫小白，一(　　　)就被送到我们家了，所以我们的感情很深。

4. A：你和她(　　　)了吗？

B：还没，她最近在忙公司的事，我怕打扰她。

5. A：这药不能吃了，已经(　　　)有效期三个月了。

B：哟，还是你细心，不然麻烦大了。

05 약방의 감초 '조전접'

우리는 앞 장에서 독해 제1부분에서 가장 자주 출제되는 동사, 형용사, 부사, 명사를 배웠다. 이번 장에서 배울 약방의 감초 '조전접'은 조동사와 전치사, 접속사를 말한다. 이 품사는 매회 1~2문제 정도 출제되어 출제 빈도가 그리 높은 편은 아니지만, 4급 고득점과 5급 입문의 탄탄한 기초를 다지기 위해서는 꼭 공부해야 할 과정이다.

부사 뒤, 전치사구 앞에 있는 빈칸은 조동사 자리고, 술어 앞에 명사 덩어리가 있다면, 그 앞에는 전치사를 넣어 주면 된다. 접속사는 각 절의 맨 앞자리, 즉 주어보다도 앞에 나온다는 점을 명심한다면 쉽게 문제를 풀 수 있다. 이제부터 '조전접'을 정복해 보자!

독해 시크릿 백전백승

1 '조전접' 유추하기

조동사	可以 kěyǐ	~해도 된다	可以**抽烟** 담배를 피워도 된다 (허가)
전치사	对 duì	~에게 ~	对**妈妈说** 엄마에게 말하다 (대상)
접속사	因为…, 所以… yīnwèi…, suǒyǐ…	왜냐하면 ~, 그래서 ~	因为**生病**，所以**没去** 병이 났기 때문에 못 갔다 (원인)

① 조동사: 조동사는 뒤에 나오는 동사를 보조하므로, 술어 부분이 물결표(~)로 표시된다.

② 전치사: 전치사는 뒤에 '명사 + 술어'를 끌고 나와야 하므로, 명사와 술어 부분이 물결표(~)로 표시된다.

③ 접속사: 두 개의 절을 연결해 주는 접속사는 절의 맨 앞(혹은 주어 앞)에 사용된다.

한눈에 파악하는 '조전접' 핵심 어순

부사 + [조동사] + 전치사구 + 술어

[전치사] + 명사 + 술어

[접속사] + 주어 + 술어

2 **[접속사] + 주어 + 부사 + [조동사] + [전치사] + 명사 + 술어(동사) + 목적어**

> 예 [所以]　　我们　　都　　[应该]　　　　[向] 老师　　承认　错误。
> 　　 접속사　　주어　　부사　　조동사　전치사구 (전치사 + 명사)　술어 (동사) 목적어
> 그래서 우리는 모두 선생님에게 잘못을 인정해야 한다.

3 **'조전접' 찾기 비법**

> ① 조동사는 술어 앞, 전치사구가 있으면 전치사구(전치사 + 명사) 앞에 놓는다.
>
> 　　你们　　可以　　在这儿　　看电视。너희는 여기에서 TV를 봐도 된다.
> 　　　　　 조동사　 전치사 + 명사　 술어
>
> ② 전치사는 술어 앞이나, 술어 앞에 명사가 있으면 명사 앞에 놓는다.
>
> 　　明天　　给　我　　打电话。내일 나에게 전화 걸어 줘.
> 　　　　전치사　명사　술어
>
> ③ 접속사는 일반적으로 각 절 맨 앞에 위치한다.
>
> 　　虽然很贵, 但是我很想买。비록 비싸긴 하지만, 나는 무척 사고 싶다.
> 　　접속사　　 접속사

NEW 단어 + TIP

- 照 zhào 전 ~대로, ~근거하여

  照는 동사로 '비치다'는 뜻도 있지만 독해 제1부분에 출제되었을 경우에는 전치사 按照(ànzhào ~에 근거하여, 의거하여)라는 의미를 알고 있는지의 여부를 묻는 문제가 자주 출제된다.

  > 예 按照规定 규정에 따라서
  >
  > 按照老师的话 선생님 말씀대로

- 对于 duìyú 전 ~에 대해서

  대상을 끌어낼 때 사용되는 표현이며, 对于가 등장하는 위치도 중요하다. 전치사구(对于 + 명사)로 주어와 술어 사이에 자주 등장하지만, 경우에 따라서는 주어부 앞쪽에 위치할 수도 있다.

  > 예 我们对于这个地方很熟悉。우리는 이곳에 대해 잘 압니다.
  >
  > 对于许多问题, 我们还没解决。많은 문제에 관해, 우리는 아직 해결하지 못했다.

문제 1

A 既然	B 把	C 随着	D 在	E 按照	F 光

父母给他的学费他不到一个月就花(   )了。

🔍 **문제 분석** 동사 花 뒤에 나올 수 있는 것은 보어다. 동사나 형용사는 술어뿐만 아니라 보어도 될 수 있다.

A 이왕 ~된 바에야	B ~을	C ~에 따라	D ~에	E ~에 따라	F 조금도 남지 않다

부모님이 그에게 준 학비를 그는 한 달도 안 되어 다 (F 써 버렸다).

해설 돈을 다 써 버렸다는 의미를 나타내기 위해서는 동사 花 뒤에, 형용사 光을 써서 결과보어를 만들어 주면 된다.
예 花光了 써 버리다 / 吃光了 먹어 버리다 / 喝光了 마셔 버리다 / 用光了 사용해 버리다

단어 父母 fùmǔ 명 부모 | 学费 xuéfèi 명 학비 | 花 huā 동 쓰다, 소비하다 | 光 guāng 형 조금도 남지 않다(주로 보어로 쓰임)

문제 2

A 离	B 秒	C 趟	D 会	E 任何	F 可以

A: 你们怎么考虑的? 什么时候开始那个计划啊?
B: 别急, 我们还没想好呢, 决定好了(   )告诉你的。

🔍 **문제 분석** 동사 告诉 앞에는 조동사가 나와야 한다. 〈 **1, 2, 3** 적용 〉

A ~로부터	B 초	C 차례, 번	D ~할 것이다	E 무슨, 어떠한	F ~할 수 있다

A: 너희 어떻게 생각해? 언제 그 계획을 시작해야겠니?
B: 조급해하지 마, 우린 아직 충분히 생각하지 못했어. 결정되면 너에게 알려 (D 줄 거야).

해설 조동사 숲에는 '배워서 할 수 있다(학습을 통한 습득을 강조)'와 '~일 것이다(추측)'의 두 가지 의미가 있다. 决定好了(결정되다)에서 了는 미래 완료로 아직 발생하지 않은 동작이며, 뒤의 동사 告诉도 마찬가지다. 아직 발생하지 않은 동작은 '~할 것'이라는 추측의 조동사 숲를 써야 한다.
💡Tip 추측의 조동사 숲는 뒤에 的와 자주 호응하므로, 이를 힌트로 삼을 수도 있다.

단어 怎么 zěnme 대 어떻게 | 考虑 kǎolǜ 동 생각하다 | 开始 kāishǐ 동 시작하다 | 计划 jìhuà 명 계획 | 想好 xiǎnghǎo 충분히 생각하다 | 决定 juédìng 동 결정하다 | 告诉 gàosu 동 알리다

1 조동사의 종류

조동사를 중국어로는 능력과 바람을 나타내는 能愿动词(능원동사)라고 한다. 그 종류로는 크게 바람 · 소망 / 가능 · 능력 · 허가 / 필요 · 도리 · 당위성으로 나눌 수 있다.

바람 · 소망	想 xiǎng	~하고 싶다
	要 yào	~하려고 한다 / ~할 것이다
	肯 kěn	기꺼이 ~한다
	敢 gǎn	~할 용기가 있다
가능 · 능력 · 허가	会 huì	~할 수 있다(가능) / ~할 것이다(추측)
	能 néng	~할 수 있다(능력)
	可以 kěyǐ	~해도 된다(허가)
필요 · 도리 · 당위성	应该 yīnggāi	마땅히 ~해야 한다
	得 děi	~해야 한다

2 전치사의 종류

전치사는 조동사와 동사 중간에 끼어든다고 하여 중국어로는 介(낄 개)자를 써서 介词(개사)라고 한다. 전치사는 1음절 단어가 많고, 특수 구문에서 쓰는 把, 被, 比도 전치사라는 점을 반드시 기억하자.

피동	被 bèi	~에 의해서
처치	把 bǎ	~을
비교	比 bǐ	~보다
피동	往 wǎng / 向 xiàng	~를 향해서
이유	为 wèi	~ 때문에
	为了 wèile	~을 위해서
근거	按照 ànzhào	~에 근거하여
	随着 suízhe	~함에 따라서
시간 · 장소	从 cóng / 由 yóu	~로부터
	在 zài	~에서
	离 lí	~로부터(거리 / 간격)
대상	和 hé / 跟 gēn	~와
	对 duì	~에게 / ~에 대해
	关于 guānyú	~에 관하여
	以 yǐ	~로써

3 접속사의 종류

접속사는 두 개의 절을 연결하는 역할을 하며 종종 부사와 함께 쓴다. 앞 절에 쓰이는 접속사는 일반적으로 주어 앞뒤에 모두 나올 수 있고, 뒤 절에 쓰이는 접속사는 반드시 주어 앞에 온다. 만약 부사가 온다면 주어 뒤에 위치해야 한다.

01 如果(=要是)…就…　　rúguǒ(=yàoshi)…jiù…　　만약 ~하면 곧 ~하다

要是找到，就告诉我。 만약에 찾으면, 바로 나에게 알려 줘.

02 即使…也…　　jíshǐ…yě…　　설령 ~일지라도 ~하다

即使下雨，我也要去。 설령 비가 올지라도 나는 가야 한다.

03 不管…都…　　bùguǎn…dōu…　　~든 상관없이 모두 ~하다

不管你什么时候来，我都没关系。 네가 언제 오든 나는 상관없다.

04 既然…就…　　jìrán…jiù…　　이왕 ~한 김에 ~하다

既然这样，你就好好儿休息吧。 이왕 이렇게 된 거 너 좀 쉬어라.

05 虽然(=尽管)…但是…　　suīrán(=jǐnguǎn)…dànshì…　　비록 ~지만, (그러나) ~하다

虽然他很有钱，但从不乱花。 비록 그는 돈이 많지만, 쓰지를 않는다.

06 因为(=由于)…所以…　　yīnwèi(=yóuyú)…suǒyǐ…　　(왜냐하면) ~해서, (그래서) ~하다

因为起得很晚，所以迟到了。 늦게 일어나서 지각을 했다.

07 不但…而且…　　búdàn…érqiě…　　~일 뿐만 아니라, (게다가) ~하다

老师不但教得好，而且很关心我。 선생님은 잘 가르쳐 주실 뿐만 아니라, 관심도 많이 가져 주신다.

08 除了…以外…　　chúle…yǐwài…　　~을 제외하고

除了老王以外，大家都同意他的意见。 라오왕 이외에는 모두들 그의 의견에 동의했다.

4 양사 및 보어의 종류

양사에는 명사를 세는 명량사와, 동작의 양을 세는 동량사, 그리고 시간의 양을 세는 시량사가 있다. 명량사는 '수사 + 양사 + 명사'의 어순으로 쓰고, 동량사와 시량사는 동작동사 뒤에서 보어의 역할을 한다.

01	篇 piān	글을 셀 때 쓰임	一篇文章 한 편의 글 一篇论文 한 편의 논문
02	只 zhī	동물을 셀 때 쓰임	一只猫 고양이 한 마리 一只狗 개 한 마리
03	场 chǎng	경기, 비, 눈 등을 셀 때 쓰임	一场比赛 한 경기 一场雨 한바탕 내리는 비
04	趟 tàng	왕복의 횟수를 셀 때 쓰임	回一趟家 집에 한 번 갔다 오다 白跑了一趟 한 차례 헛걸음하다
05	遍 biàn	처음부터 끝까지의 횟수를 셀 때 쓰임	看一遍 한 번 보다 听一遍 한 번 듣다 说一遍 한 번 말하다
06	段 duàn	일정한 단락을 셀 때 쓰임	一段文章 글 한 단락 一段路 한 구간의 길
07	光 guāng	조금도 남김없이(결과보어)	一下子吃光了 단숨에 다 먹어 치우다 钱都花光了 돈을 다 써 버리다
08	掉 diào	~해 버리다(결과보어)	我早就忘掉他了。 나는 진작에 그를 잊어버렸다.

DAY 9

A 既然　　B 把　　C 随着　　D 在　　E 按照　　F 光

例如: 父母给他的学费他不到一个月就花(F)了。

1. 老师(　　　　)黑板上写下了两个大字"诚实"。

2. (　　　　)他们的东西都拿走，包括那边的那些衣服和书。

3. (　　　　)你已经决定去了，就不要改变主意了。

4. (　　　　)时代的发展，中国人饮茶的习惯也发生了变化。

5. (　　　　)国家规定，个人收入超过3500元不足5000元的人要缴纳
3%的个人所得税。

NEW 단어 + TIP

- 只有…才… zhǐyǒu…cái… 젭 다만 ~해야만이 비로서 ~이다

'다만 ~해야만 비로소 ~이다'라는 뜻으로 유일한 조건을 나타내며 다른 선택의 여지가 없음을 나타내는
접속사이다. 접속사 문제가 나오면 뒤 절에 함께 호응하는 부사(才)를 찾는다면 비교적 쉽게 정답을 고를 수
있다.

예 只有认真做, 才能做完。 열심히 해야지만이, 비로서 완성할 수 있다.

- 同时 tóngshí 젭 그리고, 게다가

同时는 부사 용법과 접속사 용법으로 쓰이는데, 앞 절의 맨 끝이나, 뒤 절의 맨 앞에 위치할 가능성이 높다.
위치를 잘 기억해 두면 문제를 비교적 쉽게 풀 수 있다.

예 吃药的同时, 也要注意休息。 약을 먹으면서 쉬는 것에도 신경 써야 한다.
　他是我的老师, 同时也是我的朋友。 그는 나의 선생님이자, 동시에 나의 친구이기도 하다.

DAY 10

A 离　　B 秒　　C 趟　　D 会　　E 任何　　F 可以

例如：A：你们怎么考虑的？什么时候开始那个计划啊？

　　　　B：别急，我们还没想好呢，决定好了(D)告诉你的。

1. A：期末考试成绩出来了吗？

　 B：明天就(　　　)在网上查成绩，我估计这次考得还可以。

2. A：真抱歉，我迟到了。

　 B：没关系，(　　　)上演还有5分钟呢。

3. A：看你高兴的样子，这次用了多久？

　 B：12(　　　)，速度比上个月提高了两秒呢。

4. A：还有多久登机？我想去(　　　)厕所，怕时间来不及。

　 B：你快去快回吧，我先去打印登机牌。

5. A：我们的计划非常重要，不能泄露出去。

　 B：放心吧，我不会让(　　　)人知道的。

독해 제2부분 문장 순서 배열하기
기출문제 탐색전

문제 1

A 不仅咳嗽很厉害

B 而且鼻子几乎闻不到任何气味

C 他得了严重的感冒

C A B

🔍 유형 분석

❶ 한 문제당 3개의 문장이 제시된다.

보기 A, B, C는 완벽한 문장일 수도 있고, 명사구·동사구·전치사구 등이 나올 수도 있다.

❷ 제일 먼저 첫 번째 문장을 찾아서 표시한다.

!Tip 주어나 첫 번째 문장이 될 단서가 있는 부분에 '네모'로 표시해 두자.

❸ 그 다음 두세 번째 문장을 찾아서 표시한다.

!Tip 두 번째 절 이하에 나오는 접속사나 부사를 찾아서 '동그라미'나 '세모'로 표시해 두자.

독해 제2부분은 총 10문제가 출제되며 전체 독해 문제의 25%를 차지한다. 이 부분의 유형은 주어진 A, B, C 3개의 문장을 순서대로 배열하는 것이다. 주관식이라고 긴장할 필요는 전혀 없다. 답이 될 수 있는 패턴은 아주 단순하고, 첫 번째 문장만 제대로 찾아낸다면 정답 확률은 50%가 되기 때문이다. 먼저 첫 번째 문장을 제대로 찾는 집중 훈련을 한 뒤 자신감이 생기면 세 개의 문장을 순서대로 나열해 보자!

❹ 접속사가 등장하면, 앞 절에 쓰이는 접속사와 뒤 절에 쓰이는 접속사나 부사의 위치는 거의 정해져 있기 때문에 문제는 간단하게 풀 수 있다.

┌→ 앞 절에 쓰이는 접속사
예 不仅…而且…
        └→ 뒤 절에 쓰이는 접속사

접속사를 꼭 암기해서 거저 주는 문제를 틀리지 않도록 한다.

❺ 만약 첫 번째 문장을 잘 찾았다면 정답 확률은 50%다.

예를 들어, 첫 번째 문장이 A일 때 나올 수 있는 경우의 수는 A C B와 A B C 두 가지뿐이기 때문이다.

Tip 정답이 A로 시작될 경우 나올 수 있는 답 → A C B 또는 A B C
정답이 B로 시작될 경우 나올 수 있는 답 → B A C 또는 B C A
정답이 C로 시작될 경우 나올 수 있는 답 → C A B 또는 C B A

❻ 단어를 모르겠다고, 해석이 안 된다고 포기하기엔 너무 아깝다. 앞으로 배울 비법을 잘 전수받아 꼭 좋은 성적을 거두자!

01 첫 번째 문장_사람 주어와 非사람 주어 찾기

독해 제2부분에서 3개의 보기를 모두 해석하고 의미상 어떤 순서로 나열할지 고민해서 문제를 푼다면, 주어진 시간 안에 문제를 다 풀지 못할 수도 있다. 따라서 온갖 비법을 총동원하여 문제를 풀어야 한다. 어떤 문장이 첫 번째 문장이 될 것인가를 가장 먼저 생각해야 한다. 이번 장에서는 주어를 제대로 찾는 연습부터 시작해 보자!

독해 시크릿 백전백승

1 사람 주어 찾기

① 사람 이름이나 신분(직업), 출신을 나타내는 주어가 나온다.

예 이름: **小李** 샤오리 / **老金** 라오진 / **丽丽** 리리

신분: **韩老师** 한 선생님 / **王校长** 왕 교장 선생님 / **医生** 의사 / **我爷爷** 우리 할아버지

출신: **中国人** 중국인 / **法国人** 프랑스인 / **上海人** 상하이 사람 / **台湾人** 타이완 사람

② 인칭대사나 수식어를 동반한 주어가 나온다.

예 **我** 나 / **他** 그 / **她** 그녀 / **女孩子们** 여자아이들 / **我的儿子** 내 아들 / **每个人** 모든 사람 / **被批评的人** 지적받은 사람 / **有的学生** 어떤 학생 / **我妈妈的朋友** 우리 엄마 친구분

2 非사람 주어 찾기

① 사람이 아닌 명사가 주어가 될 수 있다.

예 **春节** 설날 / **中秋节** 추석 / **一个笑话** 우스갯소리 하나 / **这种动物** 이런 동물 / **这个学校** 이 학교 / **这篇文章** 이 글 / **地球** 지구 / **水** 물 / **教育** 교육 / **预习和复习** 예습과 복습 / **公司** 회사 / **学校** 학교 / **医院** 병원

② 동사나 형용사(구)가 주어로 등장할 수도 있다. 사람만 주어가 될 수 있다는 고정관념을 버린다.

예 **放弃并不表示认输。** 포기하는 것이 결코 실패를 인정하는 것은 아니다. 〔동사 주어〕

邀请别人是一门艺术。 다른 사람을 초청하는 것은 일종의 예술이다. 〔동사구 주어〕

Tip 문제를 풀 때 먼저 주어를 찾는 것이 중요하다. 사람 주어 혹은 非사람 주어를 먼저 찾고, 나머지 2개는 부연 설명을 하는지, 결론을 짓는지, 대등한 관계인지 등을 구분해서 순서대로 배열한다.

3 첫 번째 문장 표시하기

① 첫 번째 문장이 될 수 있는 사람 주어, 非사람 주어가 있다면, '네모' 표시한다.

② 두세 번째 문장이 될 수 있는 접속사나, 대사는 '동그라미' 표시한다.

문제 1

A 就会变得越来越优秀

B 但只要发现自己的缺点并及时去改正

C 每个人都有缺点

🔍 **문제 분석** 사람 주어가 있는지 여부에 주목! ◁ **1** 적용

A 점점 더 우수하게 변해 갈 것이다

B 그러나 자신의 결점을 발견하고 바로 고치기만 한다면

C 모든 사람은 모두 결점을 가지고 있다

C B A

해설 **STEP 1** 주어 찾기

사람 주어 每个人(모든 사람)이 있는 C가 첫 번째 문장이 된다.

STEP 2 의미상 순서 배열하기

C에서는 有缺点(결점이 있다), B에서는 改正(고치다), A에서는 变得优秀(우수하게 변한다)라고 했다. 사람은 누구나 결점이 있으나 그 결점을 고치면 우수하게 변할 수 있다는 내용임을 알 수 있다.

따라서 C → B → A의 순서가 정답이 된다.

단어 会 huì 조동 ~할 것이다 | 变 biàn 통 변하다, 바뀌다 | 越来越⋯ yuèláiyuè⋯ 점점 ~해진다 | 优秀 yōuxiù 형 우수하다 | 但 dàn 접 그러나 | 只要 zhǐyào 접 ~하기만 하면 | 发现 fāxiàn 통 발견하다, 알아차리다 | 自己 zìjǐ 대 자신 | 缺点 quēdiǎn 명 결점 | 并 bìng 접 그리고, 게다가 | 及时 jíshí 부 곧바로, 신속히 | 去 qù 통 가다 | 改正 gǎizhèng 통 시정하다 | 都 dōu 부 모두 | 有 yǒu 통 가지고 있다

문제 2

A 这个笔记本电脑的原价是5400，打完折才3200

B 而且上网速度很快

C 它的特点是非常小，很方便

🔍 **문제 분석** 非사람 주어가 있는지 여부에 주목! **적용**

A 이 노트북의 원가는 5400위안인데, 할인해서 겨우 3200위안이다

B 게다가 인터넷 속도도 매우 빠르다

C 그것의 특징은 굉장히 작고, 매우 편리하다는 것이며

A C B

해설 **STEP 1 주어 찾기**

非사람 주어 这个笔记本电脑的原价(이 노트북의 원가)가 있는 A가 첫 번째 문장이 된다.

> 💡Tip C의 它的特点(그것의 특징)도 주어가 될 수 있으나, 它(그것)는 앞에서 언급한 사물 这个笔记本电脑(이 노트북)를 지칭하므로, 첫 번째 문장은 될 수 없다.

STEP 2 노트북의 장점 나열하기

A에서 打完折才3200(할인해서 겨우 3200위안이다), C에서 非常小, 很方便(굉장히 작고, 매우 편리하다)이라고 하였다.

STEP 3 결론짓기

B의 접속사 而且는 '게다가'라는 의미를 나타내며 C에 이어 노트북의 또 다른 특징을 설명하므로, B는 마지막에 위치해야 한다.

따라서 A → C → B의 순서가 정답이 된다.

단어 笔记本电脑 bǐjìběn diànnǎo 명 노트북 컴퓨터 | 原价 yuánjià 명 원가 | 打折 dǎzhé 동 할인하다 | 才 cái 부 겨우, 고작 | 而且 érqiě 접 게다가 | 上网 shàngwǎng 동 인터넷을 하다 | 速度 sùdù 명 속도 | 快 kuài 형 빠르다 | 特点 tèdiǎn 명 특징 | 非常 fēicháng 부 대단히, 매우 | 小 xiǎo 형 작다 | 方便 fāngbiàn 형 편리하다

144

DAY 11

1. A 我希望她以后能像老虎一样勇敢

   B 无论遇到什么困难都勇往直前

   C 女儿是虎年出生的 _____

2. A 他大赚了一笔黑心钱

   B 而可怜的人们竟以为他是救星

   C 还光明正大地对所有人说："我这么做是为了你们。"

   _____

3. A 但时间不要过长，最好掌握在半小时到一小时之间

   B 一般来说，感到稍稍出汗的时候就行了

   C 散步能帮助人减轻压力，使心情变得轻松起来 _____

4. A 还没开口呢，脸就先红了

   B 我很了解小张这个人

   C 他平时不太爱说话，特别是在女孩儿面前更容易害羞

   _____

5. A 每当我打开它时

   B 我常会想起那时候又美好又愉快的生活

   C 这个盒子里有我中学很多美好的记忆 _____

DAY 12

1. A 有可能随时离开这个世界

   B 他得了重病，有生命危险

   C 但他每天仍然坚持学习外语 _____

2. A 他很年轻，没有多少经验

   B 比相同年龄的人更成熟、冷静，更值得信任

   C 可是遇到什么麻烦的事，都自己去解决 _____

3. A 放弃并不是表示认输，而是表示新的开始

   B 因此为了获得更多

   C 应该放弃一些不重要的东西 _____

4. A 购物满300元还可以免费送货，现在买非常合适

   B 正好现在有打折活动

   C 那家店的商品质量都不错 _____

5. A 不能只说人的缺点，也不要笑话人

   B 批评人要注意方式和方法

   C 应该用真诚的态度让对方明白道理 _____

146

02 첫 번째 문장_숨은 주어 찾기

첫 번째 문장 찾기 비법으로는 사람 주어와 非사람 주어를 찾는 방법 이외에 하나의 비법이 더 있다. 그것은 바로 주어 앞으로 나올 수 있는 전치사구와 주어 앞뒤에 모두 위치할 수 있는 시간사가 있는 보기를 첫 번째 문장이 되게 하는 것이다. 이 비법까지 알게 되면 첫 번째 문장 찾기는 문제없이 성공하리라 믿는다. 마지막으로 주어가 2개 나온 문장의 대처법까지 완벽하게 마스터해 보자!

독해 시크릿 백전백승

1 주어 앞에서 다른 어휘가 주어를 숨기고 있을 때의 대처법

① 시간사를 찾는다.

예 형식: [시간사 + 사람 주어] 또는 [시간사(+ 주어 생략)]

今天我… 오늘 나는 ~ / **今年暑假, 张明**… 올 여름 방학에 장밍은 ~ / **平时, 我的孩子**… 평소에 내 아이는 ~ / **夜里突然**… 밤에 갑자기 ~ / **星期天**… 일요일에 ~ / **以前**… 예전에 ~ / **最近**… 최근에 ~ / **周末**… 주말에 ~ / **假期**… 방학 기간에 ~ / **第一次**… 처음으로 ~

② 맨 앞에 있는 전치사구를 찾는다.

예 형식: [전치사 + 명사] 또는 [전치사 + 명사, + 주어 + 술어]

随着…**发展** ~이 발전함에 따라 / **关于这件事**… 이 일에 관해 ~ / **为了你**… 너를 위해 ~ / **按照学校的规定**… 학교 규정에 따라 ~ / **根据报道**… 보도에 따르면 ~ / **对我来说**… 나한테는 ~ / **从我的角度来看**… 내 관점에서 보면 ~ / **依我看**… 내가 보기에는 ~

2 2개의 주어가 나왔을 때의 대처법

① 먼저 주어가 될 만한 2개의 절을 찾는다.

② 최소한 두 번째 절 이하에서 쓸 수 있는 부사(也, 还, 就)나 대사(它, 那), 혹은 终于, 原来, 比如, 重要, 关键 등의 표현을 찾아 선후 관계를 정한다.

③ 이야기의 흐름을 잘 파악하여 순서를 정리한다.

3 첫 번째 문장 표시하기

① 첫 번째 문장이 될 수 있는 사람 주어, 非사람 주어가 있다면, '네모' 표시한다.

② 두세 번째 문장이 될 수 있는 접속사나, 대사는 '동그라미' 표시한다.

문제 1

A 可是也没有表示反对

B 她虽然十分惊讶

C 我把那件事告诉妈妈时

문제 분석 시간사가 있는 문장의 위치에 주목! **1** 적용

A 그러나 반대하지는 않으셨다

B 그녀는 비록 매우 놀라기는 했지만,

C 내가 그 일을 엄마에게 알려 드렸을 때,

C B A

해설 **STEP 1** 시간 표현 찾기 / 사람 주어 찾기

시간을 나타내는 '…时'와 사람 주어인 我가 있는 C가 첫 번째 문장이 된다.

Tip 시간을 나타내는 표현은 昨天, 今天, 晚上과 같은 시간명사도 있지만, '동작 + 的时候/时'의 형식으로 吃饭的时候, 上课时와 같은 조합형 시간 표현도 있다.

STEP 2 구체적 인물과 3인칭 표현 위치 확인하기

자신이 그 일을 엄마에게 알려 드린 후, 엄마의 놀라는 반응을 설명하고 있는 B가 두 번째 문장이 된다. C에 妈妈가 구체적인 인물로 언급되고, '엄마'를 지칭하는 3인칭 단수 她가 B에서 언급되고 있으므로, C → B의 순서가 되어야 한다.

STEP 3 접속사 살펴보기

'비록 ~하지만, 그러나 ~한다'는 의미의 접속사 虽然…可是…가 등장하고 있다. B에서 虽然이 등장하고, A에서 可是가 등장하므로, B → A 순서로 배열한다.

따라서 C → B → A의 순서가 정답이 된다.

단어 表示 biǎoshì 통 나타내다 | 反对 fǎnduì 통 반대하다 | 虽然 suīrán 접 비록 ~하지만 | 惊讶 jīngyà 통 놀라다, 의아해하다 | 告诉 gàosu 통 알리다

A 所以对我来说，年龄只是一个数字

B 我的理解是，重要的是自己有永远年轻的心

C 我从来不关心它

문제 분석 주어가 2개인 문장에서 지시대사의 쓰임에 주목! **2 적용**

A 그래서 나에게 있어서, 나이는 그저 하나의 숫자에 불과하다

B 내가 이해하기에, 중요한 것은 자기 스스로 항상 젊은 마음을 갖고 있는 것이다

C 나는 여지껏 그것에 대해 신경 쓰지 않는다

B A C

해설

STEP 1 주어 찾기

B의 我的理解(내가 이해하기에)와 C의 我(나) 모두 주어가 될 가능성이 있다. 그러나 C에 앞에서 언급한 대상을 지칭하는 지시대사 它(그것)가 등장하는 것으로 보아, C는 첫 번째 문장이 될 수 없으므로 B가 첫 번째 문장이 된다.

STEP 2 의미상 순서 배열하기

항상 젊은 마음을 가지는 것(B)이 중요하며, 나이는 숫자에 불과하다(A)고 말하고 있으니, B 다음에 A 순으로 배열한다.

STEP 3 대사 찾기

C에 언급된 대사 它(그것)는 A에서 말한 年龄(나이)을 지칭하므로, C는 A보다도 뒤에 위치하는 것이 옳다.

따라서 B → A → C의 순서가 정답이 된다.

단어 所以 suǒyǐ 웹 그래서 | 对…来说 duì…láishuō ~에 있어서 | 年龄 niánlíng 웹 나이 | 只是 zhǐshì 뷔 단지 | 数字 shùzì 웹 숫자 | 理解 lǐjiě 통 알다, 이해하다 | 重要 zhòngyào 웹 중요하다 | 有 yǒu 통 가지고 있다 | 永远 yǒngyuǎn 뷔 영원히, 항상 | 年轻 niánqīng 웹 젊다 | 心 xīn 웹 마음 | 从来 cónglái 뷔 여태껏 | 关心 guānxīn 통 관심을 갖다

DAY 13

1. A 随着科学的发展、人们生活水平的提高

   B 成为人们生活中的必需品

   C 网络已经进入到千家万户 _____

2. A 关键是要清楚地知道我们的目的，找个最合理的方法去做

   B 这个工作还可以，并没有你想象的那么复杂

   C 依我看 _____

3. A 同事们都笑话我，以后经常拿这件事跟我开玩笑

   B 飞机起飞时，我紧紧抱住前面的座椅

   C 我第一次坐飞机的时候非常害怕 _____

4. A 男朋友转身对那个女孩儿说："别怕，你安全了。"

   B 我的男朋友跟小偷对打了半天

   C 小偷终于被打跑了，消失在黑暗中 _____

5. A 我当时怎么没想到呢？真是笨死了

   B 刚刚小张告诉我答案时

   C 我才发现这个题原来根本没有那么难 _____

DAY 14

1. A 因为红色会更好地保护皮肤

   B 按照一般人的经验，大家都认为夏天穿白色的衣服会更凉爽

   C 但据有关研究证明，其实红色的衣服效果更好　＿＿＿＿＿＿＿＿

2. A 那就是一家只生一个孩子

   B 为了控制中国人口的增长速度

   C 政府制定了相关的法律　＿＿＿＿＿＿＿＿

3. A 跟暖暖和和的春天比起来

   B 我更加喜欢凉快的秋天

   C 因为那时红叶似火，景色优美，很是浪漫　＿＿＿＿＿＿＿＿

4. A 没想到它们竟然可以长到一公斤重

   B 比如，每天都给西红柿听上三小时美妙的音乐

   C 报纸上说，轻松，愉快的音乐对植物生长有好处　＿＿＿＿＿＿＿＿

5. A 就能看出演员的表演水准

   B 常常是通过演员一个小小的动作和表情

   C 观众在剧场观看话剧表演时　＿＿＿＿＿＿＿＿

03 두세 번째 문장 찾기와 접속사 활용법 DAY 15-16

첫 번째 문장 찾기에 자신감이 붙었다면, 이제 두 번째 문장 찾는 법을 배워 보자. 접속사는 일반적으로 두 개가 호응하여 한 세트를 이루므로, 접속사의 호응 관계만 외우고 있어도 쉽게 풀 수 있는 문제가 많다. 또한 '虽然…但是…'의 경우, 虽然은 첫 번째나 두 번째 문장에, 但是는 두 번째나 세 번째 문장 속에만 등장한다. 따라서 但是가 등장하면 절대 첫 번째 문장이 될 수 없고, 최소한 두세 번째 문장이 된다는 것을 알 수 있다. 이번 장에서는 이렇게 접속사를 활용하는 방법도 함께 배워 본다.

독해 시크릿 백전백승

1 최소 두 번째 이하 문장에 출현하는 접속사를 찾아내라!

아래 표현들은 두 번째나 세 번째 문장에 나올 수 있음을 명심한다.

예 역접: 但是 그러나 / 可是 하지만 / 然而 그렇지만 / 不过 그런데

  결과: 所以 그래서 / 因此 이 때문에 / 于是 그리하여

  점층: 而且 게다가 / 并且 그리고 / 甚至 심지어

  선후: 然后 그런 후 / 后来 나중에 / 最后 최후에

  예시: 比如 예컨대 / 例如 예를 들다

  결론: 结果 결과 / 总的来说 전체적으로 말하면 / 重要的是 중요한 것은

2 최소 두 번째 이하 문장에 출현하는 부사를 찾아내라!

예 也 ~도 / 就 곧, 바로 / 再 다시, ~한 후에 / 还 아직도 / 都 모두 / 却 오히려 / 才 비로소

3 최소 두 번째 이하 문장에 출현하는 대사를 찾아내라!

① 它 그것: 앞에 언급한 사물을 지칭하는 대사이므로, 첫 번째 문장이 될 수 없다.

② 他 그 / 他们 그들 / 她 그녀 / 她们 그녀들: 사람을 지칭하는 대사이므로 첫 번째 문장의 주어가 될 수도 있지만, 만약 더 확실한 주어가 제시되었을 때는 두 번째 이하 문장에 나올 확률이 높아진다.

4 위 방법으로 찾은 표현들에 알아보기 쉽게 표시해 둔다!

문제 1

A 你安排他们到景福宫游览一下

B 日本留学生要来韩国旅游一个星期

C 其它的活动就由我来安排吧

문제 분석 其它, 他们 등 대사의 쓰임에 주목! **2**, **3** 적용

A 네가 그들을 경복궁에 데려가서 구경시켜 주렴

B 일본 유학생이 한국에 일주일간 여행을 온다고 하니

C 그 밖의 활동은 내가 스케줄을 짜도록 할게

B A C

해설 STEP 1 주어 찾기

A의 你(너)와 B의 日本留学生(일본 유학생) 모두 사람 주어이므로, 첫 번째 문장이 될 수 있다. 하지만 A에는 일본 유학생을 지칭하는 인칭대사 他们(그들)이 있으므로, B가 첫 번째 문장이 된다.

STEP 2 의미상 순서 배열하기

첫 번째 활동은 A에서 말한 그들을 경복궁에 데려가는 것(安排他们到景福宫游览一下)이고, 나머지 활동은 C에서 말한 그 밖의 활동(其它的活动)이다. 이렇게 구체적인 활동을 계획하려면 내용상 B가 제일 처음으로 전제되어야 한다.

STEP 3 대사 살펴보기

C의 대사 其它(그 밖의)는 경복궁 가는 것 이외의 활동을 말하므로, A 다음에 C의 어순으로 배열되어야 한다.

따라서 B → A → C의 순서가 정답이 된다.

단어 安排 ānpái 통 안배하다, 준비하다 | 到 dào 통 이르다, 도달하다 | 景福宫 Jǐngfúgōng 명 경복궁 | 游览 yóulǎn 통 유람하다 | 日本 Rìběn 명 일본 | 留学生 liúxuéshēng 명 유학생 | 要 yào 조동 ~할 것이다 | 韩国 Hánguó 명 한국 | 旅游 lǚyóu 통 여행하다 | 星期 xīngqī 명 주, 주일 | 其它 qítā 대 기타, 그 밖에 | 活动 huódòng 명 활동 | 由 yóu 전 ~이, ~가(동작의 주체를 이끌어 냄)

A 大家先听了小王的报告

B 最后一致同意把工厂开在苏州

C 然后展开了热烈的讨论

문제 분석 先, 然后, 最后 등 접속사의 쓰임에 주목! **1**, **2** 적용

A 모두 샤오왕의 보고를 먼저 듣고

B 맨 마지막에는 쑤저우에 공장을 세우는 것에 만장일치로 동의하였다

C 그런 후 열띤 토론을 벌여

A C B

해설 **STEP 1 주어 찾기**

사람 주어 大家(모두)가 있는 A가 첫 번째 문장이 된다.

STEP 2 접속사 살펴보기

동작의 선후를 나타낼 때는 '先(먼저)…, 然后(그런 후에)…, 最后(맨 마지막으로)'의 순서이므로, C가 두 번째 문장이 되고, 접속사 最后(맨 마지막에는)가 있는 B가 마지막 문장이 된다.

따라서 A → C → B의 순서가 정답이 된다.

단어 大家 dàjiā 데 모두, 다들 | 听 tīng 동 듣다 | 报告 bàogào 명 보고 | 最后 zuìhòu 형 최후의, 맨 마지막의 | 一致 yízhì 형 일치하다 | 同意 tóngyì 동 동의하다 | 工厂 gōngchǎng 명 공장 | 开 kāi 동 열다 | 苏州 Sūzhōu 쑤저우(지명) | 然后 ránhòu 접 그런 후에 | 展开 zhǎnkāi 동 전개하다, 벌이다 | 热烈 rèliè 형 열렬하다 | 讨论 tǎolùn 동 토론하다

✉ 내가 생각하는 HSK란? - HSK는 [   ]다.

● HSK는 카멜레온이다. 볼 때마다 새롭다. ㅠㅠ – 정승경
● HSK는 긴 터널이다. 아직 너무 깜깜해요. ㅋ – 김혜진
● HSK는 밤송이다. 까면 깔수록 재미를 느낄 수 있으니까. – 김수림
● HSK는 내 인생의 전환점이다. 노력을 통해 할 수 있다는 자신감을 얻으니까. – 고영찬
● HSK는 변비다. 오랜 묵힘 끝에, 조금의 고통 끝에, 시원한 결말을 볼 수 있으니까. ^^; – 김은혜

관계	★ 1~2번째 절	★ 2~3번째 절	예문
점층	不但 / 不仅 / 不光 / 不只 A	而且 / 并且 B	这件衣服不但很漂亮，而且不贵。 이 옷은 예쁠 뿐 아니라, 가격도 비싸지 않아.
	A할 뿐만 아니라 B하다		
조건	不管 / 无论 / 不论 A	(反正) + [주어] + 都 / 也 / 永远 B	不管有什么理由，反正我都不能原谅他。 어떤 이유든, 아무튼 나는 그를 용서할 수 없어.
	A를 막론하고, 모두 B하다		
	只要 A	就 B	只要有机会，我就要去国外。 기회만 있다면, 나는 해외로 나갈 거야.
	A하기만 하면 B하다		
	只有 A	才 B	只有多听多说，才能学好汉语。 많이 듣고 말해야만, 비로소 중국어를 잘할 수 있어.
	오직 A해야만 B하다		
선택	除了 A 以外	也 / 还 / 都	我除了中国以外，也去过泰国。 나는 중국 이외에, 태국에 가 본 적도 있다.
	A를 제외하고, 또		
	不是 A	而是 B	我不是不想去，而是没有时间。 나는 가고 싶지 않은 것이 아니라, 시간이 없는 거야.
	A가 아니고 B다 [B 선택]		
	不是 A	就是 B	不是你错了，就是我错了，反正有一个人错了。 네가 틀리지 않았으면 내가 틀렸거나, 하여간 한 사람은 틀렸어.
	A가 아니면 B다 [A와 B 중 택1]		
가설	如果 / 要是 A	那么 / 就 B	如果她不能来的话，这个问题就解决不了。 만약 그녀가 오지 못한다면, 이 문제는 해결할 수 없어.
	만약 A하면 B하다		
	即使 / 哪怕 A	也 B	即使有些困难，我也要完成这个计划。 설령 어려움이 좀 있을지라도, 나는 이 계획을 완수해야 해.
	설령 A할지라도 B하다		
전환	虽然 / 尽管 A	但是 / 可是 + [주어] + 还是 B	虽然我见过她几次，可是对她不太熟。 나는 그녀를 몇 번 만나 보긴 했지만, 그녀에 대해서 잘 몰라.
	비록 A지만, (그러나) B하다		
인과	因为 A	所以 B	因为父母疼爱你，所以才这样批评你的。 부모님께서 널 사랑하셔서, 이렇게 꾸중하시는 거야.
	A 때문에 (그래서) B하다		
	既然 A	就 B	既然我答应了，就不能不去。 내가 이미 승낙한 이상, 안 갈 수는 없다.
	기왕 A한 이상 B하다		

DAY 15

1. A 他觉得自己挺合适，就去试了试

   B 这个大学要招聘的是博士生，而且要有工作经验

   C 结果没想到竟然成功了 ＿＿＿＿＿＿＿＿＿＿

2. A 不但不能让读者正确理解作者的意思

   B 这本小说写得不太好

   C 而且故事内容也不够精彩 ＿＿＿＿＿＿＿＿＿＿

3. A 也能让他们感到很幸福

   B 即使只是陪他们聊聊天

   C 有时间的时候偶尔回家看看爸妈 ＿＿＿＿＿＿＿＿＿＿

4. A 我提醒他，虽然这次生意失败了

   B 重要的是要从这次失败中总结经验教训

   C 他还是一个成功的商人 ＿＿＿＿＿＿＿＿＿＿

5. A 他从来都不叫苦叫累

   B 小张工作的时候非常认真

   C 即使遇到不容易解决的难题 ＿＿＿＿＿＿＿＿＿＿

DAY 16

1. A 快擦擦，我去给你倒杯水

   B 这种电影看多了对心脏也不好，你脸上有那么多汗

   C 你既然不能看恐怖电影就别看了 _____

2. A 可以提供皮肤必要的营养，对皮肤很有好处

   B 例如，每天吃一到两个新鲜的西红柿

   C 常吃西红柿可以解决一些健康问题 _____

3. A 也想引起人们对气候变暖问题的关注

   B "地球一小时"的活动是从2007年开始的

   C 除了让人们节约用电以外 _____

4. A 你才能看出它们之间的关系怎样

   B 只有按照一定的规律排列这些数字

   C 要不然不容易看出来 _____

5. A 而且价格也很便宜

   B 在南方地区由于这种植物很常见

   C 因此几乎每家都有几棵 _____

04 이야기 흐름 찾기

DAY **17-18**

앞서 우리는 여러 가지 비법과 테크닉을 이용하여 문장 배열하는 법을 배웠다. 하지만 모든 문제를 다 테크닉으로만 풀 수 있는 것은 아니다. 당연히 해석을 통해 문장을 이해할 수 있어야 한다. 이번 장에서는 이야기 흐름을 통해 문장 순서를 이해하는 능력을 길러 보자!

독해 시크릿 백전백승

1 독해력을 길러라!

이야기 흐름을 찾기 위해서는 해석을 통해 문장을 이해할 수 있는 독해 능력이 있어야 한다.

2 핵심 접속사를 암기하라!

앞 장에서 배운 접속사를 최대한 활용하여 문제를 풀어야 한다. 특히 두 번째 이하 부분에 단골로 나오는 표현들은 반드시 암기하자!

3 동작 및 사건의 발생 순서대로 나열하라!

📖 과거 → 현재 → 미래

去年(작년) → 今年(금년) → 明年(내년)

上个星期(지난주) → 今天(오늘) → 以后(이후)

4 큰 개념에서 작은 개념 순서로 나열하라!

📖 韩国(한국) → 首尔(서울) → 钟路(종로)

2020年(2020년) → 春天(봄) → 有一天(어느 날)

5 유사하거나 대비되는 단어에 주목하라!

유사하거나 대비되는 의미의 내용은 나란히 배열될 가능성이 높다. 따라서 앞뒤 관계를 살펴 한 덩어리로 붙여 놓으면 답을 정리하기가 쉬워진다.

문제 1

A 还将继续千万年

B 水静静地流着，雪山连着雪山

C 这一切已有千万年的历史

🔍 **문제 분석** 공통적으로 나오는 단어와 지시대사에 주목! **1 , 5** 적용

A 앞으로 천만년 동안 계속될 것이다

B 물이 고요히 흘러가고 있고, 겹겹이 설산이 있다

C 이 모든 것은 이미 천만년의 역사를 가지고 있고

B C A

해설 **STEP 1 주어 찾기**

非사람 주어 水(물)가 있는 B가 첫 번째 문장이 된다.

STEP 2 대사 살펴보기

첫 번째 문장에서 언급된 水(물)와 雪山(설산)을 지칭하는 대사 这一切(이 모든 것)가 나온 C가 두 번째 문장이 된다.

STEP 3 이야기 흐름 찾기

C와 A에 공통적으로 千万年(천만년)이라는 단어가 나오므로, 두 문장이 서로 연결되어 나올 가능성이 높다는 걸 감지할 수 있다.

따라서 B → C → A의 순서가 정답이 된다.

단어 **还** hái 🔵 여전히 | **将** jiāng 🔵 장차 | **继续** jìxù 🔵 계속하다 | **静** jìng 🔵 고요하다 | **流** liú 🔵 흐르다 | **雪山** xuěshān 🔵 설산 | **连** lián 🔵 연이어, 이어서 | **一切** yíqiè 🔵 모든 | **已** yǐ 🔵 이미, 벌써 | **历史** lìshǐ 🔵 역사

문제 2

A 但对于这个选择我从来没有后悔过

B 大二的时候才转到经济学院学习

C 我原来的专业是贸易

🔍 **문제 분석** 비사람 주어 / 이야기 흐름에 주목! 1 . 3 적용

A 하지만 나는 이 선택에 대해 지금껏 한 번도 후회해 본 적이 없다

B 대학교 2학년 때 경제학부로 옮겨서 공부했다

C 내 원래 전공은 무역이다

C B A

해설　STEP 1　첫 번째 문장은 비사람 주어 我原来的专业(내 원래 전공)가 있는 C가 첫 번째 문장이 된다.

　　　　STEP 2　원래 전공은 무역이었고, 대학교 2학년 때 경제학부로 옮겨서 공부했다는 이야기 흐름에 따라서 B가 두 번째 문장이 된다.

　　　　STEP 3　C, B에서 언급된 전공을 바꾼 내용을 A에서 지시대사 这个选择(이 선택)로 언급하고 있으니, A가 맨 마지막 문장이 된다.

　　　　따라서 C → B → A의 순서가 정답이 된다.

단어　对于 duìyú 젠 ~에 대해 | 选择 xuǎnzé 명 선택 | 从来 cónglái 분 여지껏, 지금까지 | 没有 méiyou 분 ~하지 않다 | 后悔 hòuhuǐ 동 후회하다 | 过 guo 조 ~한 적이 있다 | 经济 jīngjì 명 경제 | 原来 yuánlái 명 본래, 원래 | 专业 zhuānyè 명 전공 | 贸易 màoyì 명 무역

DAY 17

1. A 上初中后，他常常跟同学去打篮球

   B 弟弟上小学时个子不高，当时家里人都担心他长不高

   C 现在个子差不多有一米八了 _____

2. A 甚至有人说成熟就是一种感觉，没有什么标准

   B 成熟的标准到底是什么

   C 每个人的回答都各不相同 _____

3. A 平时，儿子总是在学校上课

   B 只有放了假，才有可能和我们一起去旅游

   C 学习很紧张，很少有时间出去玩儿 _____

4. A 请您听到广播以后

   B 有哪位顾客丢失了一个黑色的手提包

   C 马上到商场三楼服务台认领，谢谢 _____

5. A 没想到竟然获得了第一名

   B 这让我又吃惊又高兴

   C 我去参加比赛，本来只是想试一试 _____

DAY **18**

1. A 因此养成好的习惯要坚持

   B 一个人的习惯不是一两天养成的

   C 而改掉坏的习惯也一定要坚持 _____

2. A 晚上我们还有比这些更重要的事情要做

   B 吃过午饭后请大家都充分休息休息

   C 各位辛苦了，我们精心为大家准备了一顿午餐 _____

3. A 所以那天的参观活动只好推迟了

   B 再次举行的时间还没决定，让我们等通知

   C 天气预报说八号有大雪 _____

4. A 它们都是中国的"母亲河"

   B 长约6300公里，比黄河长800公里

   C 长江是中国的第一长河 _____

5. A 喜欢音乐是他们5个人的共同爱好

   B 很多年轻人都很喜欢"五月天"这个男孩组合

   C 这个组合是由5个热情的男孩组成的 _____

05 각종 유형별 대처법

DAY 19-20

앞에서 우리는 주어 문장 찾는 비법과 두세 번째 문장 찾기, 접속사 활용법, 그리고 논리적인 이야기 흐름 파악하기까지 다양한 문제 풀이 방법을 배웠다. 이제 독해 제2부분에 어느 정도 자신감이 붙었을 것이다. 그러나 新HSK 문제는 계속 진화된다. 기본적인 유형의 문제가 대다수를 이루지만, 우리의 발목을 잡고 허를 찌르는 문제가 출제될 수도 있으니, 끝까지 방심해서는 안 된다. 그런 의미에서 이번 장에서는 여러 가지 유형에 대한 대처법을 다루고자 한다. 새로운 비법의 세계로 출발해 보자!

독해 시크릿 백전백승

1 유사한 표현 대처법

똑같은 어휘나 유사한 표현이 2개 있다면, 2개의 절은 병렬될 가능성이 높다.

2 2개의 시간사 대처법

시간을 나타내는 표현이 2개 이상 있다면, 시간의 선후를 판단하여 배열한다.

3 명사 덩어리(전치사구) 대처법

일반적으로 A, B, C의 내용은 완벽한 의미를 전달할 수 있는 하나의 절 형태로 나오는데, 가끔씩 명사 덩어리(전치사구)만 나오는 경우가 있다. 이러한 전치사구의 특징은 뒤에 술어를 끌고 나오는 것이므로, 그 다음 문장은 술어가 맨 앞에 제시된 보기일 것이다.

4 2개의 의문대사 대처법

의문대사 + 就 + 의문대사: 누구 / 무엇 / 언제 / 어디 / 어떻게든 간에 바로 그 사람이 / 그것을 / 그때 / 그곳에서 / 그대로 ~한다

2개의 동일한 의문대사가 就를 사이에 두고 앞뒤 절에 호응하면서 특정한 것을 가리키는 용법이다. 이 2개의 의문대사는 하나의 동일한 사람(谁)·사물(什么, 哪个)·시간(什么时候)·장소(哪儿)·방법(怎么) 등을 가리키므로, 서로 연관되게 배열한다.

예 你想说什么, 就说什么。 네가 하고 싶은 말을 해라.

你怎么决定, 我就怎么做。 네가 어떻게 결정하든 나는 그대로 하겠다.

문제 1

> A 我保证，以后我肯定都听您的
>
> B 以前是我不对，请您原谅
>
> C 接受您的任何批评和指导

🔍 **문제 분석** 2개의 시간사에 주목! (**2** 적용)

> A 제가 장담하건대, 앞으로는 틀림없이 당신 말을 듣고
>
> B 예전에는 제가 잘못했으니, 용서해 주세요
>
> C 당신의 어떠한 꾸지람과 조언도 다 받아들일게요

B A C

해설 **STEP 1** 주어 찾기

사람 주어 我(나)가 있는 A와 시간사 以前(이전)이 있는 B가 첫 번째 문장이 될 가능성이 있다.

STEP 2 시간 흐름 파악하기

A와 B를 살펴보면 시간을 나타내는 명사 以后(이후)와 以前(이전)이 있다. 시간의 흐름에 따라 以前(이전) → 以后(이후) 순서인 B → A로 배열한다.

STEP 3 의미상 순서 배열하기

자신의 잘못을 인정하고, 앞으로는 상대방의 비판과 충고도 다 받아들이겠다고 약속하고 있다. 따라서 의미상 잘못을 인정하는 B가 맨 앞에, 약속 내용인 A가 그 다음에, 그리고 A의 보충 설명인 C가 맨 뒤에 나와야 한다.

따라서 B → A → C의 순서가 정답이 된다.

단어 保证 bǎozhèng 图 보증하다, 담보하다 | 以后 yǐhòu 명 이후 | 肯定 kěndìng 분 확실히, 틀림없이 | 都 dōu 분 모두 | 听 tīng 图 듣다 | 以前 yǐqián 명 이전, 예전 | 不对 búduì 형 틀리다 | 原谅 yuánliàng 图 용서하다 | 接受 jiēshòu 图 받아들이다 | 任何 rènhé 때 어떠한, 무슨 | 批评 pīpíng 图 질책하다, 꾸짖다 | 指导 zhǐdǎo 图 지도하다

A 这是我和你之间的秘密

B 千万不能和别人说

C 我跟你说的那些话

🔍 **문제 분석** 명사 덩어리에 주목! ← **3** 적용

A 이것은 나와 너만의 비밀이야

B 절대 다른 사람에게 말해서는 안 돼

C 내가 너에게 한 그 말들은

C B A

해설 STEP 1 **주어 찾기**

非사람 주어인 我跟你说的那些话(내가 너에게 한 그 말들은)가 있는 C가 첫 번째 문장이 된다.

<u>我跟你说的</u> + <u>那些话</u>
관형어   주어

STEP 2 **술어 찾기**

첫 번째 문장에 '주어 덩어리'만 제시되었으므로, 술어를 끌고 와야 한다.

간략하게 표현하면 <u>那些话</u> + <u>不能说</u>로 표현할 수 있으므로, 술어가 있는 B가 나와야 한다.
주어   술어

STEP 3 **대사 살펴보기**

A의 지시대사 这(이것)는 앞에서 언급한 那些话(그 말들)를 지칭하므로, 맨 마지막에 위치하게 된다.

따라서 C → B → A의 순서가 정답이 된다.

단어 和 hé 젠 ~와 | 之间 zhījiān 명 (~의) 사이 | 秘密 mìmì 명 비밀 | 千万 qiānwàn 부 제발, 부디 | 能 néng 조동 ~할 수 있다, 해도 된다
| 别人 biéren 대 다른 사람 | 说 shuō 동 말하다 | 跟 gēn 젠 ~에게 | 那些 nàxiē 대 그것들 | 话 huà 명 말, 이야기

DAY 19

1. A 有的父母对孩子的要求很严格

   B 认为应该给孩子更多自己选择的机会

   C 有的父母正好相反　　　　　　　　　　_____

2. A 我一喝酒就什么都不知道了

   B 这回请你提醒我一下别喝多了

   C 上次就因为喝酒把钱包丢了　　　　　　_____

3. A 一方面是由于她很注重饮食

   B 罗阿姨看上去比实际年龄年轻很多

   C 另一方面是她的性格很好，从来不生气　_____

4. A 我特地给你买了果汁，咖啡和一些你爱吃的饼干

   B 就在车里，你下楼来拿吧

   C 喂，听说你最近为了准备考试很辛苦　　_____

5. A 我告诉你，这种游戏方法非常简单

   B 谁就赢得了比赛

   C 谁在规定的时间内拿到的数量最多　　　_____

DAY 20

1. A 祝您旅行愉快，下次再见

   B 各位旅客，我们的飞机已经安全抵达上海浦东机场

   C 请您拿好自己的行李，按顺序下飞机 ＿＿＿＿＿＿＿＿＿

2. A 我儿子的个子长得非常快

   B 今年就有几条不能再穿了

   C 去年百货商店打折的时候我给他买了好几条裤子 ＿＿＿＿＿＿＿＿＿

3. A 在原有的基础上，加上了文化交流的部分

   B 王校长，我根据你的要求

   C 把这篇报告稍微修改了一下 ＿＿＿＿＿＿＿＿＿

4. A 喂，小王你说的那个客人住在801号，对吗

   B 为什么我敲了半天没有人出来

   C 而且他的手机也一直打不通 ＿＿＿＿＿＿＿＿＿

5. A 就会相应地梦到什么内容

   B 比如，人的脚冷的时候会梦到自己在雪地行走

   C 人在睡觉的时候，身体感觉到什么 ＿＿＿＿＿＿＿＿＿

독해 제3부분 단문 독해
기출문제 탐색전

70. 这次题出得有点儿偏，大家都没考好，我们班60分以上的占47%，70分以上的占32%，90分以上的才占13%。

★ 60分以下的占多少？

A 53%　　　　B 63%　　　　C 68%　　　　D 87%

82-83.

工作时间长了，就会形成一些习惯或者养成一些"毛病"，这就是所谓的职业病。就我而言，做编辑的职业病之一是"眼高手低"，文章看得越多，对好文章的要求就越来越高。轮到自己写作的时候就不敢随便写了。第二个就是习惯性地要求文章要短小精悍。

★ 文中的"职业病"是指一种：

A 习惯　　　B 心理　　　C 疾病　　　D 爱好

★ 作者的职业是：

A 医生　　　B 作家　　　C 编辑　　　D 诗人

독해 제3부분은 짧은 글을 읽고, 주어진 4개의 보기 가운데 가장 적절한 답을 선택하는 문제다. 총 20문제로, 2~3줄의 단문을 읽고 1개의 질문에 답하는 문제와 4~7줄의 단문을 읽고 2개의 질문에 답하는 문제가 출제된다. 글이 길지 않기 때문에 집중만 한다면 정답은 비교적 쉽게 찾아낼 수 있다. 가장 중요한 것은 낯선 단어를 보고 두려워하거나 당황하지 않을 만큼의 어휘력이 겸비되어야 한다는 점이다. 막막하다고 생각된다면, 4급 필수 단어를 매일 30개씩 암기해 보자. 40일이면 4급 1200단어를 전부 암기할 수 있다. 어휘력에 자신감이 생기면, 힘을 내어 독해 제3부분에 도전해 보자!

🔍 유형 분석

1 짧은 지문 읽고 답하기는 총 20문제로, 독해 영역의 50%를 차지한다.
　① 유형1: 2~3줄의 단문을 읽고 1개의 질문에 답하기(총 14문제)
　② 유형2: 4~7줄의 단문을 읽고 2개의 질문에 답하기(총 3지문, 6문제)

2 질문부터 파악하고, 지문을 읽는다.
　질문은 ★로 시작되는 부분에 있다. 질문을 정확히 파악하고 지문을 읽으면, 함정 어휘나 불필요한 내용에 현혹되지 않을 수 있다.

3 모르는 단어 대처법
　① '주어 + 술어 + 목적어'의 기본 성분 위주로 해석하고, 불필요한 부분은 건너뛴다.
　② 낯선 단어는 그림처럼 인식하여 통째로 기억한다. ('스캔 뜨기' 비법)
　③ 부수를 이용하여 단어의 뜻을 유추한다.

4 독해는 시간과의 싸움이다.
　독해는 제한된 40분 안에 40문제를 풀고 답안지 작성까지 해야 하므로, 1문제를 1분도 안 되는 시간 내에 풀어야 한다. 시간이 촉박하다고 불평하는 것은 소용없다. 시간 조절 능력 또한 테스트 범위에 속하기 때문이다. 최대한 빠르게 문제를 풀면서 정확한 답을 찾아내야 한다는 점을 명심하자!

01 정답만 쏙~! 스캔 뜨기

DAY 21-22

4급 독해의 기본 스킬은 '스캔 뜨기'부터 시작된다. 문제에 모르는 단어가 있어서 망설여지는가? 문제에서 핵심이 되는 단어의 생김새를 눈으로 기억했다가 지문 속에서 찾아내는 것이 급선무다. 그 단어가 있는 문장에 정답이 숨어 있을 가능성이 아주 높기 때문이다. 단어를 모른다고 위축되지 말고, 단어를 몰라도 문제를 풀 수 있는 스캔 뜨기 비법을 배워 보자!

독해 시크릿 백전백승

1 반드시 문제를 먼저 봐라!

그냥 무의미하게 보는 것이 아니라, 핵심 단어를 찾으려고 노력해야 한다. 문제를 볼 때는 다음 사항에 유의한다.

① 시제를 확인한다.
② 부정부사가 있는지 확인한다.
③ 주어 / 술어 / 목적어를 꼼꼼하게 확인한다.

2 핵심 단어를 스캔하라!

문제에서 찾아낸 핵심 단어를 2초간 뚫어지게 보면서 눈으로 익혀 둔다.

3 지문을 속독하라!

지문을 빠르게 읽어 내려가면서 대강의 의미를 파악한다.

4 핵심 단어를 찾아라!

문제에서 스캔한 핵심 단어를 지문에서 찾아 '네모' 표시한다. 지문에서 역접의 접속사 但是나 원인, 이유를 나타내는 因为가 나오면 그 이하 부분에 힌트가 제시될 가능성이 매우 높으므로 주목한다.

5 핵심 문장을 정독하라!

스캔한 단어가 들어 있는 핵심 문장 앞뒤 부분을 속독이 아닌, 정독을 통해 정답을 찾아내어 밑줄 긋는다. 지문의 내용과 보기가 100% 일치할 수도 있고, 동의어나 유의어 등 다른 표현으로 바뀌어 제시될 수도 있다 .

문제

老年人总是喜欢回顾过去，想着过去发生的一些事情。而年轻人喜欢向前看，喜欢接受新鲜事物，不断追求变化。

★ 相对于年轻人，老年人：

　A 喜欢变化　　　　B 想着将来　　　　C 回忆过去　　　　D 喜欢新鲜事物

문제 분석 핵심어 스캔 뜨기! < **1 . 2 . 5** 적용 >

노인들은 항상 지난날을 돌이켜 보며, 과거에 일어났던 일들을 회상하기 좋아한다. 반면 젊은이들은 미래를 내다보며, 새로운 것을 받아들이고 끊임없이 변화를 추구한다.

★ 젊은이들에 비해 노인들은 상대적으로:

　A 변화를 좋아한다　　　B 장래를 생각한다　　　C 과거를 회상한다　　　D 새로운 것을 좋아한다

해설

STEP 1 핵심 단어(老年人) 스캔 뜨기

문제에서 老年人(노인)에 대해 물었으므로, 핵심어라 할 수 있다.

STEP 2 핵심 단어 지문에서 찾기

핵심 단어 老年人(노인)이 들어 있는 문장을 찾아보자. 지문에서 핵심어 老年人(노인)이 속한 문장은 맨 첫 문장이다.

STEP 3 핵심 문장 정독하기

찾아낸 핵심 문장(老年人总是喜欢回顾过去，想着过去发生的一些事情)을 정독하면 노인들이 지난날을 돌이켜 보며, 과거에 일어났던 일들을 회상하기 좋아한다는 것을 알 수 있다. 따라서 정답은 C가 된다.

Tip 스캔 뜨기 비법을 사용하면 지문 전체의 내용을 읽으면서 시간을 낭비하지 않아도 되고, 머릿속에서 갖가지 내용이 섞여 실수하는 것을 방지할 수도 있다. 하지만 복습할 때는 지문 전체를 독해해 보는 것이 실력을 높이는 데 도움이 되므로, 문제를 푼 후에는 전체 지문을 꼼꼼히 해석하고 분석하는 연습을 하자.

단어 老年人 lǎoniánrén 몡 노인 | 总是 zǒngshì 뿐 늘, 언제나 | 喜欢 xǐhuan 동 좋아하다 | 回顾 huígù 동 회고하다, 회상하다 | 过去 guòqù 몡 과거 | 想 xiǎng 동 생각하다 | 发生 fāshēng 동 생기다, 일어나다 | 事情 shìqing 몡 일, 사건 | 而 ér 접 그러나, 한편 | 年轻人 niánqīngrén 몡 젊은이 | 向 xiàng 전 ~을 향하여 | 前 qián 몡 앞날, 미래 | 接受 jiēshòu 동 받아들이다 | 新鲜 xīnxiān 혱 새롭다, 참신하다 | 事物 shìwù 몡 사물 | 不断 búduàn 뿐 계속해서, 끊임없이 | 追求 zhuīqiú 동 추구하다 | 变化 biànhuà 몡 변화 | 相对于 xiāngduìyú ~에 비교하여 | 将来 jiānglái 몡 장래, 미래 | 回忆 huíyì 동 회상하다 |

DAY 21

1. 成功是不受年龄限制的，只要你心中有希望，不怕辛苦，能够坚持不懈，不断学习，就一定能实现梦想，获得成功。

★ 什么样的人能获得成功？

　A 年轻的　　　B 爱劳动的　　　C 有梦想的　　　D 不断努力的

2. 各位乘客，飞机马上就要到达北京首都机场了。有需要去卫生间的乘客，请您在飞机着陆前使用，再过十分钟，卫生间将停止使用。感谢您的理解和支持。

★ 再过十分钟后，卫生间将：

　A 停水　　　B 进行打扫　　　C 继续使用　　　D 禁止使用

3-4.

　　有个年纪轻轻的人去一个公司参加面试。到了面试地点以后他才发现，已经有三十多个人在前面排长队了。他想，我怎么做才能引起这家公司负责人的注意呢？怎么做就能让他不选择别人选择自己呢？最终他有了一个好主意。他在一张纸条上只写了一行字，然后让人交给了负责人。负责人看了之后大声笑了起来。原来纸条上是这样写的：先生，我目前排在第33位，在您给我面试之前，千万别先下决定要选谁。终于，他打败了所有面试者，获得了这份工作。

★ 当他到面试地点时发现：

　A 面试已结束　　　　　　　B 排队人多

　C 需要填表格　　　　　　　D 没有座位了

★ 他为什么要给负责人写纸条？

　A 取消面试　　　　　　　　B 表示关心

　C 想推迟面试　　　　　　　D 引起负责人注意

DAY 22

1. 无论何时何地，只要有中国人的地方就永远都少不了饺子。饺子，不仅仅是一种美食，还是中华美食的代表。它常与思乡感情联系在一起，会让中国人看了就想起家来。

★ 中国人看到饺子会：

    A 想家   B 想笑   C 不怕困难   D 忘掉烦恼

2. 老李这几年做生意赚了不少钱，但是他拿出很大一部分用于帮助那些经济困难的人，大家都很尊敬他。

★ 大家为什么尊敬老李？

    A 很诚实   B 帮助穷人   C 他是富人   D 会做生意

3. 小时候，我曾经梦想长大后当一个乘务员，这样我可以一边工作，一边到世界各地旅行。但是，我最后却选择了警察这个职业，因为警察被称为人民的公仆，我想帮助更多需要帮助的人。

★ 他为什么选择了警察这个职业？

    A 到世界各地旅行   B 帮助更多人
    C 赚更多的钱   D 让别人羡慕

4. 社会的发展离不开经济的发展。但是，在经济发展的同时，不能忘了保护环境。如果环境被污染了，经济再发展，也得不到一个美好的环境。

★ 这段话主要说的是经济发展和什么的关系？

    A 环境保护   B 社会发展
    C 交通条件   D 生活水平

02 병렬 문제 '대조 작업'하기

병렬 문제는 보기에 나온 두 가지 이상의 내용이 지문에 언급된 문제를 말한다. 이런 유형의 문제는 지문을 읽고 나서 바로 답을 고르려고 하면, 머릿속은 온갖 뒤죽박죽된 정보들로 혼란스럽고, 또 시간에 쫓겨 내용이 잘 정리되지 않을 수도 있다. 따라서 지문을 읽고 자신의 기억에만 의존하여 답을 고르는 것은 조금 위험한 행동이다. 반드시 보기와 지문의 내용이 일치하는지 확인하는 '대조 작업'이 필요하다. 이번 장에서는 지문 내용을 대조하는 스킬을 배워 보자!

독해 시크릿 백전백승

1 문제에 什么, 怎么(样) 등의 의문대사가 자주 사용된다!

> 예 我们可以知道什么? 우리는 무엇을 알 수 있는가?
>
> 作者是怎么想的? 작가는 어떻게 생각하는가?
>
> 条件怎么样? 조건이 어떠한가?

2 낯익은 단어가 등장한다!

보기에서 보았던 단어가 지문에 대부분 등장한다. 지문에서 이런 부분들을 보기 내용과 대조해 봐야 한다.

3 '대조 작업'은 꼼꼼하게 하라!

아무리 지문 내용과 일치하는 것처럼 보여도, 1음절의 부사 하나만 빠지거나 더해지면 정답이 되지 않을 수 있으니, 항상 조심해야 한다.

4 오답은 즉시 색출하라!

정답이 아니라고 판단되는 보기는 사선(/)을 그어 헷갈리지 않도록 표시해 둔다.

5 정확한 답을 찾아내라!

문제

黄河是中国第二长河，是中国的母亲河，长度有5464千米，从中国西部流向东部，流经9个省区，从高空往下看，好像一个巨大的"几"字。

★ 关于黄河，我们可以知道什么？
A 亚洲最长　　　　　　　　　B 从西流向东
C 中国最长的河　　　　　　　D 长大约1万千米

문제 분석 2가지 상황 / 대조하기 1 , 3 적용

황허(黃河)는 중국에서 두 번째로 긴 강으로 중국의 젖줄이다. 총 길이가 5464km에 달하고, 중국 서부에서 동부로 흐르며, 9개 성(省)을 지난다. 하늘에서 내려다보면 마치 거대한 '几'자 같다.

★ 황허에 관해 알 수 있는 것은 무엇인가?
A 아시아에서 가장 길다　　　　　　　　B 서에서 동으로 흐른다
C 중국에서 가장 긴 강이다　　　　　　　D 약 1만 km이다

해설 **STEP 1** 핵심 단어(黃河) 스캔 뜨기
지문의 내용 전체가 황허의 특징을 설명하고 있으므로, 핵심 단어는 黃河(황허)이다.

STEP 2 문제 파악하기
我们可以知道什么?(우리는 무엇을 알 수 있는가?)라는 광범위한 질문을 던지고 있다. 이럴 경우 앞 장에서 배운 '스캔 뜨기' 비법보다는 '대조 작업'으로 문제를 푸는 것이 적합하다.

STEP 3 대조 작업하기

	보기	지문	해설
A	亚洲**最长** 아시아에서 가장 길다	×	亚洲(아시아)는 언급된 적이 없다.
B	从西流向东 서에서 동으로 흐른다	中国从西部流向东部 중국 서부에서 동부로 흐른다	서쪽에서 동쪽으로 흘러간다고 말했으므로 지문 내용과 일치한다.
C	中国最长的河 중국에서 가장 긴 강이다	中国第二长河 중국에서 두 번째로 긴 강	중국에서 가장 길다면(最长) 第一长河(첫 번째로 긴 강)라고 해야 하는데, 지문에는 두 번째(第二)라고 나와 있다.
D	长大约1万千米 약 1만 km이다	长度有5464千米 총 길이가 5464km에 달한다	5464km를 1만 km라고 했으므로 지문과 일치하지 않는다.

따라서 정답은 B가 된다.

단어 　黄河 Huánghé 몡 황허 | 第二 dì èr 㑉 제2, 다음 | 长河 chánghé 몡 긴 강 | 母亲河 mǔqīnhé 몡 젖줄, 어머니와 같은 강(하천 유역에 사는 사람들의 인근 하천에 대한 친근한 호칭) | 长度 chángdù 몡 길이 | 千米 qiānmǐ 몡 킬로미터(km) | 从 cóng 젠 ~부터 | 西部 xībù 몡 서부 | 流 liú 동 흐르다 | 向 xiàng 젠 ~을 향하여 | 东部 dōngbù 몡 동부 | 流经 liújīng 동 지나다 | 省区 shěngqū 몡 성과 자치구 | 高空 gāokōng 몡 고공, 높은 공중 | 往 wǎng 젠 ~쪽으로 | 好像 hǎoxiàng 뷔 마치 ~과 같다 | 巨大 jùdà 혱 아주 크다 | 字 zì 몡 글자, 문자 | 关于 guānyú 젠 ~에 관하여 | 可以 kěyǐ 조동 ~할 수 있다 | 知道 zhīdào 동 알다 | 什么 shénme 떼 무슨, 어떤 | 亚洲 Yàzhōu 몡 아시아 | 最 zuì 뷔 가장, 제일 | 长 cháng 혱 길다 | 西 xī 몡 서쪽 | 东 dōng 몡 동쪽 | 河 hé 몡 강 | 长大 zhǎngdà 동 자라다, 성장하다 | 约 yuē 뷔 대개, 대략 | 万 wàn 㑉 만(10000)

NEW 단어 + TIP

- 转 zhuǎn 동 (방향을) 바꾸다, 돌다

- 举 jǔ 동 들다

- 倒 dào 동 거꾸로 되다, 뒤집히다, 따르다, 따라 붓다

- 来自 láizì 동 ~로부터 오다, ~에서 생겨나다

- 提 tí 동 들다, 끌어올리다, 이야기를 꺼내다

- 百分之 bǎifēnzhī 퍼센트

1. 熊猫是一种有着独特黑白相间毛色的活泼动物，它是熊科的一个分支。成年熊猫长约120到190厘米，体重85到125公斤，主要以竹子为食。

★ 关于熊猫，我们可以知道什么？

A 主要吃草   B 皮毛是黑色的

C 身高不到120厘米   D 成年后85公斤以上

2. 昨天我和同事去逛街，看中了一条挺好看的牛仔裤，质量也不错，而且还打七折。可惜我的号卖完了，我只好让老板再帮我订了一条。

★ 关于那条牛仔裤，哪个不对？

A 样子一般   B 正在打折

C 质量很好   D 没有我要的号

3-4.

当被问到"什么才是真正的幸福"时，大家的回答都各不相同。其实认真对比一下，就会发现有很多共同点。举个例子，父母的健康、有好朋友在身边、有个好工作等等。一位作家曾经说过：大家想要的幸福其实都差不多，想要得到它，虽不简单，却也不难。不知道你的幸福又是什么呢？

★ 下列哪个不是说话人认为的"幸福"？

A 父母健康   B 工资满意

C 特别富有   D 有好同事

★ 关于幸福，我们可以知道：

A 很难获得   B 标准很高

C 没有区别   D 不难得到

DAY 24

1. 每年6月上旬，上海都会举行国际电影节。来自世界各地的著名导演、明星们会受邀来到这里，同时，精彩的活动也会吸引很多普通市民前来参观。

★ 根据上海国际电影节，哪个没有提到？

A 有精彩的活动　　　　B 世界很多明星参加
C 在6月举办　　　　　D 吸引很多外国人

2. 中国有56个民族，与汉族相比，其他民族的人数非常少，习惯上被叫做"少数民族"，这些少数民族都有着自己的习惯和文化，其中许多民族还有自己的语言和文字。

★ 根据这段话，中国少数民族：

A 习惯差不多　　　　B 比汉族人数多
C 有不同的文化　　　D 都没有文字和语言

3. 根据地图显示，现在有两条路通往泰山山顶。请大家看一下地图，左边这条路虽然长一些，但是不那么危险，下山也比较容易。所以我个人建议从右上山从左下山，你们觉得怎么样？

★ 左边那条路：

A 没有路灯　B 更安全　　C 环境美丽　　D 容易迷路

4. 这家商店专门销售各式筷子，用各种材料和多种颜色制成的筷子，品种多样，质量也不错。既可以放在家里用，也可以买来送给亲朋好友，因此受到了顾客们的欢迎。

★ 这家店的筷子怎么样？

A 非常贵　B 质量很好　　C 品种单一　　D 不能用做礼物

03 접속사 분석하기

DAY 25-26

독해 제2부분에서 중요하게 다루었던 접속사를 외워 두면, 독해 제3부분을 풀 때도 아주 유용하게 쓰인다. 접속사의 의미를 정확히 이해하고 있으면 중요 내용이 앞 절인지 뒤 절인지 빠르게 판단할 수 있기 때문이다. 그중에서도 중요도 0순위로 꼽히는 접속사는 '역접' 접속사고, 1순위는 '선택'과 '인과', 2순위는 '점층'과 '조건' 접속사다. 이번 장에서 정리하는 핵심 접속사를 반드시 숙지하자!

독해 시크릿 백전백승

1 접속사에 주목하라!

지문 속에서 접속사를 찾아내는 습관을 들이자.

2 모르는 명사는 동그라미로 표시하면서, 포기하지 말고 끝까지 읽어라!

이때 불필요한 부분은 넘어가고, 필요한 부분만 신속하고 효과적으로 파악한다.

3 접속사가 핵심인 문제는 다음 사항을 따져 본다!

① 역접인지 순접인지
② 사실인지 가설인지
③ 인과 · 조건 · 선택 · 긴축 등 관계가 어떠한지

4 주제를 파악하라!

작가가 하고자 하는 말, 즉 글의 주제를 생각해 본다.

5 함정에 빠지지 말고, 정확하고 확실한 답을 찾아내라!

문제

减肥不只是为了瘦，更是为了健康。因此正确的减肥方法应该是按时吃饭，多吃水果，加大运动量，而不是饿肚子。

★ 减肥主要目的是：

A 好身材　　　B 更健康　　　C 增加运动量　　　D 只为了身体更瘦

🔍 **문제 분석** 핵심어 스캔 뜨기 / 부정부사와 접속사에 주목! ▶ **2**, **3** 적용

다이어트는 날씬해지기 위해서일 뿐만 아니라 건강하기 위한 것이다. 그러므로 올바른 다이어트 방법은 규칙적으로 식사하고, 과일을 많이 먹으며 운동량을 늘리는 것이지, 굶는 것이 아니다.

★ 다이어트의 주된 목표는:

A 아름다운 몸매　　　B 더 건강하려고　　　C 운동량 증가　　　D 단지 날씬해지기 위해

해설

STEP 1 핵심어(减肥) 찾기

문장 전체가 减肥(다이어트)에 관한 내용을 서술하고 있으므로, 핵심어는 减肥(다이어트)가 된다.

STEP 2 접속사 분석하기

'不只是为了A, 更是为了B'는 '단지 A만을 위한 것이 아니고, 더욱이 B를 위한 것이다'라는 뜻이다. 이 접속사는 목적한 바가 B에 더 있음을 말해 준다.

STEP 3 정답 찾기

단순히 '살을 빼기 위한 것'이 아니라, '더 건강하기 위해서' 다이어트를 한다고 했으므로, 정답은 B가 된다.

단어 减肥 jiǎnféi 통 살을 빼다 | 只是 zhǐshì 부 단지, 오로지 | 为了 wèile 전 ~을 위하여 | 瘦 shòu 형 마르다 | 更是 gèngshì 부 더욱, 훨씬 | 健康 jiànkāng 형 건강하다 | 因此 yīncǐ 접 그래서, 이 때문에 | 正确 zhèngquè 형 올바르다, 정확하다 | 方法 fāngfǎ 명 방법 | 应该 yīnggāi 조동 ~해야 한다 | 按时 ànshí 부 제때에 | 吃饭 chī fàn 밥을 먹다 | 吃 chī 통 먹다 | 水果 shuǐguǒ 명 과일 | 加大 jiādà 통 늘리다, 증가하다 | 运动量 yùndòngliàng 명 운동량 | 而 ér 접 그리고 | 饿 è 통 굶주리다 | 肚子 dùzi 명 배 | 主要 zhǔyào 형 주요한, 주된 | 目的 mùdì 명 목적 | 好 hǎo 형 좋다, 아름답다 | 身材 shēncái 명 몸매 | 更 gèng 부 더욱, 훨씬 | 增加 zēngjiā 통 증가하다 | 只 zhǐ 부 단지, 오직 | 身体 shēntǐ 명 몸, 신체

1 점층 관계

01 **不但(不仅 / 不只 / 不光)…而且(并且 / 甚至) + (还 / 也 / 又 / 更)**
~뿐 아니라, 게다가 ~하다

她不但会说英语，而且还会说汉语。 그녀는 영어뿐만 아니라, 중국어도 할 줄 안다.

02 **不但(不仅 / 不只 / 不光)…反而…**   ~뿐 아니라, 오히려 ~하다

问题不但没解决，反而更严重了。 문제는 해결되지 않았을 뿐 아니라, 오히려 더 심각해졌다.

03 **连…都(也)…**   ~조차도 ~하다

他连饭也不吃了。 그는 밥도 안 먹는다.

2 조건 관계

▶ 조건이 어떤 것이든 막론하고 결과는 바뀌지 않음

01 **无论…都…**   ~를 막론하고, 모두 ~하다

无论我怎样问她，她都不说实话。 내가 아무리 그녀에게 물어봐도, 그녀는 사실을 말하지 않는다.

02 **不管…也(都)…**   ~에 관계없이, 역시(모두) ~하다

不管贵不贵，我也要买。 비싸든 말든, 나는 사겠다.

03 **任(任凭)…都…**   ~에 관계없이, 모두 ~하다

任凭你是谁，都不能违反规定。 네가 누구이건 간에, 규정을 어길 수는 없다.

▶ 특정 조건에 따라 결과가 바뀜

01 只要 + 여러 가지 조건 중 하나의 조건, 就 + 도달할 수 있는 결과
단지 ～하기만 하면, ～하다 [결과 강조]

只要**努力**，就能得到6级。 노력하기만 하면, 6급을 딸 수 있다.

02 只有 + 유일한 조건, 才 + 어렵사리 도달할 수 있는 결과
반드시 ～해야만, ～하다 [조건 강조]

只有**专心学习**，才能得到6级。 열중해서 공부해야만, 6급을 딸 수 있다.

3 전환 관계

01 虽然(尽管) + 인정할 수 있는 사실, 但是(可是 / 然而) + 사실과 상반되는 또 다른 사실
비록 ～일지라도 (그러나) ～하다

虽然**没去过中国**，但是**了解得很多**。 비록 중국에 가 보지 않았지만, 아주 잘 알고 있다.

4 가정·가설 관계

01 如果(要是) + 가정, 那么(就) + 가정에 따른 결과   만약 ～라면 ～하다

如果**你参加**，那么**我也参加**。 만약 네가 참석한다면, 나도 참석한다.

02 哪怕(即使) + 가설, 也(都) + 변하지 않는 결과   설령 ～일지라도, ～하다

哪怕**你不去**，我也要去。 설령 네가 안 갈지라도, 나는 갈 것이다.

🔰Tip 如果는 가정에 따라 결과가 바뀌지만, 哪怕는 가정이 결과에 영향을 주지 못하므로 결론이 바뀌지 않는다.

5 인과 관계

01	**因为(由于) + 원인, 所以(因此) + 결과 / 之所以 + 결과, 是因为 + 원인** ~이기 때문에, (그래서) ~하다

因为去医院看病，**所以**没能上课。 병원에 가느라고, 수업에 가지 못했다.

这种问题**之所以**发生，**是因为**他没有采取适当的措施。
이러한 문제가 발생한 이유는, 그가 적절한 조치를 취하지 않았기 때문이다.

02	**既然 + 전제 사항, 那么(就) + 전제 사항을 근거로 얻어낸 결론 · 견해** 기왕 ~한 이상, (그러면) ~하다

既然来了，**那么就**坐一会儿吧。 기왕 왔으니, 좀 앉았다 가라.

6 선택 관계

01	**或者…或者…**	~든지, (혹은) ~든지 [평서문]

或者你来，**或者**我去。 네가 오든지, 아니면 내가 가든지.

02	**是…还是…**	~인가 아니면 ~인가 [의문문]

是老师**还是**学生? 선생님인가 아니면 학생인가?

03	**不是…就是…**	~가 아니면, ~이다 [둘 중 반드시 하나를 선택함]

不是小李的，**就是**小张的。 샤오리의 것이거나, 샤오장의 것이다.

04	**不是…而是…**	~가 아니라, ~이다 [앞의 것을 부정하고, 뒤의 것을 선택함]

不是我说错了，**而是**你听错了。 내가 말을 잘못한 게 아니라, 네가 잘못 들은 것이다.

05	**与其…不如…**	~하느니, 차라리 ~하겠다 [둘 중에 뒤의 것을 선택함]

与其在家里一个人吃饭，**不如**出去散散心。
집에서 혼자 밥 먹느니, 차라리 나가서 기분 전환을 하는 게 낫겠다.

7 목적 관계

01 为了 + 목적, 목적에 다다르기 위한 행위 　　　　~를 위해서 ~하다

为了陪孩子学习，她也来到美国。 아이의 공부를 함께 하기 위해서, 그녀도 미국에 왔다.

02 목적에 다다르기 위한 행위, 以便 + 목적 　　　　~하기 편하도록 ~하다

准备些零钱，以便买地铁票。 잔돈 좀 준비해. 지하철 표를 살 수 있도록.

8 긴축 관계

01 越(愈)…越(愈)… 　　　　~할수록 점점 더 ~해지다

雨越下越大。 비가 내릴수록 점점 더 거세진다.

02 越来越(愈来愈) + 시간에 따른 상황의 변화, 발전 　　　(시간이 흐를수록) 점점 더 ~해지다

她越来越胖。 그녀는 점점 더 뚱뚱해진다.

03 一 + 동작 + 就 + 앞 동작에 긴밀하게 이어 나오는 동작
~하자마자, 곧 ~하다

她一到周末就见男朋友。 그녀는 주말만 되면 남자 친구를 만난다.

내가 생각하는 HSK란? - HSK는 [　　　　] 다.

- HSK는 연탄이다. 기초부터 탄탄히 쌓아야 무너지지 않고 끝까지 잘 해낼 수 있다. – 김혜선
- HSK는 오징어다. 오래 씹어야 삼킬 수 있으니까. – 최현민
- HSK는 군대다. 안 딸려야 안 딸 수가 없다. – 전황표
- HSK는 술이다. 다음 날이면 기억이 가물가물~ ㅋㅋ – 이승재
- HSK는 "밥줄"이다. 급수가 없으면 취직도 못하니까. – 오수영

1. 真正的友谊并不是要天天见面，时时联系，而是互相都很了解。即使很久没见，见面之后仍然有说不完的话。即使不常联系，但你遇到任何困难，他都会永远支持你，帮助你。

   ★ 关于真正的友谊，可以知道什么?

   A 经常聚会　　　　　　　　B 没有误会
   C 坚持联系　　　　　　　　D 互相支持

2. 飞机比火车快，那是理所当然的，但有时坐火车会比坐飞机更快，因为一般城市的飞机场都要比火车站远很多，加上去的时间，坐火车有时会更快。

   ★ 坐火车为什么更快?

   A 飞机太慢　　　　　　　　B 火车站更近
   C 机场正在施工　　　　　　D 火车速度更快

3-4.

　　最近很多年轻人不愿意花父母的钱，自己打工赚钱去旅行。那有什么方法能买到价格便宜的机票呢? 第一，买得越早越便宜。航班起飞前十天内，打折的机票就不会剩太多了。第二，周一周二或者节假日之后的票会更便宜，因为那几天出发的人一般较少。第三，在网上购买机票也会节约不少钱。

   ★ 根据上文，机票的价格跟什么有关?

   A 气候　　　　　　　　　　B 想去的地方远近
   C 起飞时间　　　　　　　　D 买票时间

   ★ 网上购票有什么好处?

   A 过程简单　　　B 花钱少　　　C 可免费取消　　　D 可推迟付款

DAY **26**

1. 不管是经济、政治还是社会，对一个国家的发展都会起到非常重要的作用。但最关键的还是教育。

   ★ 这段话在讨论什么?

   A 经济不重要　　　　　　　B 教育最重要
   C 政治才是关键　　　　　　D 除了教育，没有重要的

2. 一个人是否成熟，不是看他的年龄，而是看他是否能很好地解决问题。不管遇到什么事情，都能沉着稳重，不慌张，冷静地处理好事情，解决问题，这才是最关键的。

   ★ 一个人成熟是看:

   A 职业　　　　　　　　　　B 外貌
   C 年龄大小　　　　　　　　D 能不能解决问题

3. 大家都有梦想，可不是所有的梦想都能实现。梦想不能太高太远，而是应该符合实际。另外，梦想也不能只停留在嘴上，必须积极去做，按计划一点一点进行，在进行过程中不断总结经验教训。这样才可以明确前进的道路和方向。

   ★ 梦想要成真应该怎么样?

   A 只说不做　　　　　　　　B 符合实际的
   C 不用积极去做　　　　　　D 有很大的理想

4. 张家界国家森林公园是中国第一个国家森林公园，离市区大概三十公里左右。因为公园里有很多树，所以空气质量极高，夏天也很凉爽，冬天暖和，总是让人感到十分舒服。

   ★ 张家界国家森林公园:

   A 离市区很近　　　　　　　B 门票免费
   C 空气新鲜　　　　　　　　D 不允许照相

04 중요 단어 뽑아내기

중요 단어란 지문에서 가장 중요한 내용이 무엇인지 알려 주는 어휘를 말한다. 예를 들어 关键, 重要, 应该, 要注意 등의 중요 단어와 이야기 흐름이 바뀜을 알려 주는 역접의 접속사 其实, 但是, 可是 등은 신경 써서 봐야 한다. 부정부사 不, 没(有)는 1음절이어서 속독하면서 빠트리고 해석하기 쉬운데, 想(~하고 싶다)과 不想(~하고 싶지 않다)의 의미는 천지 차이다. 따라서 완전히 상반된 내용을 답으로 선택하는 실수를 범하지 않도록 주의해야 한다. 이번 장에서는 중요 단어와 부정부사를 실수 없이 찾아내 정확하게 답을 고르는 연습을 해 보자!

독해 시크릿 백전백승

1 지문을 빠르게 속독하면서 '중요 단어'를 찾아내라!

2 정답의 위치를 알려 주는 중요 단어를 암기하라!

① 가장 중요함을 알리는 어휘

> 예 **关键** guānjiàn 관건 / **重要** zhòngyào 중요하다

② 마땅히 해야 한다는 당위성을 알리는 어휘

> 예 **应该** yīnggāi 마땅히 ~해야 한다 / **要注意** yào zhùyì 주의해야 한다

③ 역접을 알리는 어휘

> 예 **其实** qíshí 사실은 / **但是** dànshì 그러나

④ 원인을 알리는 어휘

> 예 **因为** yīnwèi (= **由于** yóuyú) 왜냐하면 / **原因** yuányīn 원인

3 지문의 내용과 보기를 꼼꼼히 대조하라!

특히 다음 사항에 유의하여 함정에 빠지지 않도록 한다.
① 부정부사(不 / 没)의 삽입 여부
② 시제의 일치 여부

문제

教育孩子的时候应该少批评，多鼓励。因为孩子受到表扬后，会对自己产生信心，也会对学习产生更大的兴趣，那才能取得更好的成绩。

★ 应该怎么教育孩子?
　A 不要批评　　B 鼓励孩子　　C 不管孩子　　D 相信孩子

문제 분석 중요 단어 파악하기 / 대조 작업하기! **1** , **2** , **3** 적용

아이를 가르칠 때는 야단은 적게, 격려는 많이 해야 한다. 아이들은 칭찬을 받으면 자신에 대한 자신감이 생길 수 있고, 학습에도 더 큰 흥미를 느껴, 비로소 더욱 좋은 성적을 거둘 수 있기 때문이다.

★ 아이를 어떻게 가르쳐야 하는가?
　A 야단치지 말아야 한다　　B 격려해 준다　　C 방치한다　　D 아이를 믿는다

해설 STEP 1 중요 단어 파악하기
문제에서 핵심 단어는 教育孩子(아이를 가르치다)이고, 아이 교육은 마땅히 어떻게 해야 한다는 내용이므로, 중요 단어는 应该(마땅히 ~해야 한다)가 된다.

STEP 2 대조 작업하기

	보기	지문	해설
A	不要批评	少批评	少批评은 자주 꾸짖지 말라는 뜻이지, 不要批评처럼 아예 꾸짖지 말라는 뜻은 아니다.
B	鼓励孩子	多鼓励 / 受到表扬	많이 격려해 주고(鼓励), 칭찬해 주어야(表扬) 한다고 말했으므로 지문 내용과 일치한다.
C	不管孩子	×	지문에 언급되지 않았다.
D	相信孩子	×	지문에 언급되지 않았다.

따라서 정답은 B가 된다.

단어 教育 jiàoyù 동 교육하다 | 孩子 háizi 명 자녀 | 时候 shíhou 명 때 | 应该 yīnggāi 조동 ~해야 한다 | 少 shǎo 형 적다 | 批评 pīpíng 동 꾸짖다 | 多 duō 형 많다 | 鼓励 gǔlì 동 격려하다 | 因为 yīnwèi 접 왜냐하면 | 受到 shòudào 동 받다 | 表扬 biǎoyáng 동 칭찬하다 | 后 hòu 명 후의, 다음의 | 会 huì 조동 ~할 것이다 | 对 duì 전 ~에 대해 | 自己 zìjǐ 대 자신 | 产生 chǎnshēng 동 생기다 | 信心 xìnxīn 명 자신감, 믿음 | 学习 xuéxí 동 공부하다 | 更 gèng 부 더욱, 훨씬 | 大 dà 형 크다 | 兴趣 xìngqù 명 흥미 | 才 cái 부 비로소 | 取得 qǔdé 동 취득하다, 얻다 | 好 hǎo 형 좋다 | 成绩 chéngjì 명 성적 | 怎么 zěnme 대 어떻게 | 要 yào 조동 ~해야 한다 | 不管 bùguǎn 동 상관하지 않다 | 相信 xiāngxìn 동 믿다

	어휘	뜻	문장 속에 숨어 있는 힌트
01	关键 guānjiàn	관건	学好外语的关键是多读、多听、多写。 외국어를 잘 배우는 것의 관건은 많이 읽고, 많이 듣고, 많이 쓰는 것이다.
02	重要 zhòngyào	중요하다	这个事件将对他的人生产生重要的影响。 이 사건은 앞으로 그의 인생에 중요한 영향을 끼칠 것이다.
03	应该 yīnggāi	(마땅히) ~해야 한다	儿童应该多吃蔬菜。 어린이는 야채를 많이 먹어야 한다.
04	注意 zhùyì	주의하다	当时我应该注意到这一点。 그 당시에 나는 이 점에 주의해야 했다.
05	其实 qíshí	사실은	看起来是好事，其实是坏事。 보기에는 좋은 일이지만, 사실은 나쁜 일이다.
06	但是 dànshì	그러나	我们每天吃三顿饭，但是这种生活方式是不科学的。 우리는 매일 세 끼의 밥을 먹지만, 이런 생활 방식은 비과학적이다.
07	因为 yīnwèi	왜냐하면, ~ 때문에	他之所以迟到了，是因为家里出了事。 그가 지각한 까닭은, 집에 일이 생겼기 때문이다.
08	由于 yóuyú	왜냐하면, ~ 때문에	由于身体不舒服，他提前下班了。 몸이 좋지 않아서, 그는 일찍 퇴근했다.
09	原因 yuányīn	원인	他辞职的原因是工资太少。 그가 사직한 원인은 임금이 매우 적어서다.

1. 最近手机的功能越来越强大，现在很多人出门时都不习惯带现金了。因为现在很多地方都可以扫码付款。其实，我还是觉得出门时身上总得带点零钱，因为有些地方真的只收现金。

    ★ 说话人建议出门怎么做？

    A 注意节约　B 带零钱　　　C 多带现金　　D 只带手机

2. 有一个人去应聘的时候，经过走廊时看见有一个纸杯掉在地上，就捡起来扔进了垃圾桶里。那家公司的经理看到了这一切，就录用了这个人。经理对他说："有一个好习惯是非常重要的。"

    ★ 他为什么被录用了？

    A 外貌好　　　B 很会打扫　　C 成绩优秀　　D 有好的习惯

3-4.

　　要想减肥，一定要少吃，多运动。少吃不代表不吃，要吃东西，而且要科学地吃。关键是多运动，并不是每天都要运动，每个星期有两三次就可以。减肥一定要坚持，如果运动几天就算了，那是没有效果的。

    ★ 减肥要怎么样？

    A 不吃　　　　　　　　　B 呆在家里
    C 一周运动几次　　　　　D 每天都要运动

    ★ 减肥想要有效果，要怎么样？

    A 每天跑步　　　　　　　B 坚持下去
    C 少吃不运动　　　　　　D 多吃有营养的

190

1. 新闻报道中的数字是用来说明的，因此必须十分准确，不能有错误。数字准确，才能表现出新闻报道的"真"，因此数字对新闻来说非常重要。

   ★ 新闻报道中的数字应该怎样?

   　　A 多一点　　B 随便使用　　C 不能出错　　D 尽量不要出现

2. 现在很多人都感觉自己并不老，想趁着年轻拼命赚钱，却忽视了身体健康的问题。等到年纪大了，却花着大笔的钱跑医院。身体健康才是第一!千万不要先用身体去赚钱，再用钱买个好身体。

   ★ 根据上文，可以知道:

   　　A 要努力赚钱　　　　　　B 不用运动
   　　C 钱能买到生命　　　　　D 健康最重要

3. 不少人总是羡慕他人的成功，却怎么也看不到他人背后为此付出的努力。最终成为怎样的人，重要的是看你把时间用在羡慕的情绪上，还是用在学习别人的成功经验上。

   ★ 要想成功，应该:

   　　A 羡慕他人　　　　　　　B 努力学习
   　　C 做好准备　　　　　　　D 学习成功经验

4. 压力是个很有意思的东西，当你感到压力的时候，你会不想做任何事，压力很大的时候，工作效率就会变得很低。

   ★ 压力大时，我们:

   　　A 情绪低落　　　　　　　B 想做任何事
   　　C 工作效果差　　　　　　D 觉得很有趣

05 의미 파악하기

독해 제3부분 문제를 푸는 가장 기본 테크닉이 '스캔 뜨기'였다면, 독해 실력을 높이는 핵심은 지문을 읽고 무슨 내용이었는지, 작가의 중심 생각이 무엇인지를 꼼꼼하게 파악하고 기억하는 것이다. 이 부분이 취약하다고 생각된다면, 앞 장들의 '시크릿 보물상자'에 정리된 어휘들을 다시 한번 복습한 후, 이번 장의 '시크릿 기출 테스트' 7개 지문을 2~3번 반복해서 해석해 본다. 이 지문들에서 완벽하게 '주어 + 술어 + 목적어'를 찾고, 수식어와 피수식어의 관계를 이해하면서 독해할 수 있다면, 이미 반 이상은 성공한 것이라 말할 수 있다. '好的开始是成功的一半(좋은 시작이 성공의 반이다)'이라는 말처럼, 겁내지 말고 시작해 보자!

독해 시크릿 백전백승

1 먼저 문제를 잘 파악한 후 지문을 읽어라!

2 모르는 단어는 집착하지 말고 건너뛰어라!

한 개의 단어에 집착하며 시간을 허비하는 것은 '시간이 생명'인 독해에 아주 치명적이다. 가장 중요한 것은 글 전체의 흐름을 놓치지 않아야 한다는 점을 명심하라!

3 생소한 단어는 유추하라!

① 한자음으로 읽어 본다.
② 부수로 유추해 본다.
③ 문장 속에서 앞뒤 내용에 근거하여 의미를 유추해 본다.
④ 위의 3가지 방법으로 불가능하면 단어를 그림처럼 '스캔 뜨기'하여 기억한다.

4 아무리 강조해도 지나치지 않다! 단어를 암기하라!

단어 암기에 공들이지 않고, 독해가 어렵다고 울상 짓는 것은 금물! 4급 필수 단어 1200개를 암기할 엄두가 나지 않는다면, 최소한 그날그날 공부한 단어라도 완벽히 암기한다.

문제

很多人都不喜欢和周围的人比较，比较不但让失败的人更伤心，而且会使成功的人感到更大的压力，因为山外有山，人外有人。但从另一方面来看，通过比较，也可以发现自己的优点和缺点，以帮助自己取得更大的成绩。

★ 比较的好处：
A 感到压力　　　　　　　　　B 更了解自己
C 让人心里不舒服　　　　　　D 发现更有能力的人

문제 분석 의미 파악하기 / 변동된 어휘에 주목! 〈 **1** . **2** 적용 〉

많은 사람들이 주변 사람과 비교하는 것을 싫어한다. 비교는 실패한 사람에게 더 큰 상처를 줄 뿐 아니라, 성공한 사람에게는 더 큰 부담을 준다. 왜냐하면 '뛰는 놈' 위에는 항상 '나는 놈'이 있기 때문이다. 하지만 다른 측면에서 보면, 비교를 통해 자신의 장점과 단점을 발견할 수 있고, 이로 인해 더 좋은 성적을 거두는 데 도움이 되기도 한다.

★ 비교의 장점은:
A 부담을 느낀다　　　　　　　　B 자신을 더욱 이해하게 된다
C 마음을 불편하게 한다　　　　　D 더 능력 있는 사람을 발견하게 된다

해설 **STEP 1** 문제 분석하기
비교의 장점(比较的好处)을 찾아야 한다.

STEP 2 긍정 / 부정 파악하기
문제에서 장점(好处: 긍정의 의미를 지님)을 물었으므로, 부정적인 내용을 담고 있는 A와 C는 답에서 제외시킨다.

STEP 3 정답 찾기
지문에서 비교를 통하여 자신의 장점과 단점을 발견할 수 있다(也可以发现自己的优点和缺点)고 언급하였다. 이 말은 비교를 통해서 자기 자신을 더 잘 이해하게 된다는 것과 같은 뜻이다. 따라서 정답은 B가 된다.

단어 喜欢 xǐhuan 图 좋아하다 | 和 hé 전 ~와 | 周围 zhōuwéi 명 주변 | 比较 bǐjiào 图 비교하다 | 不但 búdàn 접 ~뿐만 아니라 | 失败 shībài 图 실패하다 | 更 gèng 뷔 더욱 | 伤心 shāngxīn 图 상심하다, 슬퍼하다 | 而且 érqiě 접 게다가 | 会 huì 조동 ~할 수 있다 | 成功 chénggōng 图 성공하다 | 感到 gǎndào 图 느끼다, 여기다 | 大 dà 형 크다 | 压力 yālì 명 부담, 스트레스 | 因为 yīnwèi 접 왜냐하면 | 有 yǒu 图 있다 | 但 dàn 접 그러나 | 从 cóng 전 ~로부터 | 另 lìng 때 다른, 이외의 | 方面 fāngmiàn 명 방면, 부분 | 来看 láikàn ~에서 보면 | 通过 tōngguò 전 ~를 통해 | 可以 kěyǐ 조동 ~할 수 있다 | 发现 fāxiàn 图 발견하다 | 优点 yōudiǎn 명 장점 | 缺点 quēdiǎn 명 단점 | 以 yǐ 접 ~함으로써 | 帮助 bāngzhù 图 돕다 | 自己 zìjǐ 때 자기, 자신 | 取得 qǔdé 图 취득하다, 얻다 | 成绩 chéngjì 명 성적 | 好处 hǎochu 명 장점, 좋은 점 | 了解 liǎojiě 图 이해하다 | 心里 xīnli 명 마음속 | 舒服 shūfu 형 편안하다, 홀가분하다 | 能力 nénglì 명 능력

문장 부호	설명 및 예문
句号 마침표 （ 。 ）	하나의 문장이 완결되었음을 나타낸다. 중국에서는 ' 。'로 표시하는데, 한글 마침표와는 다르니 주의해야 한다. 一九九二年韩中两国已经建交了。 1992년에 한중 양국은 이미 수교하였다.
逗号 쉼표 （ , ）	문장 중간에서의 쉼을 표시한다. (주어나 술어, 목적어, 부사어 등 문장 성분이 길면 필요에 따라 넣을 수 있다.) 我们看得见的星星，绝大多数是恒星。（주어 뒤） 우리가 육안으로 볼 수 있는 별은, 대부분 항성이다. 对于这个城市，他并不陌生。（목적어구 뒤） 이 도시에 대해서, 그는 전혀 낯설지 않다. 据说苏州园林有一百多处，我到过的不过十多处。（문장 중간） 쑤저우에 원림이 백여 곳 있다고 하는데, 내가 가 본 곳은 십여 곳에 불과하다.
顿号 모점 （ 、 ）	문장에서 병렬 관계에 있는 낱말 또는 구를 나열할 때 쓴다. 맨 마지막 두 개의 단어 사이에는 일반적으로 和를 사용한다. 한국어에 없는 부호이므로 쉼표와 혼동하지 않도록 주의한다. A、B、C 和 D。 A, B, C 그리고 D. 我家有爸爸、妈妈、姐姐和我。 우리 집에는 아빠, 엄마, 언니 그리고 내가 있다.
分号 쌍반점 （ ; ）	병렬 관계에 있는 절을 구분해 준다. 肉食量高; 水果、蔬菜量低; 室外活动量少，是形成肥胖的一种生活模式。 고기 섭취량은 많고, 과일, 야채량은 적고, 실외 활동량까지 적은 것은 비만이 되는 생활 방식이다.
冒号 쌍점 （ : ）	해석문이나 인용문을 제시할 때 사용한다. 马克思主义哲学告诉我们: 正确的认识来源于社会实践。 마르크스주의 철학은 우리에게 말해 주고 있다. '올바른 인식은 사회적 실천에서 나온다.'라고.
破折号 줄표 （ —— ）	화제를 전환하거나 문장, 단어, 구의 내용을 보충 설명하는 역할을 한다. 这种分配法可以算——在我的经验中——天下第一了。 이런 분배법은––내 경험으로는––이 세상에서 처음 보는 것이다.
叹号 느낌표 （ ! ）	감탄문이나 명령문, 반어문 등의 끝에 쓰인다. 我多么想看看他老人家呀！ 내가 그 어르신을 얼마나 뵙고 싶어했는데! 停止射击！ 사격 중지! 我什么时候说的！ 내가 언제 그런 말을 했어!
问号 물음표 （ ? ）	의심이나 의문을 나타내는 문장 끝에 사용한다. 主持这个节目的是你还是我？ 이 프로그램을 진행하는 사람이 너야 아니면 나야?
省略号 줄임표 （ …… ）	문장에서 열거해야 될 것이 많을 때 다 언급하지 않고 생략함을 표시한다. 这个工厂可以生产肥皂、香水、化妆品……百种产品。 이 공장은 비누, 향수, 화장품 등 백여 종의 제품을 생산할 수 있다.

194

1. 虽然我们现在是输了，但是这并不代表着我们永远都是输的。只要我们努力练习，不断奋进，一定会有赢的那一天。大家加油吧！

   ★ 说话人在做什么：

   A 观看比赛　B 鼓励大家　　C 说明动作　　　D 讨论失败原因

2. 有时理发会遇到这样的问题，本来就是要稍稍修一下，理发师却硬是让你换个发型，改变一下形象。如果你听了他的建议，结果却是钱没少花，但做出来的效果却不一定适合你。

   ★ 有时候理发师的建议：

   A 十分详细　　　　　　　B 不够理想
   C 不够专业　　　　　　　D 让人满意

3-4.

　　有一个胖人想减肥，他去找医生寻找解决办法。医生建议他每天跑8公里，跑300天就能减34公斤。300天后那个人打电话说："大夫，我真的减下来了，但我离家有2400公里了，我应该怎么回家呢？"

   ★ 那个人为什么要跑步？

   A 太胖了　　B 去旅行　　C 参加比赛　　D 锻炼身体

   ★ 他跑完之后出现了什么新问题？

   A 身体变差　　　　　　　B 离家太远
   C 浪费了时间　　　　　　D 体重没有变化

DAY 30

1. 很多人都说便宜没好货，好货不便宜。其实好的东西也可以用很便宜的价钱买下来。比如，春天的时候，冬天的衣服都开始打折，那时候买到的衣服质量又好，价钱又便宜。

★ 质量好的东西怎么样？

A 太贵了　　B 不打折　　　C 价格很高　　　D 有时很便宜

2. 我有一个苹果，你有一个香蕉，把我的给你，把你的给我，我们还是仅有一个水果。我有一个想法，你有一个想法，把我的想法告诉你，把你的想法告诉我，我们就有了两个想法。

★ 这段话说了什么？

A 多吃水果　　　　　　B 友谊的宝贵
C 交流的重要性　　　　D 把秘密告诉别人

3. 陈教授的突然出现让大家很激动。因为我们之前邀请她的时候，她说那个时候她可能还在香港出差，大家都以为她无法参加会议了，没想到她还是赶来了。

★ 关于陈教授，可以知道：

A 突然不见了　　　　　B 参加了会议
C 提了很多意见　　　　D 去香港旅游了

4. 有句话说得好，失败是成功之母。要想成功，关键要先能够接受失败。只要勇敢地面对失败并能坚持努力下去，就能获得最终胜利。但很多人成功不了，就是因为遇到失败时马上就选择了放弃。

★ 上文告诉我们应该怎么做？

A 接受失败并努力　　　B 做好计划
C 别害怕改变　　　　　D 失败时马上放弃

第 一 部 分

第1-5题：选词填空。

> A 提供　　B 羡慕　　C 印象　　D 坚持　　E 详细　　F 一共

例如：　他每天都（ D ）走路上下班，所以身体一直很不错。

1.　这篇文章，（　　）介绍了国际经济的发展方向，值得阅读。

2.　我算过了，（　　）5辆车，肯定超过100人了。

3.　她和我第一次约会的时候，就给我留下了很好的(　　)。

4.　我们学校为在校学生(　　)了最好的住宿条件。

5.　小王和他妻子一直很喜欢旅行，他们的旅行经历真让人(　　)。

第6-10题：选词填空。

A 扔　　B 份　　C 温度　　D 安排　　E 确实　　F 准时

例如： A：今天真冷啊，好像白天最高（ C ）才2℃。
　　　 B：刚才电视里说，明天更冷。

6. A：您可真够(　　)的，正好8点。
　 B：那就好，我还以为迟到了。

7. A：把铅笔和词典都放书包里，收拾好，别到处乱(　　)。
　 B：爸爸，您说话越来越像妈妈了。

8. A：我女儿可真爱小猫，连笔盒、橡皮上的图画也要猫。
　 B：她性格也(　　)像个小猫。

9. A：张小姐，我们上午9点半有个活动，请给我们(　　)一个会议室。
　 B：好的，您估计有多少人参加？

10. A：你帮我把这些文章复印一下吧，要3(　　)。
　　B：办公室的打印机坏了，我去楼下复印，一会儿给您送去。

第 二 部 分

第11-20题：排列顺序。

例如：　A　可是今天起晚了

　　　　B　平时我骑自行车上下班

　　　　C　所以就打车来公司了　　　　　　　　　　　 B　A　C

11.　A　结果第二天就感冒了，又是咳嗽，又是发烧

　　　B　所以在外边儿玩了很长时间

　　　C　她从来没见过这么大的雪，特别兴奋　　　 _____

12.　A　但听话并不是判断孩子是否懂事的仅有的标准

　　　B　许多孩子因不听家长的话而被批评

　　　C　其实，不听话并不是缺点，有时候他们更有自己的想法 _____

13.　A　它通过两个年轻人的爱情故事

　　　B　反映了当时的社会情况

　　　C　《红楼梦》是中国著名的长篇小说　　　　 _____

14.　A　游泳和爬山都是很好的运动

　　　B　都会收到很好的效果

　　　C　选择其中任何一个并且坚持下去　　　　　 _____

15. A 你现在改变主意

    B 她肯定会非常失望的

    C 上个星期六你就说女儿生日时要带她去游乐园　　　＿＿＿＿＿＿

16. A 秋冬季节，皮肤容易干燥

    B 这是很多人都烦恼的事

    C 为了远离这一烦恼，我们应该注意多喝水　　　＿＿＿＿＿＿

17. A 只有尝过了生活中的酸、甜、苦、辣之后

    B 最后变得成熟起来

    C 我们才能更清楚地认识自己　　　＿＿＿＿＿＿

18. A 每天都吸引了大量游客

    B 动物园的这几只熊猫

    C 在寒暑假的时候，来参观的游客尤其多　　　＿＿＿＿＿＿

19. A 但他们有着相同的兴趣爱好

    B 尽管这个团队的成员年纪都相差很多

    C 最后发展出了超越年龄的深厚友谊　　　＿＿＿＿＿＿

20. A 最能说的人不一定是最有能力的人

    B 这是因为我们有两只耳朵、一张嘴

    C 本来就是让我们多听少说的　　　＿＿＿＿＿＿

第 三 部 分

第21-40题：请选出正确答案。

例如：她很活泼，说话很有趣，总能给我们带来快乐，我们都很喜欢和她
在一起。

★ 她是个什么样的人？

A 幽默 ✓　　　B 马虎　　　C 骄傲　　　D 害羞

21. 很多时候，我们要做一些自己不愿意做甚至很讨厌的事情，这个时候，就需
要我们要有耐心，有责任心，并且要有一个愉快的心情。

★ 遇到不喜欢做的事情应该：

A 有耐心　　　B 有勇气　　　C 放弃不做　　　D 给别人做

22. 我买了新房子搬进去之后，想把原来的老房子租出去，可奇怪的是一直都没
有人给我打电话。后来看了一眼我写的广告才发现，我的电话号码中少了一
个数字。

★ 为什么没有人给他打电话？

A 家具太破　　　B 房子太小　　　C 地方不好　　　D 号码写错了

23. 这个杂志的内容还算精彩，照片也很漂亮，但它的缺点是价格定得太高。通
过对人们的调查发现，人们往往是因为感觉太贵而放弃买这本杂志。

★ 这本杂志怎么样？

A 有缺点　　　B 内容不好　　　C 很受欢迎　　　D 是关于健康的

24. 西红柿的味道很好。我们通过"西"可以知道，它最早不是中国的，是从西方传过来的。西红柿又叫"洋柿子"，看"洋"我们也可以知道，它来自西方。

★ 根据这段话，我们可以知道西红柿：

　　A 很难吃　　　　B 没有叶子　　　C 没有营养　　　D 从西方来的

25. 年轻人穿衣打扮很喜欢追求流行的东西，但是流行总是在变，你不可能一直跟着流行走。只要选择适合自己的，看起来很舒服，就可以了。

★ 穿衣应该选择：

　　A 漂亮的　　　　B 流行的　　　　C 朴素的　　　　D 适合自己的

26. 孩子受多方面的影响，其中最重要的影响来自父母。父母的生活方式和教育方式有着直接，长久的影响。想要孩子优秀，大家先要成为合格的家长。

★ 关于孩子，下列哪个正确？

　　A 不易受影响　　　　　　　　　B 最容易受老师的影响
　　C 父母对孩子的影响不重要　　　D 受多方面影响

27. 年龄的增长并不代表越来越成熟。很多人20多岁了还是不能照顾自己，而有些人十几岁就步入社会，赚钱养家。穷人的孩子早当家，他们也许没有很多钱，却可能比富人家的孩子经历得更多。

★ 穷人家的孩子：

　　A 很可怜　　　B 经验丰富　　　C 都很聪明　　　D 都很辛苦

28. 读书的时候有两种不好的做法：一个是读什么信什么，一个是信什么读什么。第一种做法会让我们缺少多想多问的能力，另一种做法会让我们的阅读范围变得很窄。

★ 读书应该：

A 信任读者　　　B 快速阅读　　　C 去图书馆　　　D 扩大阅读范围

29. 自然界的动物和植物，为了保护自己，会随着环境的变化改变自己的样子或颜色，来适应周围环境。

★ 动植物改变自己的颜色是为了：

A 变漂亮　　　B 更健康　　　C 引起注意　　　D 不被发现

30. 这个演员长得很帅，唱歌、跳舞也很好，但是演戏演得真不怎么样。我看过他演的几部片子，真的很一般。

★ 关于这个演员，我们可以知道什么？

A 唱歌不行　　　B 长得太丑　　　C 不太有名　　　D 演得不好

31. 哥哥和他的女朋友一开始就遭到父母的反对。可是经过五年的努力和坚持，父母终于同意了。他们下个月就要结婚了，我真为他们高兴。

★ 哥哥和他的女朋友：

A 下个月结婚　　　　　　　　B 五年后结婚

C 五年前结婚了　　　　　　　D 父母一直反对

32. 遇到困难并一时无法解决时，人的脾气往往会变得很坏。但是这个时候，不要发脾气，首先要冷静，想想问题究竟出在哪里。然后，尽量让自己轻松一下，出去呼吸一下新鲜空气，散散步。

★ 遇到困难首先要做什么？

A 放松下来　　　B 以后再说　　　C 找警察帮忙　　D 找到问题的原因

33. 随着使用微信的人越来越多，人们更愿意发语音而不是发短信。因为他们在交流时感到发短信费时费力。发语音不仅操作简单，而且可以节约时间，走路时也能进行。

★ 关于发语音，以下哪一项错误：

A 微信可以发语音信息　　　　　B 人们更喜欢发语音信息

C 走路的时候也能发语音信息　　D 发语音信息费时费力

34. 茶在中国有上千年的历史，是人们最常喝的饮料。中国人喝茶不喜欢在茶中加牛奶、糖，就喜欢茶的那种自然的香味。

★ 通过这段话，我们可以知道中国人喝茶：

A 很普遍　　　B 历史不长　　　C 喜欢加糖　　　D 喜欢在家喝

35-36.

一位父亲很晚才下班回家，非常累。刚进门，发现7岁的儿子还在门口等着他。"爸爸，我可以问你一个问题吗？""什么问题？"父亲很不耐烦。"爸爸，您一小时可以赚多少钱？"儿子问。"我一小时可以赚20元钱。"父亲说。儿子接着又说："爸爸，可以借我10元钱吗？"尽管父亲不太愿意，但还是给了儿子。"谢谢您，爸爸！"儿子从自己的兜里拿出了10元钱，加上父亲给的10元钱，把这20元钱一边给父亲，一边说："爸爸，我现在有20元钱了，我可以买您的一个小时吗？明天晚上请早点回家，我想和你一起吃晚饭。"

★ 儿子原来有多少钱？

A 5元　　　　　B 10元　　　　　C 20元　　　　　D 100元

★ 通过这段话，我们可以知道父亲：

A 工作很忙　　　B 不喜欢儿子　　C 经常不回家　　D 很喜欢工作

37-38.

快过年了，放假的那天，老李开着新买的车回家。因为他太着急了，所以开得很快。走到一个十字路口的时候，交通警察让他停车。他一下车，忙向警察道歉："很抱歉，我开得太快了。"警察说："不是，是你飞得太低了。"

★ 从这段话，我们可以知道老李：

A 很感动　　　B 错过了航班　　C 刚买了新车　　D 开车去亲戚家

★ 警察对老李是什么态度？

A 表扬　　　　B 批评　　　　C 怀疑　　　　D 后悔

39-40.

北风和南风因为争论谁的力量大而吵了起来，于是他们举行了一场比赛，谁能把过路的人的大衣吹下来，谁就是胜者。北风先开始，他用力地吹着，大风让那个人感觉更冷了，所以那个人没把衣服脱下来，而是把衣服裹得更紧了。南风一吹，春暖花开。风轻轻地吹着，太阳暖暖地照着，不久那个人觉得太热了，就把衣服脱了下来。结果是南风赢了。

★ 北风和南风为什么吵了起来？

A 太热了　　　B 觉得无聊　　C 春天来了　　D 比谁更厉害

★ 这段话告诉我们做事应该：

A 争吵　　　　B 注意方法　　C 注意顺序　　D 重视结果

쓰기

제1부분 어순 배열하기

기출문제 탐색전

제2부분 사진 보고 작문하기

기출문제 탐색전

실전 모의고사

쓰기 제1부분 어순 배열하기

기출문제 탐색전

문제 1

1. 这种牙膏　　　最好　　　使用　　　牙疼
2. 我都不能　　　任何时候　　　见面　　　他　　　跟
3. 孙子弹钢琴　　　最　　　看　　　爷爷　　　喜欢

---

❶ 쓰기 총 15문제 중 제1부분이 10문제를 차지한다.

❷ 한 문제당 최소 4개에서 최대 6개의 단어나 어구가 제시된다.

❸ 어순 배열을 하기 전, 먼저 각 단어를 읽고 어떤 문장을 만들지 밑그림을 그려 본다.

❹ 기본 어순을 알아야 한다.

　① 기본 어순: 주어 + 술어 + 목적어

　　⑩ 这个商品 + 受到了 + 大家的欢迎。이 상품은 사람들의 사랑을 받았다.

　② 관형어의 어순: [지시대사 + 수사 + 양사 + 기타 수식어 + 的] + 피수식어

　　⑩ 这 + 一 + 次 + 意外 + 的 + 事故 이 한 번의 뜻밖의 사고

　③ 보어의 어순: 술어 + 동태조사了 + [동량/시량보어]

　　⑩ 老师已经 + 说了 + 三次。선생님은 이미 3번이나 말씀하셨다.

新HSK 4급 쓰기는 총 15문제로, 그중 어순 배열은 10문제가 출제된다. 일반적으로 4~6개의 단어나 어구가 나열되는데, 나열된 단어들을 읽고 어떠한 의미를 가진 문장을 만들어야 할지 생각한 후, 각 단어의 품사와 어순에 따라 순서대로 나열하면 된다. 지금부터 제시하는 3단계 원칙에 따라 훈련한다면 쓰기 제1부분에서 풀지 못할 문제는 없을 것이다.

모범 답안

1. **牙疼最好使用这种牙膏。** 치통에는 이런 치약을 사용하는 게 가장 좋다.
2. **任何时候我都不能跟他见面。** 언제가 됐든 나는 그와 만날 수가 없다.
3. **爷爷最喜欢看孙子弹钢琴。** 할아버지는 손자가 피아노 치는 걸 보기를 가장 좋아하신다.

❺ 어순 배열의 방법

① 명사 성분을 찾는다.

명사나 대사뿐 아니라 명사구가 될 수 있는 수량사, 的와 결합한 명사, 전치사구 등을 찾아 주어나 목적어 자리에 놓아 본다.

② 술어를 찾는다.

동사나 형용사처럼 문장의 술어가 되는 성분을 찾는다.

③ '부조전(부사, 조동사, 전치사)'을 삽입한다. (어순: 주어 + 부사 + 조동사 + 전치사구 + 동사 + 목적어)

주어, 술어, 목적어를 찾으면, 나머지 부사, 조동사, 전치사 등을 찾아 어순에 맞게 넣어 준다.

예 我 + 不 + 想 + 向大家 + 解释 + 现在这个情况。

나는 현재 이 상황을 모두에게 설명해 주고 싶지 않다.

❻ 항상 부사를 확인한다.

부사는 일반적으로 주어 뒤, 술어 앞에 나오지만 다른 품사에 비해 위치가 자유롭다. 때에 따라서 전치사구 뒤나 주어 앞에도 나올 수 있으니 어순 배열을 하고 나서 다시 한 번 확인하는 습관을 기른다.

❼ 특수 구문에 주의한다.

把자문, 被자문, 比자문, 연동문, 겸어문, 강조 구문 등 다양한 특수 구문이 시험 문제로 출제될 수 있다.

관형어와 형용사 DAY 1-2

관형어는 명사 형태로 끝나는 주어나 목적어를 수식하는 성분을 말하며, 그 구성은 매우 다양하다. 가장 기본적인 형식은 '수사 + 양사'지만 형용사 술어문의 경우 목적어를 갖지 못하므로 주어 부분에 복잡한 관형어가 나올 가능성이 높다.

쓰기 시크릿 백전백승

1 관형어의 기본 어순을 익혀라!

① [수사 + 양사] + 피수식어: 一件衣服 옷 한 벌
② [지시대사 + 수사 + 양사] + 피수식어: 这一件衣服 이 옷 한 벌
③ [소유 + 지시대사 + 수사 + 양사 + 기타 수식어 + 的] + 피수식어:
　他的这一件新买的衣服 그의 이 새로 산 옷 한 벌

2 구조조사 的를 주목하라!

구조조사 的 뒤에는 꾸밈을 받는 피수식어가 나와야 한다. 따라서 구조조사 的를 발견했다면 뒤에 들어갈 적절한 명사를 찾아 결합시키자.

[문제] <u>学生</u>　　<u>很有礼貌的</u>　　张明　一个　是
　　　　명사　　　구조조사 的가 있으므로 명사와 결합!

　　→ 很有礼貌的 + 学生

[정답] 张明是一个很有礼貌的学生。장밍은 매우 예의 바른 학생이다.

3 형용사와 함께 쓰이는 정도부사를 꼭 암기하라!

정도부사 很, 非常, 挺, 顶, 十分, 太, 更, 比较, 特别, 有点儿, 最 등

일반부사는 동사나 형용사 앞에 위치하지만, 정도부사는 일부 심리동사(喜欢, 担心 등)를 제외하고는 형용사와만 결합하는 특징이 있다. 따라서 정도부사를 발견했다면 제일 먼저 형용사(술어) 앞에 위치시키면 된다.

Tip 일반적으로 부사는 전치사구 앞에 나오지만, 정도부사가 전치사, 특히 对와 함께 나올 때는 전치사구 뒤에 쓰이므로 항상 조심한다.
　예 我对那个女孩子非常热情。나는 그 여자아이에게 매우 친절하다.
　　　전치사구 + 정도부사

문제 1

| 内容 | 那本杂志 | 的 | 十分 | 丰富 |

문제 분석 수식어의 어순에 주목! **1** , **2** , **3** 적용

| 내용 | 그 잡지 | ~의 | 매우 | 풍부하다 |

那本杂志的内容十分丰富。 그 잡지의 내용은 매우 풍부하다.

단어 内容 nèiróng 몡 내용 | 杂志 zázhì 몡 잡지 | 十分 shífēn 뷔 매우 | 丰富 fēngfù 혱 풍부하다

해설 STEP 1 주어를 찾아라!
- 那本杂志(그 잡지): 지시대사 + 양사 + 명사
- 的(~의): 구조조사로, 수식어와 피수식어를 연결하는 접착제 역할을 하므로, 두 개의 단어를 연결해 주면 된다.
- 内容(내용): 명사로, 문장 속에서 주어의 역할을 한다.

那本杂志 + 的 + 内容 (그 잡지 + 의 + 내용) → 주어 완성
지시대사 + 양사 + 명사　연결 접착제　피수식어(명사)

STEP 2 술어를 찾아라!
'풍부하다'라는 뜻을 나타내는 형용사 丰富가 술어가 된다.

STEP 3 기타 성분을 삽입하라!
- 十分(십분, 매우): 부사로, 很과 마찬가지로 정도의 높음을 나타내므로, 형용사 술어 丰富 앞에 위치한다.
→ 十分丰富(매우 풍부하다)

따라서 정답은 那本杂志的内容十分丰富(그 잡지의 내용은 매우 풍부하다)의 순서가 된다.

非常	降水的	影响范围	大	这次

🔍 **문제 분석** 수식어의 어순에 주목! ◁ **1**, **2**, **3** 적용

매우	내린 비의	영향 범위	크다	이번

这次降水的影响范围非常大。 이번에 내린 비의 영향 범위는 매우 크다.

단어 非常 fēicháng 🔲 대단히, 매우 | 降水 jiàngshuǐ 🔲 강수 | 影响 yǐngxiǎng 🔲 영향 | 范围 fànwéi 🔲 범위

해설 STEP 1 주어를 찾아라!
- 降水的(강수의): 연결 접착제 的 이하 부분에 명사가 나와야 한다.
- 影响范围(영향 범위): 명사이므로 주어가 될 수 있다.
- 这次(이번): '지시대사 + 양사'로, 명사를 꾸며 주는 역할을 한다.
  → 这次降水的影响范围(이번에 내린 비의 영향 범위) 주어 완성

STEP 2 술어를 찾아라!
- 大(크다): 형용사로, 술어가 될 수 있다.

STEP 3 기타 성분을 삽입하라!
- 非常(매우): 정도부사로, 형용사 앞에 위치한다. → 非常大(매우 크다) 술어 완성

따라서 정답은 这次降水的影响范围非常大(이번에 내린 비의 영향 범위는 매우 크다)의 순서가 된다.

NEW 단어 + TIP

- 国籍 guójí 🔲 국적
- 小伙子 xiǎohuǒzi 🔲 젊은 청년, 젊은 남자
- 地点 dìdiǎn 🔲 지점, 장소

- 橡皮 xiàngpí 🔲 지우개
- 黄河 Huánghé 🔲 황허
- 客厅 kètīng 🔲 거실

1 관형어 만들기(Ⅰ)

관형어는 주로 주어나 목적어 앞에서 수량·소속·성질 등을 나타낸다.

1) 수량으로 수식하는 관형어

형식	수사 + 양사 + 명사
	수사가 나오면 무조건 양사를 끌고 나와 명사를 수식한다. 이때 的는 붙이지 않는다.
예시	一个警察 경찰 한 명 　　　　一位老师 선생님 한 분 　　　　一只狗 개 한 마리 一杯咖啡 커피 한 잔 　　　　一些机会 약간의 기회

2) ★ 지시대사로 수식하는 관형어

형식	지시대사 + (수사) + 양사 + 명사
	지시대사(这, 那)와 수사, 양사가 함께 쓰일 때, 수사가 一이면 생략할 수 있으며, 이때도 的는 붙이지 않는다.

예시	这 이	这个菜 이 음식 这种药 이러한 약	这些椅子 이 의자들 这次访问 이번 방문	这个句子 이 문장
	那 그, 저	那本杂志 그 잡지 那些日子 그 시절	那个孩子 그 아이 那场足球赛 그 축구 경기	那座山 저 산

3) ★ 수량사와 기타 수식어로 꾸며 주는 관형어

형식	지시대사 + 수사 + 양사 + 기타 수식어 + 的 + 명사
	지시대사나 수량사 이외에 기타 수식어가 쓰일 때는 일반적으로 구조조사 的를 붙인다.
예시	一座非常古老的城市 아주 오래된 도시 　　　一些学习的机会 어떠한 학습의 기회 一场非常精彩的演出 매우 멋진 공연 　　　这个打印机的说明书 이 프린터의 설명서 一个十分努力的学生 매우 노력하는 학생

2 형용사의 쓰임

1) 형용사는 그 자체로 술어가 될 수 있다.

형식	주어 + ~~是~~ + 형용사 다른 동사나 是와 함께 쓰지 않는다.
예시	他的个子不是高。(×) → 他的个子不高。(○) 그의 키는 크지 않다.

2) 정도부사(很, 太, 特別, 非常)의 수식을 받을 수 있다.

형식	정도부사(很 · 太 · 特別 · 非常) + 형용사
예시	风景很美。 풍경이 매우 아름답다. 这条街非常热闹。이 길은 매우 시끌벅적하다.

> **Tip** 앞에 很을 붙일 수 있으면 형용사거나 심리동사다.

3) 목적어를 가질 수 없다.

형식	~~형용사 + 목적어~~
예시	这件衣服很合适你。(×) → 这件衣服对你很合适。(○) 이 옷은 너에게 잘 어울린다.

4) 주어나 목적어(명사)를 꾸며 주는 관형어(수식어) 역할을 한다.

형식	수식어 + 的 + 주어/목적어 형용사 연결 접착제 명사, 대사
예시	美丽的花 아름다운 꽃 형용사 명사

5) 술어(동사, 형용사)를 꾸며 주는 부사어 역할을 한다.

형식	수식어 + 地 + 술어 형용사 연결 접착제 동사/형용사
예시	非常认真地工作 매우 성실하게 일하다 형용사 술어(동사)

> **Tip** 형용사(多, 少, 早, 晚, 快, 慢)가 1음절 동사의 부사어가 될 때는 일반적으로 地를 붙이지 않는다.
>
> 예 多学 많이 배우다 　　　少说 적게 말하다 　　　早来 일찍 오다
> 　　晚来 늦게 오다 　　　快吃 빨리 먹다 　　　慢走 천천히 조심해서 가다

6) 동사 뒤에서 동사의 의미를 보충하는 보어로 쓰인다.

형식	술어 + 보어(결과/정도/가능) 동사　　　　형용사
예시	衣服洗干净了 옷을 깨끗하게 빨았다 　　술어 형용사(결과보어) 说得很流利 말을 매우 유창하게 한다 술어　　 형용사(정도보어) 看得清楚 분명하게 보인다 술어 형용사(가능보어)

7) 형용사는 목적어와 주어로도 쓰인다.

형식	형용사 + 술어 + 목적어 　주어 단어의 형태 변화 없이 주어로 쓰이기도 한다.
예시	谦虚是一种美德。 겸손은 일종의 미덕이다.
형식	주어 + 술어 + 형용사 　　　　　　　목적어
예시	我特别怕热。 나는 매우 더위를 탄다.

내가 생각하는 HSK란? - HSK는 [   ]다.

- HSK는 실타래다. 언젠가는 풀릴 테니까. – 김연욱
- HSK는 곰국이다. 오래 끓일수록 국물이 우러나니까. – 박용주
- HSK는 나의 동반자다. 나와 떼려야 뗄 수 없으니까. – 정정인
- HSK는 마라톤이다. 완주할 때까지 많은 연습과 경험이 필요하고, 중간에 포기하고 싶을 때도 있지만, 끝까지 견뎌 내면 멋진 내가 보일 테니까. – 백송이

DAY 1

1. 对　　很　　自己的成绩　　他　　满意

_____

2. 这次考试的　　非常　　他　　成绩　　糟糕

_____

3. 性格　　完全　　姐妹的　　相反　　这两个

_____

4. 饭馆的　　好　　那家　　特别　　服务

_____

5. 现在　　特别　　去大使馆的　　堵　　路

_____

DAY 2

1. 热闹　　小镇的　　十分　　晚上

_____

2. 空气　　湿润　　后　　很　　下雨

_____

3. 小王的　　不太　　一直　　身体　　好

_____

4. 更　　南方　　的　　湿润　　气候　　比北方

_____

5. 西红柿汤　　酸　　的　　有点儿　　今天

_____

02 관형어와 일반동사

DAY 3-4

대사, 명사, 동사, 형용사 등 하나의 단어가 관형어가 될 수도 있지만, 두 개 이상의 단어가 결합한 전치사구(전치사 + 명사), 동사구(동사 + 목적어), 형용사구(부사 + 형용사), 주술구(주어 + 술어) 등도 관형어가 될 수 있다. 이 장에서는 좀 더 복잡한 관형어와 함께, 앞으로는 '부사 + 조동사 + 전치사'를, 뒤로는 '동태조사 + 보어 + 목적어'를 끌고 다니는 능력 있는 동사까지 마스터해 보자.

쓰기 시크릿 백전백승

1 명사 성분을 찾아라!

주어나 목적어는 특별한 경우가 아니라면 일반적으로 명사 형태로 나온다. 따라서 먼저 명사 성분을 확인해 주어와 목적어를 파악한다.

2 명사들의 위치를 정하라!

주어의 역할을 하는 명사는 다음과 같은 특징을 지닌다.
① 인칭대사(我, 他) 혹은 직업·신분을 나타내는 사람 관련 단어(学生, 老师, 小王)는 주어가 될 가능성이 높다.
② 특정한 것을 지칭하는 지시대사(这, 那)가 있다면 주어가 될 가능성이 높다.
　　예 这次运动会 이번 운동회 / 这家公司 이 회사 / 那个水果 그 과일

3 긴밀한 연결에 주의하라!

수식어가 명사를 꾸며 줄 때 구조조사 的를 쓰는 것이 일반적이지만, 수식어와 피수식어가 한 단어처럼 쓰이거나, 긴밀한 관계일 경우에는 的를 쓰지 않을 수 있다.
　　예 语法错误 어법 오류 / 商品(的)质量 상품의 품질

4 동사 술어 찾는 법을 익혀라!

동사 술어를 찾을 때는 다음과 같은 힌트를 이용한다.
① 동태조사 了, 着, 过와 함께 있는 단어는 동사다. 단, 문장 맨 끝에 붙는 어기조사 了는 예외!
② 존재동사와 판단동사 有(没有), 在(不在), 是(不是)는 가장 자주 쓰이는 동사 술어다.
③ 부정부사 不, 没, 别 등과 함께 있는 단어는 술어(동사)가 될 수 있다.

문제 1

| 这么 | 比赛 | 他 | 没参加过 | 大型的 | 从来 |

🔍 **문제 분석** 복잡한 수식어의 어순에 주목! < **1** . **2** . **4** 적용

| 이렇게 | 시합 | 그 | 참가한 적이 없다 | 큰 | 여태껏 |

他从来没参加过这么大型的比赛。 그는 여태껏 이렇게 큰 시합에 참가한 적이 없다.

단어 这么 zhème 때 이렇게 | 比赛 bǐsài 몡 경기, 시합 | 参加 cānjiā 통 참가하다 | 大型 dàxíng 혱 큰, 대형의 | 从来 cónglái 튀 지금까지, 여태껏

해설 STEP 1 주어를 찾아라!
- 比赛(시합): 명사 / 他(그): 인칭대사 / 大型的(큰): 명사와 연결하는 접착제 的
  의미상 大型的比赛(큰 시합)가 목적어가 되고, 他(그)가 주어 자리에 위치해야 한다.

STEP 2 술어를 찾아라!
- 没参加过(참가한 적이 없다): '부정부사(没) + 동사 술어(参加) + 동태조사(过)'의 형태로, 술어가 될 수 있다.

STEP 3 기타 성분을 삽입하라!
- 从来(여지껏): 부사로, 부정부사(没)와 함께 다니는 특징이 있다. → 从来没参加过 (여태껏 참가한 적이 없다)
- 这么(이렇게): 대사로, 형용사 앞에 쓰여 정도가 비교적 심함을 나타낸다. → 这么大型的(이렇게 큰)

따라서 정답은 他从来没参加过这么大型的比赛(그는 여태껏 이렇게 큰 시합에 참가한 적이 없다)의 순서가 된다.

学校	机会	提供了	一些	留学的

문제 분석 복잡한 수식어의 어순에 주목! < **1** . **2** . **4** 적용 >

학교	기회	제공했다	몇 번	유학의

学校提供了一些留学的机会。 학교에서 유학의 기회를 몇 번 제공해 주었다.

단어 学校 xuéxiào 몡 학교 | 机会 jīhuì 몡 기회 | 提供 tígōng 통 제공하다 | 一些 yìxiē 양 몇 번, 얼마간 | 留学 liúxué 통 유학하다

해설 **STEP 1** 주어를 찾아라!
- 学校(학교): 명사 / 机会(기회): 명사 / 留学的(유학하는): 명사와 연결하는 접착제 的
  의미상 留学的机会(유학의 기회)가 목적어가 되고, 学校(학교)는 주어가 된다.

STEP 2 술어를 찾아라!
- 提供了(제공하다): 동사로, 동태조사 3형제(了·着·过) 중 了가 붙어 있으므로 동사 술어임을 유추할 수 있다.

STEP 3 기타 성분을 삽입하라!
- 一些(몇 번): 수량사로, 셀 수 있는 명사와 결합하여 쓰인다. → 一些留学的机会(몇 번의 유학 기회)

따라서 정답은 学校提供了一些留学的机会(학교에서 유학의 기회를 몇 번 제공해 주었다)의 순서가 된다.

NEW 단어 + TIP

- 研究 yánjiū 통 연구하다, 탐구하다
- 迷路 mílù 통 길을 잃다
- 感兴趣 gǎn xìngqù 흥미를 느끼다

- 打招呼 dǎ zhāohu 인사하다, 안부를 묻다, 통지하다
- 付款 fùkuǎn 통 돈을 지불하다
- 生意 shēngyì 몡 장사, 사업, 비즈니스

1 관형어 만들기(Ⅱ)

앞 장에서 배운 '지시대사 + 수사 + 양사' 형태 이외에 대사, 명사, 동사, 형용사 등의 품사도 관형어가 될 수 있다. 쓰기 문제에서 관형어를 알아채는 가장 쉬운 방법은 的를 수반하고 있느냐지만, 한 가지 더 주의할 사항은 형용사, 동사로 된 단어를 보고 무조건 술어라고 속단하지 말고, 관형어 역할을 하는 것은 아닌지 판단해야 한다는 점이다.

1) 대사 관형어

형식	일반적으로 的를 붙이지만, 가족·소속 단체는 的를 쓰지 않아도 된다.		
예시	的 사용	他的水平 그의 수준 我朋友的车 내 친구의 차	我的看法 나의 생각 他们的中文老师 그들의 중국어 선생님
	的 생략	我孙子 내 손자	他爸爸 그의 아버지 我们学校 우리 학교

2) 명사 관형어

형식	시간·장소 또는 일반명사가 的와 결합하여 관형어로 쓰인다.		
예시	시간	下午的课 오후 수업 刚才的情况 방금 전 상황	过去的事情 과거의 일 每天要处理的事情 매일 처리할 일
	장소	南方的气候 남쪽의 기후 桌子上的书 책상 위의 책	商店里的商品 상점의 상품 房间里的空气 방 안의 공기
	일반명사	菜的味道 음식의 맛 亚洲的经济 아시아의 경제	杂志的内容 잡지의 내용 打印机的说明书 프린터의 설명서

> **!Tip** 명사 관형어 앞에 '지시대사 + 수량사'를 넣어 복잡한 수식어를 만들 수 있다.
>   예 这家商店的商品 이 상점의 물건

3) 전치사구 관형어

예시	跟同学的关系 학우와의 관계 你和我之间的距离 너와 나 사이의 거리 关于月亮的传说 달에 관한 전설	对学生的要求 학생에 대한 요구 对月球的研究 달에 대한 연구

4) 동사(구), 형용사(구) 관형어

예시	동사(구)	参观的人 참관하는 사람 走过来的人 걸어오는 사람	锻炼的人 단련하는 사람
	형용사(구)	合格的警察 자격 있는 경찰 美丽的风景 아름다운 풍경	非常可爱的女孩子 무척 귀여운 여자아이 特别深刻的印象 아주 깊은 인상

5) 주술구 관형어

예시	小李讲的**故事** 샤오리가 말한 이야기 你说的**话** 네가 말한 이야기 我认识的**人** 내가 아는 사람 个子高的**男人** 키가 큰 남자	老王写的**汉字** 라오왕이 쓴 한자 知识丰富的**老师** 지식이 풍부한 선생님 我担心的**事情** 내가 걱정하는 일

6) 피수식어와 긴밀한 관계의 관형어

형식	직업·재료를 나타내는 명사 관형어나 1음절 형용사 관형어, 긴밀한 연결 관계에는 的를 쓰지 않는다.		
예시	직업	英语**老师** 영어 선생님 电影**演员** 영화배우	电脑**工程师** 컴퓨터 엔지니어	
	재료	玻璃**杯子** 유리잔 皮**大衣** 가죽 외투	木头**箱子** 나무 상자	
	1음절 형용사	好**朋友** 좋은 친구 旧**书** 오래된 책	新**电脑** 새 컴퓨터 大**眼睛** 큰 눈	
	긴밀한 연결	世界**地图** 세계 지도 英文**杂志** 영어 잡지	中国**菜** 중국 음식 中文**说明书** 중국어 설명서	增长**速度** 증가 속도

2 동사의 쓰임

동사는 문장에서 가장 중심적인 역할을 한다. 동사는 기본 어순(주어 + 술어 + 목적어)의 가장 중심에서 문장을 서술해 주는 역할을 하며, 앞으로는 '부사 + 조동사 + 전치사구'를 이끌고, 뒤로는 '동태조사 了·着·过 + 보어 + 목적어' 등을 이끈다.

1) 동사는 문장 속에서 주로 술어 역할을 한다.

형식	주어 + **동사** 술어	
예시	请再说一遍 다시 한 번 말씀해 주세요	都**看**完了 다 보았다

2) 대부분 뒤에 목적어를 취할 수 있다.

형식	**동사** + 목적어	
예시	**看**小说 소설을 보다	**去**中国 중국에 가다

3) 부정부사 不나 没(有)로 부정문을 만든다.

형식	不 + 동사 / 没(有) + 동사
	Tip 현재·미래·의지·습관·가정문에 대한 부정은 不, 과거·객관적 사실에 대한 부정은 没를 쓴다.
예시	我不吃。나는 먹지 않겠다. (의지) 我不吃早饭。나는 아침을 먹지 않는다. (습관) 如果现在不吃，以后就没什么可吃的了。만약 지금 먹지 않으면, 나중에 먹을 게 없다. (가정) 我今天没吃早饭。나는 오늘 아침밥을 먹지 않았다. (객관적 사실)

4) 일반부사의 수식을 받을 수 있다.

형식	일반부사 + 동사
예시	一定参加 반드시 참가하다 　　　　　　　马上到达 곧 도착하다

Tip 단, 정도부사(很·挺·顶·非常·十分·格外·太·最·比较·稍微 등)의 수식은 받을 수 없다. (심리동사 예외)

예 很喝咖啡(×) → 喝咖啡(○) 커피를 마신다

5) 뒤에 동태조사 了·着·过를 붙일 수 있다.

형식	동사 + 了·着·过
예시	看了这本书 이 책을 보았다 (완료) 　　看着这本书 이 책을 보고 있다 (진행) 看过这本书 이 책을 본 적이 있다 (경험)

6) 중첩할 수 있다.

형식	동사 + 동사 / 동사 + 一 + 동사 / 동사 + 了 + 동사
예시	说说 말해 봐 　　　　　　　　　看一看 봐 봐 商量商量 좀 상의하다 　　　　　试了试 시험 삼아 해 봤다

7) 각종 보어를 가질 수 있다.

형식	동사 + 보어
예시	看完了 다 봤다 (결과) 　　　　　　　说了两次 두 번 말했다 (동량) 休息了5分钟 5분 동안 쉬었다 (시량) 　说得很流利 유창하게 말하다 (정도) 走不动 못 걷겠다 (가능)

Tip 동량보어는 동작의 양(횟수)을 나타내고, 시량보어는 지속된 시간의 양(기간)을 나타낸다.

DAY 3

1. 已经　　进步　　有了　　一定的　　学生　　我的

_____

2. 就要　　这场　　结束　　篮球比赛　　了

_____

3. 400米　　这座　　高度　　超过了　　电视塔的

_____

4. 人与人之间的　　网络　　缩短了　　距离

_____

5. 起了　　很大的　　他出的　　这个主意　　作用

_____

DAY 4

1. 看上去　　那个湖　　一面　　好像　　镜子

_____

2. 病人　　危险　　这位　　暂时　　没有　　生命

_____

3. 了　　任何理由　　我们　　他的　　相信　　不再

_____

4. 没有　　这篇　　错误　　文章　　语法

_____

5. 获得了　　很　　完美的　　成功　　人的付出　　那几个

_____

03 명사와 특별한 동사들

명사의 쓰임은 우리가 생각했던 것보다 훨씬 다양하다. 이번 장에서는 문장 속에서 가장 많이 등장하는 명사와 아무리 강조해도 지나치지 않은 특별한 동사들에 대해 배워 본다.

쓰기 시크릿 백전백승

1 명사의 쓰임을 익혀라!

명사는 주어나 목적어로 쓰이고, 전치사구(전치사 + 명사) 형태로도 쓰인다. 또한 명사 앞에서 명사를 꾸며 줄 수도 있다.

2 심리동사에 주목하라!

> 심리동사 喜欢, 爱, 想念, 希望, 担心 등

심리동사는 형용사처럼 정도부사(很, 非常 등)와 함께 쓸 수도 있고, 동사처럼 뒤에 목적어를 가질 수도 있다.

예 我很喜欢吃水果。 나는 과일 먹는 걸 무척 좋아한다.

3 특별한 동사는 반드시 암기하라!

일반적인 동사들과 달리, 목적어가 없거나, 목적어를 2개 갖거나, 동사(구)·형용사(구)·주술구 등을 목적어로 갖는 특별한 동사들은 반드시 숙지해 둔다.

예 发现, 决定, 保证, 打算, 认为, 知道, 觉得, 需要 등

주어 + 동사 + 목적어구 ┌ 주어 + 술어
                        ├ 술어 + 목적어
                        └ 주어 + 술어 + 목적어

4 부사는 '바람둥이'다!

동사의 목적어 안에 또 다른 술어(동사/형용사)가 있다면, 부사는 어디에 넣어야 할까? 그것은 문장을 해석해 봐야만 알 수 있다. 부사는 여기저기에 붙는 '바람둥이'기 때문이다.

문제 1

羡慕	她	钢琴的人	非常	会弹

🔍 **문제 분석** 심리동사 羡慕에 주목! < **1** . **2** . **4** 적용 >

부러워하다	그녀	피아노를 ~는 사람	매우	칠 줄 아는

她非常羡慕会弹钢琴的人. 그녀는 피아노를 칠 수 있는 사람을 매우 부러워한다.

단어 羡慕 xiànmù 동 부러워하다 | 钢琴 gāngqín 명 피아노 | 非常 fēicháng 부 대단히, 매우 | 会 huì 조동 ~를 할 수 있다 | 弹 tán 동 (악기를) 치다, 타다

해설 **STEP 1** 주어를 찾아라!

- 她(그녀): 대사 / 钢琴的人(피아노를 ~는 사람): 수식어 + 的 + 명사

STEP 2 술어를 찾아라!

- 羡慕(부러워하다): 심리동사로, 목적어를 취할 수 있을 뿐 아니라, 자신의 심리 상태가 어느 정도인지를 나타내기 위해 정도부사 很, 非常 등의 수식을 받을 수도 있다.

STEP 3 기타 성분을 삽입하라!

- 非常(매우): 부사이므로, 형용사나 심리동사 앞에 놓는다. → 非常羡慕(매우 부러워하다)
- 会弹(칠 수 있다): '조동사 + 동사'의 형태로, 조동사 会는 '(배워서) ~을 할 수 있다'는 뜻이고, 동사 弹은 '손가락으로 악기를 연주하다'라는 뜻이므로 钢琴(피아노)과 결합되는 것이 옳다.
  → 会弹钢琴的人(피아노를 칠 수 있는 사람)

따라서 정답은 她非常羡慕会弹钢琴的人(그녀는 피아노를 칠 수 있는 사람을 매우 부러워한다)의 순서가 된다.

他的错　　我觉得　　这件事　　根本　　不是

문제 분석 특별한 동사 觉得에 주목! **1 . 3** 적용

그의 잘못	내 생각에는	이 일	전혀	아니다

我觉得这件事根本不是他的错。 나는 이 일은 전혀 그의 잘못이 아니라고 생각한다.

단어 错 cuò 명 잘못 | 觉得 juéde 동 ~라고 생각하다 | 根本 gēnběn 부 전혀, 아예

해설 STEP 1 주어를 찾아라!
　　・他的错(그의 잘못): 수식어 + 的 + 명사 / 这件事(이 일): 지시대사 + 양사 + 명사

　　STEP 2 술어를 찾아라!
　　・我觉得(나는 ~라고 생각한다): '인칭대사 + 동사'의 형태다. 觉得는 주술구나 동사구를 목적어로 취할 수 있는 특별한 동사로 문장 전체의 술어가 되므로, 문장 맨 앞에 위치시킨다.
　　・不是(~이 아니다): 동사이므로, 1단계에서 찾은 두 명사구 사이에 술어 不是를 넣어준다.
　　　→ 这件事不是他的错(이 일은 그의 잘못이 아니다)

　　STEP 3 기타 성분을 삽입하라!
　　・根本(전혀): 부사로, 뒤에 부정부사 不나 没有를 끌고 나온다. → 根本不是(전혀 아니다)

따라서 정답은 我觉得这件事根本不是他的错(나는 이 일은 전혀 그의 잘못이 아니라고 생각한다)의 순서가 된다.

NEW 단어 + TIP

- 房东 fángdōng 명 집주인
- 脖膊 gēbo 명 팔
- 景色 jǐngsè 명 경치
- 聚会 jùhuì 명 모임
- 毛 máo 명 털
- 建议 jiànyì 명 건의, 제안 동 건의하다, 제안하다

1 명사의 특징

명사는 쉽다고 자칫 소홀하게 다뤄질 수 있으나, 사실은 한 문장에서 주어 1개, 목적어 1개, 전치사구(전치사 + 명사) 1개 등 최소 2~4개까지 등장할 수 있는 아주 중요한 품사다. 어순 배열 문제에서 명사가 보이면 쏙쏙 골라서 의미에 맞게 배열해야 한다.

> **Tip** 명사의 위치는 1순위 주어, 2순위 목적어, 3순위 전치사구, 4순위 명사 관형어 자리다.

1) 명사는 문장 속에서 주어와 목적어가 될 수 있다.

예시	同学们都很喜欢这部电影。친구들은 모두 이 영화를 좋아한다.
	주어　　　　　　　　목적어

2) 전치사와 함께 전치사구를 이룬다.

예시	这本书是从图书馆借来的爱情小说。이 책은 도서관에서 빌려 온 연애 소설이다.
	전치사구

3) 명사와 대사는 관형어가 될 수 있다

형식	**명사 / 대사 + 的 + 주어 / 목적어** **Tip** 관형어는 주어나 목적어를 꾸며 주는 말을 뜻한다.
예시	中国的首都是北京。중국의 수도는 베이징이다. 관형어　주어

4) 시간명사는 부사어가 될 수 있다

형식	**주어 + 시간명사 + 술어 / 시간명사 + 주어 + 술어** **Tip** 부사어는 술어를 꾸며 주는 말을 뜻한다.
예시	我现在就出发。(시간명사가 주어 뒤에 위치)　　나 지금 곧 출발해. 现在我就出发。(시간명사가 주어 앞에 위치)

> **Tip** '지금', '저녁', '예전' 등 시간을 나타내는 명사는 주어 앞뒤에 모두 위치할 수 있다.

5) 명사는 부사와 절대로 함께 나올 수 없다.

예시	已经 + 老师(×)　　　　　不 + 专家(×)　　　　　很 + 友谊(×)

2 여러 가지 동사들

목적어를 하나만 가질 수 있는 일반동사 이외에도, 단어에 이미 목적어를 가지고 있어서 또 다른 목적어를 가질 수 없는 이합동사, 목적어를 두 개 가질 수 있는 수여동사, 정도부사의 수식을 받을 수 있는 심리동사, 명사 목적어가 아닌 동사구나 주술구를 목적어로 갖는 특별한 동사들의 특징을 알아보자.

1) 일반동사: 가장 일반적으로 쓰는 동사로 목적어를 1개 가질 수 있다.

예시	打 치다, (전화를) 걸다: 打 + 电话 전화하다
	看 보다: 看 + 电影 영화를 보다
	买 사다: 买 + 衣服 옷을 사다

2) 이합동사: 동사 자체가 '동사 + 목적어' 구조여서, 뒤에 다른 목적어를 갖지 않는다.

예시	见面 만나다: 跟他见面 그와 만나다
	吵架 싸우다: 跟他吵架 그와 싸우다
	毕业 졸업하다: 毕业于清华大学 / 从清华大学毕业 칭화 대학을 졸업하다

> **Tip** 꼭 알아 두어야 할 이합동사
> 예 毕业 졸업하다 / 帮忙 도와주다 / 结婚 결혼하다 / 说话 이야기하다 / 散步 산책하다 / 生气 화내다 / 游泳 수영하다 / 睡觉 잠자다

3) 수여동사: '누군가에게 무엇을 주다'라는 뜻으로, 목적어를 2개 가질 수 있다.

형식	동사 + 간접 목적어(사람) + 직접 목적어(사물)
예시	给 주다: 给 + 他 + 面包 그에게 빵을 주다
	留 남기다: 留给 + 我们 + 作业 우리에게 과제를 남겨 주다
	告诉 알려 주다: 告诉 + 他 + 这件事 그에게 이 일을 알려 주다

4) 심리동사: 심리 활동, 즉 마음의 움직임이나 상태를 나타내는 동사다.

형식	정도부사 + 심리동사 (+ 목적어)
	정도부사의 수식을 받을 수 있고, 목적어도 가질 수 있다.
예시	很 + 喜欢 매우 좋아하다 非常 + 爱 매우 사랑하다
	特别 + 关心 특별히 관심 있다 多么 + 希望 매우 바라다
	十分 + 理解 매우 잘 이해하다 很 + 爱 + 吃中国菜 중국음식 먹는 것을 매우 좋아하다

5) 동사(구)나 형용사(구)를 목적어로 취하는 동사

형식	동사 + 동사(구) 목적어 예 打算 계획이다 / 喜欢 좋아하다 / 准备 준비하다
예시	打算 + 汉语(×) → 打算 + 学习汉语(○) 중국어를 배울 계획이다 开始 + 课(×) → 开始 + 上课(○) 수업을 시작하다 喜欢 + 舞(×) → 喜欢 + 跳舞(○) 춤추는 것을 좋아하다 准备 + 中国(×) → 准备 + 去中国(○) 중국에 갈 계획이다
형식	동사 + 형용사(구) 목적어
예시	显得 + 老人(×) → 显得 + 老(○) 늙어 보인다

6) 주술구, 동사구를 목적어로 취하는 동사

형식	① 동사 + 주술구 목적어(주어 + 술어 / 주어 + 술어 + 목적어) ② 동사 + 동사구 목적어(동사 + 목적어) 예 希望 바라다 / 觉得 생각하다 / 感觉 느끼다 / 发现 발견하다 / 认为 여기다 / 知道 알다 / 记得 기억하다 / 决定 결정하다 / 保证 보증하다

예시	我希望你能当老师。 나는 네가 선생님이 될 수 있기를 희망한다.
	     동사 목적어(주어+술어)
	我觉得他们俩很相配。 나는 그들 둘이 매우 잘 어울린다고 생각한다.
	我感觉今天的考试应该还不错。 나는 오늘 시험은 괜찮게 봤다고 느낀다.
	我发现她的发型变了。 나는 그녀의 헤어스타일이 바뀐 것을 알아챘다.
	
	他认为家庭是第一位的。 그는 가정이 첫 번째라고 여긴다.
	     동사 목적어(주어+술어+목적어)
	我知道明天是你的生日。 나는 내일이 너의 생일인 것을 안다.
	我记得你原来不是这样的人。 나는 너는 원래 이런 사람이 아니라고 기억한다.
	
	公司决定派他去中国。 회사는 그를 중국에 파견하기로 결정했다.
	     동사 목적어(동사+목적어)
	我保证完成这项任务。 저는 이 임무를 완성할 것을 보증합니다.

7) 자동사: 뒤에 목적어가 오지 않는다.

예시	我醒了。 나는 잠이 깼다. 星期天休息。 일요일은 쉰다. 八点出发。 8시에 출발한다.

DAY **5**

1. 我   特别   发现   干   我的头发

   _____

2. 认为   大家都   复杂了   太   他的计划

   _____

3. 提高   那个公司   商品的   决定   质量

   _____

4. 按时   这项任务   我   保证   完成

   _____

5. 获得   希望   谅解   他   大家的

   _____

DAY **6**

1. 主任医师   医院   打算   招聘   一位

   _____

2. 上海   叔叔   打算   去   旅行   6月底

   _____

3. 留下   希望   能给她   我   印象   美好的

   _____

4. 决定   提前   回国   代表们   一天

   _____

5. 买车票   1.2米   不需要   以下的   儿童

   _____

O4 '부조전(부사, 조동사, 전치사)'의 위치 DAY 7-8

문장의 뼈대가 되는 명사, 동사, 형용사 이외에, 이번 장에서는 문장 속에서 감초 역할을 하는 '부조전', 즉 부사, 조동사, 전치사에 대해 알아본다. '부조전'은 문장을 더욱 풍성하게 만들고, 의미를 더 뚜렷하게 해 준다.

쓰기 시크릿 백전백승

1 시간명사는 맨 앞으로 배치하라!

> 시간명사 今天, 昨天, 周末, 这学期, 结婚后, 上课时 등

시간명사는 주어 앞이나 뒤에 모두 쓰일 수 있다. 어순 배열 시 시간명사가 나오면 일단 맨 앞에 위치시킨다. 만약 명사와 시간명사가 붙어서 나온다면 주어가 될 가능성이 아주 높아진다.

2 다양한 품사가 주어가 될 수 있다!

주어는 명사나 인칭대사 외에, 동사(구), 형용사(구) 또는 전치사구도 될 수 있다. 경우에 따라서 주어가 생략될 수도 있음을 명심하자.

예 能说也是一种学问。 말을 잘하는 것도 하나의 학문이다. [동사구 주어]

太瘦不好看，而且会生病。 너무 마른 것은 예쁘지도 않고, 병이 생길 수도 있다. [형용사구 주어]

3 '부조전'의 위치를 사수하라!

'부사 + 조동사 + 전치사구'는 술어 앞, 즉 주어 뒤에 놓인다.

주어 + [부 + 조 + 전] + 술어

4 대표 '부조전'을 숙지하라!

조동사의 종류가 가장 적고, 부사의 종류가 가장 많다. '부조전'을 쉽게 구분해 내고 싶다면, 먼저 가장 쉬운 조동사와 대표 전치사를 외워 두자.

[대표 조동사]   想, 要, 会, 能, 可以, 应该, 得 등
[대표 1음절 전치사]   对, 跟, 给, 从, 由, 向, 把, 被, 比, 以, 离 등
[대표 2음절 전치사]   对于, 关于, 按照, 根据 등
[대표 1음절 부사]   都, 就, 才, 刚, 在, 曾 등
[대표 2음절 부사]   完全, 非常, 恐怕, 好像, 从来, 也许, 一定, 经常 등

시크릿 **확인학습**

> **문제 1**

给	张雨周末	打电话	经常	爸爸妈妈

문제 분석 시간명사, 부사, 전치사의 위치에 주목! **1 , 3 적용**

～에게	장위는 주말에	전화하다	자주	아버지, 어머니

张雨周末经常给爸爸妈妈打电话。　장위는 주말에 자주 아버지, 어머니에게 전화를 한다.

단어 周末 zhōumò 몡 주말 | 打电话 dǎ diànhuà 전화를 걸다 | 经常 jīngcháng 튄 자주, 종종

해설 STEP 1 주어를 찾아라!
① 张雨周末(장위는 주말에): '사람 이름 + 시간명사'의 형태다. 사람 이름은 문장에서 주어나 목적어 역할을 할 수 있고, 시간명사 周末는 주어의 앞뒤에 위치하므로, 张雨가 주어임을 단정할 수 있다.
② 爸爸妈妈(아버지, 어머니): 명사로, 문장에서 명사가 자주 쓰이는 위치는 주어, 목적어, 전치사구의 세 군데다. 이미 주어는 결정되었으니, 爸爸妈妈는 목적어나 전치사구로 쓰일 것이다.

STEP 2 술어를 찾아라!
· 打电话(전화를 걸다): 동사구로, 동사 打는 술어 역할을 할 수 있다.

STEP 3 부조전을 삽입하라!
· 经常(자주): 부사이므로, 술어부의 맨 앞, 주어 바로 뒤에 놓여야 한다.
· 给(～에게): 전치사로, 항상 명사와 결합하여 전치사구를 이루는 것이 특징이다. 따라서 전치사 给는 남겨 두었던 명사 爸爸妈妈와 결합하여 전치사구를 이루고, 부사 뒤, 술어 앞에 위치할 수 있다.
　→ 经常(부사) + 给(전치사) + 爸爸妈妈(명사) 자주 아버지, 어머니에게

따라서 정답은 张雨周末经常给爸爸妈妈打电话(장위는 주말에 자주 아버지, 어머니에게 전화를 한다)의 순서가 된다.

火车　　　大概　　　要坐　　　从北京到我家　　　10个小时的

문제 분석 전치사구 주어에 주목! < **2** . **3** 적용

기차	대략	타야 한다	베이징에서 우리 집까지	10시간의

从北京到我家大概要坐10个小时的火车。　베이징에서 우리 집까지 기차로 대략 10시간 정도 걸린다.

단어　火车 huǒchē 몡 기차 | 大概 dàgài 뷔 대강, 대략 | 坐 zuò 동 타다 | 北京 Běijīng 몡 베이징

해설　STEP 1　주어를 찾아라!
- 火车(기차): 명사 / 10个小时的(10시간의): 관형어
- 구조조사 的는 뒤에 피수식어로 명사를 자주 끌고 나오므로, 두 개를 결합하여 10个小时的火车(10시간의 기차)를 만들어 놓자.
- 从北京到我家(베이징에서 우리 집까지): 전치사구
  두 개의 전치사 从…到는 서로 호응하여 쓰이는 관계이므로 연결해 주어야 하며, 문장에서 주어가 없으므로 주어의 위치에 삽입해 준다.

STEP 2　술어를 찾아라!
- 要坐(타야 한다): '조동사 + 동사' 형태로, 坐는 교통수단을 이용할 때 쓰이는 동사 술어다. 만약 坐(타다)의 의미를 몰랐더라도 조동사 要 뒤에 나올 어휘는 동사임을 알 수 있어야 한다. '조동사 + 동사' 구조를 잘 기억하자.

STEP 3　부조전을 삽입하라!
- 大概(대략): 부사로, 추측을 나타내는 '아마도'와 수량을 짐작하는 '대략'이라는 뜻을 나타낸다. 이 문장에서는 '대략'이라는 뜻으로 쓰였다.
  → 大概要坐10个小时的火车(대략 10시간의 기차를 타야 한다)

따라서 정답은 从北京到我家大概要坐10个小时的火车(베이징에서 우리 집까지 기차로 대략 10시간 정도 걸린다)의 순서가 된다.

Tip 일반적으로 명사나 대사가 주어로 쓰이지만, 동사(구)·형용사(구)·전치사구 등 다양한 주어도 있다는 점을 명심하자.

感动日记

오늘 새롭게 알게 된 내용, 가장 중요한 핵심 내용, 학습 소감과 각오 등을 적어 보세요.

1 부사의 쓰임

부사의 기본 위치는 술어 앞이지만 전치사가 있으면 전치사 앞, 조동사가 있으면 조동사 앞에 놓인다. 결론적으로 부사는 전체 술어부의 맨 앞과 주어 바로 뒤쪽에 위치한다고 생각하면 된다.

1) 술어(동사, 형용사) 앞에 위치한다.

형식	부사 + 술어(동사 / 형용사)
예시	他现在非常难过。 그는 지금 매우 슬프다. 　　　　술어(형용사)

2) 전치사구 앞이나, 조동사가 있으면 조동사 앞에 위치한다.

형식	부사 + (조동사) + 전치사구
예시	他很想跟老师商量商量。 그는 선생님과 매우 상의를 하고 싶어 한다. 　　조동사

3) 정도부사는 주로 형용사를 수식한다.

형식	정도부사 + 형용사(술어) 예 很 매우 / 非常 매우 / 特别 특히 / 最 가장 / 比较 비교적
예시	这家商店的衣服特别漂亮。 이 상점의 옷이 아주 예쁘다. 　　　　　　　　　形容사

4) 일부 부사는 주어 앞에 올 수도 있다.

형식	부사 + 주어 + 술어
예시	原来昨天是她的生日。 알고 보니 어제가 그녀의 생일이었다. 　　주어

5) 일부 부사는 수량사 앞에 놓일 수도 있다.

형식	부사 + 수사 + 양사 + 명사
예시	我们学校的留学生一共一千个人左右。 우리 학교의 유학생은 총 천 명 정도 된다. 　　　　　　　수사 + 양사 + 명사

2 조동사의 쓰임

조동사는 동사와 가장 친해서, 항상 '조동사 + 동사'의 형태로 붙어 다니며, 능력 · 바람 · 가능 · 허가 · 당위성 등을 나타내는 '동사 도우미' 역할을 한다. 가장 자주 출제되는 조동사로는 能, 会, 可以 등이 있다.

1) 명사와 직접적으로 결합할 수 없다.

형식	조동사 + 동사 + 명사(목적어)
예시	我能会议。(×)→ 我能参加会议。(○) 나는 회의에 참가할 수 있다. 　　　　　　　　동사　명사

2) 주로 동사 앞에 사용된다.

형식	조동사 + 동사(술어)
예시	你也可以报名参加。 너도 신청해서 참가할 수 있다. 　　　　동사

3) 부정형은 일반적으로 조동사 앞에 不를 사용한다.

형식	不 + 조동사 + 동사(술어)
예시	我儿子不肯吃饭。 내 아들은 밥을 먹으려 하지 않는다. 　　　　　동사

4) 특수 구문에서 把, 被, 比, 让과 같은 전치사나 사역동사 앞에 온다.

형식	조동사 + 특수 구문 전치사(把 · 被 · 比 · 让)
예시	老师想让我处理这件事。 선생님은 내가 이 일을 처리하기를 바라신다. 　　　사역동사

5) 일부 조동사는 정도부사의 수식을 받을 수 있다.

형식	정도부사 + 조동사 + 동사	
예시	很 能 喝酒　술을 매우 잘 마신다 정도부사 동사 很会讲价　가격 흥정을 아주 잘한다	很想看　매우 보고 싶다 非常愿意去　매우 가고 싶다

3 전치사의 쓰임

전치사는 절친한 조동사와 동사 사이에 끼어들 수 있는 품사다. 반드시 뒤에 명사 형태를 끌고 나오기 때문에 '전치사 + 명사'의 형태로 전치사구를 이룬다. 문장 속에서 시간 · 장소 · 방향 · 대상 등을 강조하는 역할을 한다. 어순 배열 문제에서 가장 많이 출제된 품사이기도 하다.

1) 전치사는 명사와 결합한다.

형식	전치사 + 명사 → 전치사구 단독으로 사용되지 않고 반드시 명사나 대사와 결합하여 구(句)를 이룬다.
예시	对这本书 이 책에 대해 在电影院门口 극장 입구에서

2) 전치사구는 술어 앞, 조동사 뒤에 쓰인다.

형식	조동사 + [전치사 + 명사] + 술어
예시	对这本书感兴趣 이 책에 대해 흥미를 느끼다 你能在电影院门口等我吗? 너 극장 입구에서 나를 기다려 줄 수 있니?

3) 전치사구는 문장 속에서 관형어가 될 수 있다.

형식	[전치사 + 명사] + 的 + 주어 / 목적어
예시	这是关于龙的传说。 이것은 용에 관한 전설이다.

4) 전치사구는 문장 속에서 부사어가 될 수 있다.

형식	[전치사 + 명사] + 술어
예시	我对这条路非常熟悉。 나는 이 길에 대해 매우 익숙하다. ⚠Tip 非常은 비록 부사지만, 대상(这条路)을 강조하는 것이 아니므로, 술어 熟悉 앞에 위치시킨다.

5) 전치사구는 문장 속에서 보어가 될 수 있다.

형식	술어 + [전치사 + 명사] 술어 뒤에서 보어를 이끌 수 있는 전치사는 在, 给, 到, 往, 向, 自, 于 등이다.
예시	火车开往上海。 기차는 상하이로 향해 간다.

DAY 7

1. 招人要求　公司的　条件　我的　符合　完全

---

2. 奖学金　获得　这学期　我　要

---

3. 中国京剧　对　我的教授　感兴趣　非常

---

4. 对　进行了　中小学生家长　研究人员　问卷调查

---

5. 放弃过　从来　没有　自己的　梦想　他

DAY 8

1. 恐怕　电子邮件了　他　看过　那个

---

2. 离　这里　火车站　10多公里　还有

---

3. 现在的　这份工作　非常满意　我　对　感到

---

4. 任何　好处　身体　对　没有　抽烟

---

5. 好像　我以前　什么地方　见过他　在

---

05 把자문·被자문

把자문과 被자문이 어렵다고 겁내기 쉽지만, 사실 원리는 아주 간단하다. 把자문은 목적어를 강조하기 위해 맨 뒤에 있던 목적어를 앞으로 도치시키는 문장이고, 被자문은 누군가에 의해 행해졌다는 뜻으로, 가해자(행위자)를 강조하는 문장이다. 시험에 단골로 출제되는 구문이므로, 이번 장에서 확실히 마스터해 보자!

쓰기 시크릿 백전백승

1 把자문(처치문)을 마스터하라!

把는 전치사로 술어 뒤에 있던 목적어(명사/대사)를 술어 앞으로 끌고 나와 강조하는 역할을 한다.

2 被자문(피동문)을 마스터하라!

被도 전치사로, 행위를 가한 가해자(명사/대사)를 끌고 나온다. 被자문의 가장 큰 특징은 가해자를 알 수 없거나, 언급할 필요가 없을 때는 생략할 수 있다는 점이다. 被는 叫, 让, 给로 바꿔 쓸 수 있고, '被 A 所 B (= 为 A 所 B)'라는 표현법도 자주 쓰이므로, 익혀 두는 것이 좋다.

3 기타 성분의 위치를 숙지하라!

把, 被가 전치사라는 것을 상기하고 '부사 + 조동사'는 把, 被 앞에 위치시킨다.

把자문/被자문에서 기타 성분의 위치

[把자문] 주어 + 부사 + 조동사 + 把(将) + 처치 대상 + 술어 + 기타 성분

[被자문] 주어 + 부사 + 조동사 + 被(叫 / 让 / 给) + (가해자) + 술어 + 기타 성분

부사: 没, 别, 好像, 竟然 등

조동사: 会, 想, 能, 可以 등

동태조사: 了, 着

각종 보어: 扔在, 弄丢, 写错

동사중첩: AA /A 一 A

예 他吃光了我的面包。

→ 他把我的面包吃光了。 그는 내 빵을 먹어 버렸다.

→ 我的面包被他吃光了。 내 빵은 그가 먹어 버렸다.

문제 1

把没用的	都	他	扔了	东西

문제 분석 把자문의 어순에 주목! ◁ **1** , **3** 적용

쓸모없는 것을	모두	그	버렸다	물건

他把没用的东西都扔了。 그는 쓸모없는 물건을 모두 버렸다.

단어 没用 méiyòng 혱 쓸모없다 | 扔 rēng 동 내버리다 | 东西 dōngxi 몡 물건

해설 STEP 1 주어를 찾아라!
- 把没用的(쓸모없는 것을): 전치사 + 관형어 / 东西(물건): 명사
  관형어 的 이하 부분에 피수식어를 붙여 큰 명사 덩어리를 만들어 준다.
  → 把没用的东西(쓸모없는 물건을)
- 他(그): 인칭대사로, 문장에서 주어 역할을 할 수 있다.

STEP 2 술어를 찾아라!
- 扔了(버렸다): '동사 + 동태조사'의 형태이므로, 술어가 될 수 있음을 알 수 있다.
  → 他把没用的东西扔了(그는 쓸모없는 물건을 버렸다)

STEP 3 기타 성분을 삽입하라!
- 都(모두): 부사는 일반적으로 전치사(把) 앞에 놓이지만, 범위를 나타내는 부사 都는 예외적으로 都가 제한하는 범위(没用的东西) 뒤에 놓아야 한다.

따라서 정답은 他把没用的东西都扔了(그는 쓸모없는 물건을 모두 버렸다)의 순서가 된다.

高尔夫	高雅的	被人们看作是	运动	一种

문제 분석 被자문의 어순에 주목! **2**, **3** 적용

골프	고상한	사람들에 의해 ～라고 여기다	운동	하나의

高尔夫被人们看作是一种高雅的运动。 골프는 사람들이 고상하다고 생각하는 하나의 운동이다.

단어 高尔夫 gāoʾěrfū 명 골프 | 高雅 gāoyǎ 형 고상하다. 우아하다 | 看作 kànzuò 동 ～라고 여기다 | 运动 yùndòng 명 운동

해설 STEP 1 주어를 찾아라!
- 高尔夫(골프): 명사로, 문장 속에서 주어나 목적어가 될 수 있다.
- 高雅的(고상한): 관형어 / 运动(운동): 명사 / 一种(하나의): 수량사
  관형어의 어순은 '수사 + 양사 + 수식어'이므로, 순서대로 一种高雅的(하나의 고상한)와 运动(운동)을 조합시켜 놓자.

STEP 2 술어를 찾아라!
- 被人们看作是(사람들에 의해 ～라고 여기다): 동사로, 문장 속에서 술어 역할을 할 수 있다. 따라서 高尔夫(골프)는 주어, 被人们看作是(사람들에 의해 ～라고 여기다)는 술어, 一种高雅的运动(하나의 고상한 운동)은 목적어로 배치한다.

따라서 정답은 高尔夫被人们看作是一种高雅的运动(골프는 사람들이 고상하다고 생각하는 하나의 운동이다)의 순서가 된다.

感动日记

오늘 새롭게 알게 된 내용, 가장 중요한 핵심 내용, 학습 소감과 각오 등을 적어 보세요.

1 把자문 핵심 정리

1) 기본 어순: 주어 + 把 + 처치 대상 + 동사 + 기타 성분

> !Tip 처치 대상은 불특정한 것이 아니라 말하는 사람과 듣는 사람이 모두 알고 있는 것이어서, 대개 지시대사나 관형어의 수식을 받는다.

2) 조동사(要·能), 부사(已经·一定), 부정부사(不·没·别) 등은 전치사 把 앞에 나온다.

형식	조동사 / 부사 / 부정부사 + 把…
	!Tip 把는 전치사이므로, 부사, 조동사는 당연히 把 앞에 위치한다.
예시	我一定把这本书看完。나는 반드시 이 책을 다 본다. 我要把这本书看完。나는 이 책을 다 볼 것이다. 我还没把这本书看完。나는 아직 이 책을 다 보지 못했다.

> !Tip 단, 부사 都는 복수 내용 뒤에 나온다.

3) 술어(동사) 뒤에 기타 성분이 필요하다.

형식	① 把 … + 동사 + 동태조사 了, 着 ② 把 … + 동사중첩 AA / A—A ③ 把 … + 동사 + 동량보어 (一次, 一遍, 一下) 　　　　　　　　　결과보어 (在, 给, 到) 　　　　　　　　　방향보어 (出来, 下来, 上来) 　　　　　　　　　정도보어 (得 + 동사 / 형용사)
예시	把那本书拿着 그 책을 들고 있다 把那本书读一读 그 책을 한 번 읽어 보다 把那本书看一遍 그 책을 한 번 보다 把那本书放在桌子上 그 책을 책상 위에 놓다 把那本书拿出来 그 책을 꺼내다 把那本书念得清清楚楚 그 책을 정확하게 낭독하다

4) 술어(동사) 앞에 给를 넣어 술어를 강조할 수 있다. (회화체)

형식	把 … (给) + 동사
예시	把我的书偷走了 把我的书给偷走了　내 책을 훔쳐 갔다

1) 기본 어순: 주어 + 被 + (가해자) + 동사 + 기타 성분

2) 被는 叫, 让, 给 등으로 바꿔 쓸 수 있다.

예시	手机被他偷走了。 手机叫他偷走了。	휴대전화는 그가 훔쳐 갔다.

3) 가해자(행위자)를 생략할 수 있다.

예시	手机被偷走了。 휴대전화는 도둑 맞았다.

Tip 가해자가 누구인지 알지 못하거나 굳이 말할 필요 없을 때 가해자를 생략한다.

4) 조동사(能 · 会), 부사(已经 · 终于), 부정부사(不 · 没) 등은 전치사 被 앞에 나온다.

형식	조동사 / 부사 / 부정부사 + 被 …
예시	这件事会被他发现。 이 일은 그에게 발각될 것이다. 这件事已经被他发现了。 이 일은 이미 그에게 발각되었다. 这件事没有被他发现。 이 일은 그에게 발각되지 않았다.

5) 술어(동사) 앞에 给를 넣어 술어를 강조할 수 있다. (회화체)

형식	被 … (给) + 동사
예시	我的书被小偷儿偷走了。 我的书被小偷儿给偷走了。 도둑이 내 책을 훔쳐 갔다.

6) 被字문 단골 동사(행위자 생략)

형식	称为 ～라고 부르다 / 视为 ～로 여기다, 간주하다 / 选为 ～로 선출되다 / 认为 ～라 여기다
예시	她被选为班长。 그녀는 반장으로 선출되었다.

Tip

	把字문	被字문
전치사	把(회화체) = 将(서면어) 예 他将此事报告给了上级。 그는 이 일을 상사에게 보고했다.	被 = 叫, 让, 给 (被만 행위자 생략 가능) 예 他被(爸爸)批评了一顿。 그는 (아빠에게) 한 차례 야단을 맞았다.
변형	★ 以 A 为 B: A를 B로 삼다 예 很多国家以英语为母语。 많은 나라들이 영어를 모국어 삼는다.	被 A 所 B: A에 의해 B하게 되다 = 为(wéi) A 所 B(B는 2음절 동사) 예 老师为学生的努力所感动。 선생님께서는 학생의 노력에 감동하셨다.

DAY 9

1. 扔在　　我　　把用过的　　毛巾　　没　　镜子旁边

2. 好像　　韩教授的　　写错了　　我　　中文姓名　　把

3. 把　　忘记了　　信用卡的密码　　她　　竟然　　给

4. 所称赞　　那名　　全校老师　　优秀学生　　被

5. 昨天　　那棵大树　　刮倒了　　被

DAY 10

1. 说明书　　把　　笔记本电脑的　　弄丢了　　别

2. 调查问卷　　你　　复印　　把这份　　80份

3. 这些报纸　　排列好　　请　　按时间顺序　　将

4. 被弟弟　　我的杯子　　给　　不小心　　打破了

5. 感动　　被　　大家　　所　　他的精神

06 '존현실문'·비교문

중국어에서는 확실하게 알고 있는 내용을 앞에 위치시키고, 불특정한 내용은 뒤에 놓으려는 경향이 있다. 예를 들어 내가 알고 있거나 기다리던 특정한 손님이 왔다면 客人来了가 되고, 예상치 못한 손님이 찾아 왔다면 来了一位客人이라고 표현한다. 이번 장에서는 사람이나 사물의 존재·출현·소실을 나타내는 '존현실문'과 비교를 나타내는 비교문을 배워 보자!

쓰기 시크릿 백전백승

1 '존현실문'의 특징을 숙지하라!

'존현실문'의 가장 큰 특징은 주어 자리에 '시간'이나 '장소'가 나오고, 목적어 자리에는 불특정 목적어가 나온다는 것이다.

> **Tip** 특정 목적어: 지시대사(这, 那)나 수식어로 명사의 범위를 제한시켜 특정한 것으로 만든 목적어
> 불특정 목적어: 지시대사나 수식어 없이 一个, 两个처럼 수량만을 나타내는 불특정한 목적어

2 장소 주어를 만들어라!

장소를 나타내는 명사뿐만 아니라, 일반명사도 방위사와 결합하여 장소 주어가 될 수 있다.

[형식] 일반명사 + 前 / 后 / 里 / 上 → 장소 주어

3 비교문의 긍정형은 比다!

比를 이용한 비교문의 술어는 맨 앞 주어의 특징을 설명한다.

주어 + 比 + 비교 대상 + 술어

> 예 我比他胖。 나는 그보다 뚱뚱하다. (= 我胖 내가 뚱뚱하다)

4 비교문의 부정형은 没有, 不如를 쓴다!

没有, 不如를 이용한 비교문의 술어는 비교 대상의 특징을 설명한다.

주어 + 没有 / 不如 + 비교 대상 + 술어

> 예 这里的东西没有我们的便宜。 이곳의 물건은 우리 것보다 싸지 않다.
> (= 我们的便宜 우리 것이 싸다)

문제 1

| 红色的 | 前面 | 一辆 | 公共汽车 | 来了 |

문제 분석 존현실문의 어순에 주목! < **1** 적용

| 붉은색의 | 앞쪽 | 한 대 | 버스 | 왔다 |

前面来了一辆红色的公共汽车。 앞에 붉은색의 버스 한 대가 왔다.

단어 红色 hóngsè 명 붉은색 | 前面 qiánmian 명 앞 | 辆 liàng 양 대(차량을 세는 단위) | 公共汽车 gōnggòng qìchē 명 버스

해설 STEP 1 주어를 찾아라!
· 前面(앞): 장소명사이므로 존현실문에서 주어가 될 수 있다.
· 一辆(한 대): 수량사 / 公共汽车(버스): 명사 / 红色的(빨간색의): 관형어
관형어의 어순에 따라 '수량사 + 수식어 + 명사'로 배열하여 목적어구를 만들어 둔다.
→ 一辆红色的公共汽车(붉은색 버스 한 대)

STEP 2 술어를 찾아라!
· 来了(왔다): 동사로, 존현실문에서 동태조사 了는 새로운 출현을 나타낸다. 술어 来了(왔다)는 주어 前面(앞)
뒤에 위치한다.

따라서 정답은 前面来了一辆红色的公共汽车(앞에 붉은색의 버스 한 대가 왔다)의 순서가 된다.

早来了　　　她今天　　　三十分钟　　　比昨天

문제 분석 비교문의 어순에 주목! < **3** 적용

일찍 왔다	그녀는 오늘	삼십 분	어제보다

她今天比昨天早来了三十分钟。　그녀는 오늘 어제보다 30분 일찍 왔다.

단어 　早 zǎo 혱 이르다, 빠르다 | 今天 jīntiān 몡 오늘 | 分钟 fēnzhōng 몡 분 | 昨天 zuótiān 몡 어제

해설 　STEP 1　주어를 찾아라!
　　　　　・她今天(그녀는 오늘): '인칭대사 + 시간명사'로, 시간명사가 주어 뒤에 위치한 형태다. 인칭대사가 있으므로 주어 역할을 할 수 있다.
　　　　　・比昨天(어제보다): 전치사구로, 比(~보다)는 비교를 나타내는 전치사다. 전치사구는 술어 앞에 위치한다.
　　　　　　Tip 전치사구는 '전치사 + 명사'로 결국 명사 덩어리로 1단계에서 어순을 결정해도 무방하다.

　　　　　STEP 2　술어를 찾아라!
　　　　　・早来了(일찍 왔다): 동사이므로, 술어 역할을 한다. 따라서, 주어인 她今天(그녀는 오늘)과 전치사구인 比昨天(어제보다) 다음에 早来了(일찍 왔다)를 위치시킨다.

　　　　　STEP 3　기타 성분을 삽입하라!
　　　　　・三十分钟(30분): 시간의 양을 나타내는 시량사로, 술어 뒤에서 보어 역할을 한다.

따라서 정답은 她今天比昨天早来了三十分钟(그녀는 오늘 어제보다 30분 일찍 왔다)의 순서가 된다.

感动日记

오늘 새롭게 알게 된 내용, 가장 중요한 핵심 내용, 학습 소감과 각오 등을 적어 보세요.

1 존현실문 핵심 정리

중국어에서 사람이나 사물의 존재·출현·소실을 나타내는 문장을 '존현문'이라고 하는데, 여기 서는 이 세 가지 기능을 기억하기 쉽게 모두 포함시켜 '존현실문'이라고 이름지었다.

1) 기본 어순: 시간/장소 + 동사 + 불특정 목적어

예시	昨天发生了一起交通事故。 어제 교통사고 한 건이 발생했다. 　시간 주어　　　　불특정 목적어 讲台上放着一束鲜花。 교단 위에 꽃 한 다발이 놓여 있다. 　장소 주어　　　불특정 목적어

> ⓘTip 불특정 목적어: 특정한 것을 지칭하는 지시대사나 수식어가 없는 것
>
> 　예 一个 한 개 / 两个 두 개 / 一些 약간 / 一点儿 조금 / 很多 많은 / 许多 허다한 등

2) 주어인 장소나 시간에는 전치사 在나 从 등을 쓰지 않는다.

예시	在我家前边有一条狗。(×) → 我家前边有一条狗。(○) 우리 집 앞에 개가 한 마리 있다. 〔존재〕 从上个月新来了两位同学。(×) → 上个月新来了两位同学。(○) 지난달에 두 명의 반 친구가 새로 왔다. 〔출현〕

3) 동사 뒤에 종종 了·着나 방향보어(过来·出来·进来·上来), 결과보어 등을 쓴다.

예시	着 [존재]	～되어 있다 / ～하고 있다 墙上挂着很多照片。 벽에는 많은 사진들이 걸려 있다.
	了 [출현]	～됐다 / ～했다 〔나타남〕 前边儿跑过来了一群学生。 앞에서 학생 한 무리가 달려왔다.
	了 [소실]	～됐다 / ～했다 〔사라짐〕 教室里少了一张桌子。 교실 안에 책상 하나가 줄었다.

4) 목적어는 불특정한 것이어야 하므로 '一/几 + 양사 + 명사' 형태로 나온다.

예시	门口站着一个人。 입구에 한 사람이 서 있다. (○) 门口站着妈妈。 입구에 엄마가 서 있다. (×)

5) 有자를 이용한 존현실문

형식	장소 + 有 + 불특정 목적어
예시	书包里有**两本报告**。가방 안에 보고서 두 부가 있다.

2 비교문 핵심 정리

A와 B 두 가지를 비교하여 그 결과를 나타내는 것이 비교문이다. 그렇다 보니 술어(~하다)가 A의 특징인지 B의 특징인지 혼동하기 쉬운데, 'A 比 B'는 주어인 'A가 더 ~하다'라고 생각하고, 'A 没有 B'나 'A 不如 B'처럼 부정부사가 들어 있을 때는 비교 대상인 'B가 더 ~하다'라고 생각하면 쉽다.

1) 기본 어순

A 比　B　好 　→　A 〉B　A는 B보다 좋다

A 没有 B　好 　→　A 〈 B　A는 B만큼 좋지 않다

A 不如 B　好 　→　A 〈 B　A는 B만큼 좋지 못하다

A 不比 B　好 　→　A ≤ B　A는 B보다 못하거나 비슷하다

A 跟　B 一样好 　→　A ＝ B　A는 B와 똑같이 좋다

A 跟　B 差不多 　→　A ≒ B　A는 B와 비슷하다

2) 긍정형 비교문

형식	A ＋ 比 ＋ B ＋ 还 / 更 ＋ 술어	A는 B보다 더 ~하다
예시	我比你更高。내가 너보다 더 크다.	
형식	A ＋ 比 ＋ B ＋ 술어＋得多 / 多了	A는 B보다 훨씬 ~하다
예시	我比你高得多。내가 너보다 훨씬 크다.	
형식	A ＋ 比 ＋ B ＋ 술어＋ 一点儿 / 一些	A는 B보다 약간 ~하다
예시	我比你高一点儿。내가 너보다 약간 크다.	
형식	A ＋ 比 ＋ B ＋ 술어 ＋ 수량구	A는 B보다 ~만큼 ~하다
예시	我比你高3厘米。내가 너보다 3cm 크다.	

🄣Tip 비교문의 형용사 술어 앞에는 很, 非常과 같은 정도부사를 쓸 수 없고, 更, 还와 같은 비교부사를 써야 한다.

3) 부정형 비교문

형식	A + 没有 + B + (那么)好 주어 + 부정형 + 비교 대상 + 술어	A는 B만큼 (그렇게) 좋지 않다 = B 好 (A〈B)
예시	他的个子没有我高。그의 키는 나보다 크지 않다.	
형식	A + 不像 + B + (那么)好 주어 + 부정형 + 비교 대상 + 술어	A는 B처럼 (그렇게) 좋지 않다 = B 好 (A〈B)
예시	他的个子不像我高。그의 키는 나처럼 크지 않다.	
형식	A + 不如 + B + (那么)好 주어 + 부정형 + 비교 대상 + 술어	A는 B만 못하다 = B 好 (A〈B)
예시	他的个子不如我高。그의 키는 나만큼 크지 못하다.	

4) 대등 관계 비교문

형식	A + 不比 + B + 好 주어 + 不比 + 비교 대상 + 술어	A는 B와 비슷하거나 못하다 (A ≤ B)
예시	他的个子不比我高。그의 키는 나보다 크지 않다. (= 내가 크거나 비슷하다.)	
형식	A + 跟 + B + 差不多 주어 + 대등형 + 비교 대상 + 술어	A는 B와 비슷하다 (A ÷ B)
예시	他的个子跟我差不多。그의 키는 나와 비슷하다.	
형식	A + 跟 + B + 一样 + 好 주어 + 대등형 + 비교 대상 + 一样 + 술어	A는 B와 똑같이 좋다 (A = B)
예시	他的个子跟我一样高。그의 키는 나와 똑같이 크다.	

DAY 11

1. 很多　　住着　　森林里　　老虎

_____

2. 一张　　客厅的　　墙上　　挂了　　地图

_____

3. 标准　　我的　　姐姐的普通话　　比　　更

_____

4. 稍微　　颜色　　深一些　　比那件　　这件衣服的

_____

5. 轻了　　她的体重　　比上个月　　好像　　很多

_____

DAY 12

1. 放着　　巧克力蛋糕　　一盒　　桌子上

_____

2. 院子里　　有　　奶奶的　　一棵　　葡萄树

_____

3. 南方的天气　　我觉得　　比北方　　肯定　　暖和得多

_____

4. 放寒假的　　推迟了　　原计划　　一周　　时间比

_____

5. 你想像的　　这种药的味道　　没有　　那么　　苦

_____

07 연동문·겸어문

존현실문 · 비교문 · 연동문 · 겸어문 등의 특수구문을 배울 때 가장 어려운 것은 개념 이해다. 이번 장에서는 특수구문의 개념을 확실히 이해하여, 문제 풀이에 적용해 보자!

쓰기 시크릿 백전백승

1 연동문은 동사가 여러 개 등장한다!

연동문은 한 문장에 동사가 2개 이상 나오기 때문에, 먼저 동작의 발생 순서대로 동사를 나열해 놓고, 그에 어울리는 목적어를 집어넣어 준다. 경우에 따라서 목적어는 생략될 수도 있다.

① 동작 발생 순서: 去(가다) → 找(찾다) → 商量(상의하다)

② 목적어 배치: 去 + 장소 → 找 + 누구 → 商量 + 무엇

→ 我 + 去(学校) + 找老师 + 商量(这件事)了。 나는 (학교에) 가서 선생님을 찾아뵙고 (이 일을) 상의했다.
　동사1(+목적어1)　동사2 + 목적어2　동사3(+목적어3)

Tip 목적어1과 목적어3은 생략될 수 있다.

2 연동문에서 동사 有는 첫 번째 동사 자리에 둔다!

有와 다른 동사들이 보인다면, 有를 1번 동사 자리에 위치시킨다. 没有의 경우도 마찬가지다.

예 没有机会去看你。 너를 보러 갈 기회가 없었다.
　　 1번 동사　2번 동사

3 겸어문에는 사역동사가 자주 등장한다!

'사역'이란 '시킨다'는 뜻으로, 사역동사 使, 让, 叫, 令이 등장하면 시키는 사람과 행위하는 사람이 다른 문장이 되는데, 이때 행위자는 앞 절의 목적어이자 뒤 절의 주어 역할을 겸하기 때문에, '겸어문'의 형태로 자주 쓰인다.

同屋　让　我　接　电话。　　룸메이트는 나에게 전화를 받게 했다.
주어　술어　목적어/주어　술어　목적어

4 有자가 있다면 연동문인지 겸어문인지 구분하라!

연동문에서 有는 구체적인 명사(书, 衣服)와 추상적인 명사(问题, 办法, 机会, 时间 등)를 모두 목적어로 취할 수 있지만, 겸어문에서 有는 행위자를 나타내야 하므로 주로 사람 목적어(人, 朋友)를 취한다.

문제 1

| 一直 | 丽华 | 学习 | 想来 | 汉语 | 中国 |

문제 분석 연동문의 어순에 주목! ◁ 1 적용

| 줄곧 | 리화 | 공부하다 | 오고 싶다 | 중국어 | 중국 |

丽华一直想来中国学习汉语。 리화는 줄곧 중국에 와서 중국어를 공부하고 싶었다.

단어 一直 yìzhí 튄 계속, 줄곧 | 学习 xuéxí 튕 공부하다 | 想 xiǎng 조튕 ～하고 싶다 | 汉语 Hànyǔ 뗑 중국어 | 中国 Zhōngguó 뗑 중국

해설 **STEP 1** 주어를 찾아라!
- 丽华(리화): 사람 이름이므로, 문장에서 주어가 될 수 있다.
- 中国(중국): 명사 / 汉语(중국어): 명사
두 개의 명사는 모두 주어 및 목적어가 될 수 있으므로 일단 보류해 둔다.

STEP 2 술어를 찾아라!
- 想来(오고 싶다): '조동사 + 동사'의 형태로, 연동문에서 조동사가 있는 동사는 첫 번째 동사 자리에 위치한다. 동사 来는 뒤에 장소 목적어를 취하므로 中国가 목적어로 쓰일 수 있다. → 想来中国(중국에 오고 싶다)
- 学习(공부하다): 동사로, 학습 대상인 汉语가 목적어가 되며, '중국에 와서', '공부하다'라는 순서가 되어야 하므로 두 번째 동사 자리에 둔다. → 想来中国学习汉语(중국에 와서 중국어를 공부하고 싶다)

STEP 3 부조전을 삽입하라!
- 一直(줄곧): 부사다. 연동문에서 부사는 첫 번째 동사 앞에 위치시킨다.

따라서 정답은 丽华一直想来中国学习汉语(리화는 줄곧 중국에 와서 중국어를 공부하고 싶었다)의 순서가 된다.

有	老师	病了	学校	几位

🔍 **문제 분석** 有를 이용한 겸어문에 주목! ⟨ ④ 적용 ⟩

있다	선생님	병이 났다	학교	몇 분

学校有几位老师病了。 학교의 선생님 몇 분께서 병이 나셨다.

단어 老师 lǎoshī 몡 선생님 | 病 bìng 동 병나다 | 学校 xuéxiào 몡 학교

해설 **STEP 1** 주어를 찾아라!
- 学校(학교): 명사이므로, 문장에서 주어나 목적어가 될 수 있다.
- 几位(몇 분의): 수량사 / 老师(선생님): 명사
  선생님은 존중하는 상대에게 쓰는 양사 位를 사용하므로, '수량사 + 명사'로 결합시켜 놓자.
  → 几位老师 (선생님 몇 분)

STEP 2 술어를 찾아라!
- 有(~이 있다): 동사로, 겸어문에서 有는 1번 동사 자리에 위치한다.
  → 学校有几位老师 (학교에 몇 분의 선생님이 계시다)
- 病了(병이 나다): 동사이므로, 나머지 2번 동사 자리에 위치한다.
  → 几位老师病了(선생님 몇 분께서 병이 나셨다)

STEP 3 겸어문으로 배열하라!
- 학교에 몇 분의 선생님이 계시다(学校有几位老师)와 선생님 몇 분께서 병이 나셨다(几位老师病了)가 결합된 구조. 즉, 几位老师(몇 분의 선생님)는 앞 절의 목적어, 뒤 절의 주어가 된다.

따라서 정답은 学校有几位老师病了(학교의 선생님 몇 분께서 병이 나셨다)의 순서가 된다.

NEW 단어 + TIP

- 照 zhào 동 비추다, 비치다
- 接着 jiēzhe 동 (뒤)따르다, 따라가다
- 放松 fàngsōng 동 긴장을 풀다, 느슨하게 하다

- 修理 xiūlǐ 동 수리하다, 고치다
- 赶 gǎn 동 뒤쫓다, 따라가다
- 停 tíng 동 정지하다, 세우다

1 연동문 핵심 정리

연동문(连动句)은 하나의 문장(句) 속에 연속해서(连) 2개 이상의 동사(动)가 사용되는 문장을 말한다. 여기에서 문장 속의 동사들은 서로 바꿔 쓸 수 없고, 시간적으로 보면 앞 동사의 행위가 먼저 이루어지고, 뒤의 동사가 나중에 이루어진다. 다음은 연동문의 기본 도식이다. 아주 중요한 내용이니 꼭 외워 두도록 하자!

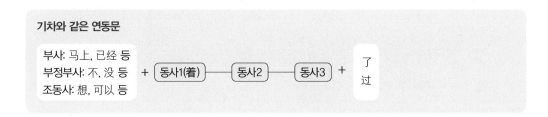

1) 동작이 연속해서 발생하므로, 한 문장에 동사가 2개 이상 존재한다.

형식	동사1 + 동사2 + 동사3 …
예시	我骑自行车去公园绕一圈。 나는 자전거를 타고 공원에 가서 한 바퀴 돈다. 　동사1　　　동사2　동사3

2) 부사(马上·已经), 조동사(想·可以), 부정부사(不·没)는 첫 번째 동사 앞에 온다.

형식	부사 / 조동사 / 부정부사 + 동사1 + 동사2 + 동사3 …
예시	他常常戴眼镜看书。 그는 항상 안경을 쓰고 책을 본다. 　　　　동사1　동사2 我想坐船去天津。 나는 배를 타고 톈진에 가고 싶다. 　　　동사1 동사2 我没去 看电影。 나는 영화를 보러 가지 않았다. 　　　동사1 동사2

3) 着는 첫 번째 동사 뒤, 了/过는 두 번째 동사 뒤에 위치한다.

형식	동사1 + (着) + 동사2 + (了 / 过)
예시	骑着自行车去学校。 자전거를 타고 학교에 간다. 동사1　　　　동사2 他去上海看朋友了。 그는 친구를 만나러 상하이로 갔다. 　동사1　　동사2 我去日本旅行过。 나는 일본으로 여행을 간 적이 있다. 　동사1　　동사2

4) 동사를 중첩할 경우 두 번째 동사를 중첩한다.

예시	我想找他<u>商量商量</u>。 나는 그를 찾아 ~~상의를 좀 하고 싶다.~~ 　　　　동사1　　동사2

5) 동사1이 有/没有로 시작되는 연동문

형식	有　 + 목적어 + 동사2　　　　　　　[동사2]할 [목적어]가 있다 没有 + 목적어 + 동사2　　　　　　　[동사2]할 [목적어]가 없다 연동문에서 有는 무조건 제1동사가 된다.
예시	我有几个问题问老师。 나는 선생님께 여쭤볼 문제가 몇 개 있다. 没有时间去找你。 너를 찾아갈 시간이 없다.

> **Tip** 有자 겸어문과는 달리 추상적인 목적어(办法 방법, 信心 자신, 机会 기회…)를 자주 갖는다.

2 겸어문 핵심 정리

겸어문(兼语句)은 한 단어(语)가 문장(句)에서 두 가지의 역할을 겸한다(兼)는 뜻이다. 즉 앞 절의 목적어가 뒤 절의 주어를 겸하고 있는 문장을 말한다.

我	请	他	来吃	饭。	나는 그에게 식사하러 오라고 청했다.
주어	술어	목적어/주어	술어	목적어	

▶ **겸어문의 유형**

1) 사역과 부탁, 요청을 나타내는 겸어문

형식	① 사역동사: 让 하도록 하다 / 叫 시키다 / 令 하게 하다 / 使 시키다 / 派 파견하다 / 通知 통지하 　　　　다 / 需要 필요로 하다 … '~에게 ~를 시키다 / ~하게 하다' 등 사역의 의미를 나타낸다. 　**Tip** 사역동사는 1번 동사 자리에 위치한다.
예시	老师让我告诉你这件事。 선생님께서 나더러 너에게 이 일을 알려주라고 하셨어. 公司派我去分公司工作。 회사는 나를 지점에 가서 일하도록 파견했다.
형식	② 요청 동사: 请 청하다 / 请求 부탁하다 / 邀请 초청하다 / 劝 권하다 / 要求 요구하다 / 祝 빌다 … '~에게 청하다 / 부탁하다'의 의미로 쓰인다. 　**Tip** 请, 祝를 사용한 겸어문에서 주어는 종종 생략되기도 한다.
예시	请他喝咖啡。 그에게 커피를 마시라고 권했다. 我要求他不要离开我。 나는 그에게 나를 떠나지 말라고 요구했다.

2) 보충 설명하는 겸어문

형식	존재 동사: 有 있다 / 没有 없다 첫 번째 동사는 有나 没有가 되고, 두 번째 동사는 첫 번째 동사를 보충 설명해 주는 역할을 한다. '～ 있다 / 없다', '～할 / ～하는'의 의미로 쓰인다.
예시	有一个人在外边儿等你。 어떤 한 사람이 밖에서 너를 기다린다. 我有一个朋友叫明明。 나는 밍밍이라고 부르는 친구 한 명이 있다.

!Tip 有, 没有 뒤에 나오는 목적어는 一个, 一些 같은 관형어의 수식을 받아 불특정한 것임을 나타낼 수 있다. 有의 목적어는 뒤 절의 주어가 될 수 있어야 한다.

▶ 겸어문의 특징

1) 일반부사는 사역동사 앞에 붙인다.

예시	他一直让我买那件衣服。 그는 줄곧 내게 그 옷을 사라고 했다.

2) 부정부사는 일반적으로 첫 번째 동사 앞에 쓴다.

예시	妈妈不让我吃糖果。 엄마는 내가 사탕을 못 먹게 하신다.

3) 조동사는 일반적으로 첫 번째 동사 앞에 놓인다.

예시	我想请你来作一个报告。 나는 네가 보고서를 써 줬으면 좋겠다.

✉ 내가 생각하는 HSK란? - HSK는 [   ]다.

- HSK는 바다다. 멀리 봐야 하기 때문이다. - 정수미
- HSK는 초콜릿이다. 공부하면 공부할수록 중독된다. - 최서영
- HSK는 소주다. 시험을 보고 나면 마음이 쓰다. - 김형일
- HSK는 카멜레온이다. 언제 어떤 색을 띨지 모른다. 그래서 HSK 공부가 재미있다. - 박해미

DAY 13

1. 总是　　看红叶　　父亲　　领着我们　　去香山

_____

2. 办法　　有　　这样的问题　　解决　　爷爷

_____

3. 所有的人　　这条消息　　让　　很激动　　都

_____

4. 自信　　使　　父母的鼓励　　恢复了　　孩子

_____

5. 没人　　办　　能　　替你　　这件事

_____

DAY 14

1. 你应该　　好好谈谈　　找　　律师　　情况

_____

2. 邀请我　　我的同事　　他的　　去参观　　新房

_____

3. 给他　　我　　发　　那样的短信　　没有理由

_____

4. 名牌大学　　顺利地　　祝贺　　考上了　　你

_____

5. 你的父母　　我们结婚　　同意　　怎样才能　　让　　呢

_____

08 강조 구문

강조 구문은 문장의 뉘앙스를 감칠맛 나게 살려 주는 역할을 하므로, 시험에 자주 출제될 뿐만 아니라 일상생활에서도 자주 사용한다. 주어·목적어·동사·수량사까지 강조할 수 있는 连…都 구문과, 예외 없이 모든 것을 강조하는 의문대사 강조 용법, 그리고 동작의 시간·장소·대상·출발점·방식 등을 강조하는 是…的 강조 용법까지 차근차근 마스터해 보자!

쓰기 시크릿 백전백승

1 连…都 강조 구문임을 간파하라!

连…都 강조 구문은 连…也로도 바꿔 쓸 수 있고, 连을 생략할 수도 있다. 따라서 어순 배열에서 都나 也만 있더라도 连…都 강조 용법임을 간파할 수 있어야 한다.

2 连…都 강조 구문에서 수량사는 최소한의 것일 때만 강조한다!

连…都가 수량을 강조할 때는 两个(두 개), 三个(세 개) 같은 특정 수량은 쓸 수 없고, 최소한의 수량인 一个(한 개), 一点儿(약간)만 사용할 수 있다.

3 의문대사 강조 구문을 숙지하라!

都는 복수 주어 뒤에 오기도 하지만, 의문대사 강조 용법에도 쓰인다. 만약 주어와 의문대사 뒤에 모두 都를 넣을 수 있다면, 의문대사 뒤에 삽입하는 것이 우선 순위다.

예 我们什么都不知道。 우리는 아무것도 모른다.

4 是…的 강조 구문의 어순을 숙지하라!

시간명사는 일반적으로 주어 앞뒤에 모두 위치할 수 있지만, 是…的 강조 구문에서 시간을 강조하려면 是와 的 사이에 시간명사를 넣어 준다.

[일반문] 星期五他收到了成绩单。 그는 금요일에 성적표를 받았다.

[강조 구문] 他是星期五收到成绩单的。 [다른 요일이 아닌 금요일에 받은 것을 강조]

문제 1

문제 1

这种做法　　　是可以　　　他的　　　理解的

🔍 **문제 분석** 是…的 강조 구문에 주목! ◁ ④ 적용

이런 방법	할 수 있다	그의	이해하는 것

他的这种做法是可以理解的。　그의 이런 방법은 이해할 수 있는 것이다.

단어 做法 zuòfǎ 몡 방법 | 可以 kěyǐ 조동 ~할 수 있다 | 理解 lǐjiě 동 이해하다

해설 STEP 1　강조 구문임을 간파하라!
　　　　　• 나열된 어휘를 보고 是…的가 쓰인 강조 용법임을 알 수 있다.

　　　STEP 2　주어를 찾아라!
　　　　　• 他的(그의): 관형어 / 这种做法(이러한 방법): 수량사 + 명사
　　　　　관형어의 어순에 따라 '소유 + 수량사 + 명사'의 순서로 나열하여 주어를 만든다.
　　　　　→ 他的这种做法 (그의 이러한 방법)

　　　STEP 3　술어를 찾아라!
　　　　　• 是可以(~할 수 있다): 是 + 조동사 / 理解的(이해하다): 동사 + 的
　　　　　의미상 '조동사 + 동사' 형태의 可以理解(이해할 수 있다)가 술어가 된다. 여기에서는 관점이나 생각을 강조하는 是…的로 술어를 강조해 주었다. → 是可以理解的(이해할 수 있는 것이다)

따라서 정답은 他的这种做法是可以理解的(그의 이런 방법은 이해할 수 있는 것이다)의 순서가 된다.

难道你　　　都　　　道理　　　连这么简单的　　　不知道

🔍 **문제 분석** 连…都 강조 구문에 주목! ┤ 1 적용 ├

| 설마 너 | 조차도 | 이치 | 이렇게 간단한 | 모르다 |

难道你连这么简单的道理都不知道? 설마 너 이렇게 간단한 이치도 모르니?

단어 难道 nándào 🈯 설마 ~인가 | 道理 dàolǐ 🈯 도리, 이치 | 连…都 lián…dōu ~조차도 | 这么 zhème 🈯 이렇게 | 简单 jiǎndān 🈯 간단하다 | 知道 zhīdào 🈯 알다

해설

STEP 1 특수 구문임을 간파하라!
　　　주어진 어휘들을 보면 连…都가 눈에 띈다. 강조 용법임을 염두에 두고 배열하자.
　　　• 这么简单的道理(이렇게 간단한 이치)를 连…都로 강조하여 술어 앞에 위치시킨다.
　　　🔘Tip 기본 문장: 你不知道这么简单的道理。 너는 이렇게 간단한 이치를 모른다.

STEP 2 주어를 찾아라!
　　　• 难道你(설마 너는): '부사 + 대사'로, 인칭대사 你는 주어 역할을 할 수 있다. 부사는 일반적으로 주어 뒤에 쓰이지만, 어기부사인 难道는 주어 앞에 위치할 수 있으며, 반문의 의미를 나타낸다.
　　　• 连这么简单的(이렇게 간단한): 관형어 / 道理(도리, 이치): 명사
　　　명사를 수식하는 관형어와 피수식어를 연결해 준다. → 连这么简单的道理(이렇게 간단한 이치)
　　　• 都(조차도): 连과 호응하는 부사로 강조하고자 하는 내용 뒤에 쓴다.

STEP 3 술어을 찾아라!
　　　• 不知道(모르다): 동사이므로, 문장에서 술어 역할을 한다.

따라서 정답은 难道你连这么简单的道理都不知道?(설마 너 이렇게 간단한 이치도 모르니?)의 순서가 된다.

感动日记

오늘 새롭게 알게 된 내용, 가장 중요한 핵심 내용, 학습 소감과 각오 등을 적어 보세요. ✏️

1 连…都(也) 심지어 ~조차도, ~마저도 ~하다

连…都는 连…也로 바꾸어 쓸 수 있으며, 중간에 강조하려는 내용을 넣어 주면 된다. 连은 생략되고 都나 也만 사용되는 경우가 많아서, 连…都 강조 구문임을 알아차리지 못하는 경우가 많으니, 눈을 크게 뜨고 찾아내 보자!

1) 주어 강조

형식	连 + 주어 + 也(都)
예시	连孩子也知道。 아이들조차도 안다. 连老师也看不懂。 선생님조차도 이해하지 못한다.

2) 목적어 강조

형식	连 + 목적어 + 也(都)
예시	连名字都忘了。 이름조차도 잊어버렸다. 连饭也没吃。 밥도 안 먹었다.

3) 수량사 강조

형식	连 + 수량사 + 也(都)
예시	连一个也没有。 하나도 없다. 连一点儿也不紧张。 조금도 긴장하지 않는다.

4) 동사 강조

형식	连 + 동사 + 也(都)
예시	连看也没看过。 본 적도 없다. 连听也没听过。 들어본 적도 없다.

5) 정도보어 강조

형식	주어 + 술어 + 得 + 连…也(都)
예시	我忙得连吃饭的时间也没有。 나는 밥 먹을 시간도 없을 정도로 바쁘다.

의문대사는 일반적으로 의문문에 사용되지만, 경우에 따라서는 '누구나', '무엇이든'처럼 불특정한 임의의 것을 강조할 때 사용되기도 한다. 강조문일 때는 공식처럼 의문대사 뒤에 都나 也가 등장한다.

1) 谁都 누구라도, 모두

예시	谁都知道这个消息。누구라도 이 소식을 안다. 我们班的同学谁都喜欢他。우리 반 급우들은 누구든지 다 그를 좋아한다.

2) 什么都(也) 무엇이든지, 아무것도

예시	他什么都不吃。그는 아무것도 먹지 않는다. 他什么也没说。그는 아무것도 말하지 않았다.

3) 哪(儿)都 어느 것이라도, 어디라도

예시	哪个商店都有这个东西。어느 상점이나 이 물건은 다 있다. 天太热了, 哪儿都不想去。날이 너무 더워서, 어디도 가고 싶지 않다.

4) 怎么…都(也) 어떻게 해도

예시	他怎么劝也不听。그는 어떻게 설득해도 듣지 않는다. 怎么做都可以, 我没关系。어떻게 하든 괜찮아, 난 상관없어.

✉ 내가 생각하는 HSK란? - HSK는 [   ] 다.

- HSK는 늪이다. 빠지면 빠질수록 나오기가 힘들고, 발버둥 칠수록 더 깊숙이 빠지니까. - 이지영
- HSK는 바구니다. 더 많은 중국에 대한 지식을 담기 위한 바구니다. - 이진규
- HSK는 여자다. 알면 알수록 어렵고 끝이 없다. - 서충만
- HSK는 麻烦 덩어리다. 신경 쓸 게 너무 많아요. 어법이 매우 어려워! - 하민영

3 是…的 강조 구문

是…的는 어떤 동작이나 행위가 과거에 이미 실현되었거나 완성된 상태에서 쓸 수 있다. 동작은 이미 알고 있지만, 동작이나 행위가 행해진 '시간 · 장소 · 대상 · 목적 · 방식 · 조건'을 특별히 강조하고 싶을 때, 강조하고 싶은 단어 바로 앞에 是를 쓰고, 맨 뒤에 的를 써서 나타내는 강조 구문이다.

형식	是 + 시간 / 장소 / 방식 / 대상 / 목적 + 的

⚠️Tip 是…的 강조 용법에서 是는 생략할 수 있다.

1) 시간 · 장소 · 대상을 강조한다.

예시	我是去年九月来北京的。 나는 작년 9월에 베이징에 왔다. 〔시간 강조〕 我们是上个星期去的长城。 우리는 지난주에 만리장성에 갔다. 〔시간 강조〕 ⚠️Tip 的는 동사 뒤에 넣거나, 문장 맨 끝에 위치시킬 수 있다. 这本书是从图书馆借的。 이 책은 도서관에서 빌린 것이다. 〔장소 강조〕 他是跟女朋友一起来的。 그는 여자 친구와 함께 왔다. 〔대상 강조〕

2) 주어 · 방식 · 목적 · 용도를 강조한다.

예시	这是老师教我的。 이것은 선생님이 나에게 가르쳐 주신 것이다. 〔주어 강조〕 我是骑自行车来的。 나는 자전거를 타고 왔다. 〔방식 강조〕 他是来学习汉语的。 그는 중국어를 배우러 온 것이다. 〔목적 강조〕 那些是画画儿用的。 그것들은 그림 그리는 데 사용하는 것이다. 〔용도 강조〕

3) 결과의 원인을 강조한다.

예시	衣服掉了，可能是风吹的。 옷이 떨어진 것은 아마도 바람이 불어서일 것이다. 你最近瘦了，是累的吧? 너는 요즘 말랐는데, 피곤해서 그렇지?

4) 관점 · 생각 · 태도를 강조한다.

예시	我是不会告诉她的。 나는 그녀에게 알려 주지 않을 것이다. 〔태도 강조〕 这样做是应该的。 이렇게 하는 것은 당연한 것이다. 〔관점 강조〕 你们是可以去看看他的。 너희들은 그를 보러 가도 된다. 〔생각 강조〕

DAY 15

1. 这个最基本的　　你怎么连　　不知道　　规定也

_____

2. 出生　　是　　我孙子　　去年夏天　　的

_____

3. 专为　　提供的　　这些菜　　老年人　　是

_____

4. 引起的　　由　　他的肺炎　　是　　抽烟

_____

5. 抽烟　　一点儿好处　　对身体　　也没有

_____

DAY 16

1. 说不清楚　　怎么　　都　　你　　连话

_____

2. 2005年1月8号　　是　　我儿子　　出生的

_____

3. 什么时候　　是　　运动员　　出场的

_____

4. 一点儿也　　马虎　　不能　　这件事

_____

5. 困得　　他　　睁不开了　　连眼睛　　都

_____

09 6개 보어

중국어에는 총 6개의 보어가 있다. 결과를 보충하는 결과보어, 정도를 보충하는 정도보어, 시간의 양을 보충하는 시량보어, 동작의 횟수를 보충하는 동량보어, 방향을 보충하는 방향보어, 가능성을 보충하는 가능보어가 그것이다. 이번 장에서는 이 6개의 보어를 확실히 마스터해 본다!

쓰기 시크릿 백전백승

1 6개 보어의 개념을 마스터하라!

① 동작의 결과나 방향을 말해 주는 : 결과보어, 방향보어
② 결과 · 방향보어 사이에 得/不를 넣으면 : 가능보어(부정형)
③ 가능보어와 생김새가 비슷한 : 정도보어
④ 동작 · 시간 등의 수량을 알려 주는 : 동량보어, 시량보어

2 보어와 了의 어순을 암기하라!

술어와 결과보어는 관계가 아주 긴밀해서 동태조사 了도 결과보어 뒤에 써 줘야 한다. 그러나 동량보어와 시량보어가 있을 때는 了를 동사와 보어 사이에 써 준다.
[결과보어 어순] : 술어 + 결과보어 + 了
[수량보어 어순] : 술어 + 了 + 동량/시량보어

3 가능보어는 그 자체로 술어가 된다!

가능보어는 '술어 + 得/不 + 결과/방향보어'의 어순으로, 대개 한 덩어리처럼 붙어 다닌다. 단어 중간에 得, 不가 있다면 가능보어임을 감지하고 술어 자리에 위치시킨다.

4 정도보어와 很을 숙지하라!

정도보어의 得 뒤에 정도부사를 단독으로 사용할 때는 很만 쓸 수 있다. 그러나 정도부사가 형용사도 끌고 나온다면 그러한 제약은 없다.
得 + 정도부사: 高兴得很(○) / 高兴得非常(×)
得 + 정도부사 + 형용사: 说得很流利(○) / 说得非常流利(○)

문제 1

孩子们　　　不得了　　　得到礼物的　　　高兴得

🔍 **문제 분석** 정도보어의 어순에 주목! ◁ **1 적용**

아이들	심하다	선물을 받은	기뻐하는 정도가

得到礼物的孩子们高兴得不得了。　선물을 받은 아이들은 매우 기뻐했다.

단어 孩子 háizi 몡 아이 | 不得了 bùdéliǎo 톙 (정도가) 심하다 | 得到 dédào 통 얻다, 받다 | 礼物 lǐwù 몡 선물 | 高兴 gāoxìng 톙 기쁘다

해설 STEP 1 주어를 찾아라!
　　　・得到礼物的(선물을 받은): 관형어 / 孩子们(아이들): 명사
　　　구조조사 的는 명사(피수식어)와 결합하므로, 得到礼物的孩子们(선물을 받은 아이들)을 주어로 만들어 놓는다.

　　STEP 2 술어와 보어를 찾아라!
　　　・高兴得(기쁜 정도가): '형용사 + 구조조사'로, 정도보어를 만드는 구조조사 得 앞의 동사/형용사는 문장에서 술어가 된다.
　　　・不得了(심하다): 형용사로, 구조조사 得 뒤에서 보어가 될 수 있다. → 高兴得不得了(매우 기뻐하다)

따라서 정답은 得到礼物的孩子们高兴得不得了(선물을 받은 아이들은 매우 기뻐했다)의 순서가 된다.

NEW 단어 + TIP

- 一下 yíxià 양 잠시, 잠깐, 한번, 좀
  동작의 횟수를 나타내 주는 동량보어로, 반드시 동사 술어 뒤에 위치한다.
  예 看一下 한번 보다
  　考虑一下 고려 좀 해 보자
  　研究一下 연구 해 보자

- 一点儿 yìdiǎnr 양 조금
  一点儿은 명사 앞에서 적은 수량을 나타내거나, 형용사 뒤에서 정도가 가벼움을 나타낸다. 2개의 위치에 모두 쓰일 수 있으니, 반드시 외워 두자.
  예 我买了一点儿东西。 나는 약간의 물건을 샀다. (一点儿 + 명사)
  　最近的生活好了一点儿。 요즘 생활이 조금 나아졌다. (형용사 + 一点儿)

上课以前　　应该先　　预习　　生词　　一下

문제 분석 동량보어의 어순에 주목! < 1 적용

수업 전	마땅히 먼저	예습하다	새 단어	한번

上课以前应该先预习一下生词。 수업 전에 마땅히 먼저 새 단어를 예습해야 한다.

단어 上课 shàngkè 통 수업하다 | 以前 yǐqián 명 이전 | 应该 yīnggāi 조통 ~해야 한다 | 预习 yùxí 통 예습하다 | 生词 shēngcí 명 새 단어

해설 STEP 1 주어를 찾아라!
- 上课以前(수업 전): 명사구로, 시간을 나타내므로 주어 앞에 올 수 있다.
- 生词(새 단어): 명사이므로, 주어나 목적어가 될 수 있다.
- 一下(한번): 수량사로, '한번 ~해 보다'라는 뜻이다. 동작의 시도를 의미하며, 동사 뒤에서 동량보어의 역할을 한다.

STEP 2 술어를 찾아라!
- 预习(예습하다): 동사로, 문장 속에서 술어가 된다. → 预习一下生词(한번 새 단어를 예습해 보다)

STEP 3 기타 성분을 삽입하라!
- 应该先(마땅히 먼저 ~해야 한다): '조동사 + 부사'의 형태로, 술어 앞에 위치시킨다.
  → 应该先预习一下生词(먼저 한번 새 단어를 예습해 보다)

따라서 정답은 上课以前应该先预习一下生词(수업 전에 마땅히 먼저 새 단어를 예습해야 한다)의 순서가 된다.

感动日记
오늘 새롭게 알게 된 내용, 가장 중요한 핵심 내용, 학습 소감과 각오 등을 적어 보세요.

1 결과보어

결과보어는 술어 뒤에 동사나 형용사를 써서 결과를 강조하는 역할을 한다.

1) 기본형

형식	주어 + 술어 + 결과보어 + 목적어
	동사 / 형용사
예시	写好了一封信　편지 한 통을 다 썼다
	결과보어(형용사)

2) 부정은 没로 한다.

형식	没 + 동사 + 결과보어
	! Tip 결과보어는 이미 발생한 일을 부정하는 것이므로, 부정부사 没를 써 줘야 한다.
예시	他还没做完作业。
	결과보어
	그는 아직 숙제를 다 하지 못했다.

! Tip '아직 ~하지 않았다'라는 뜻의 '还没…呢'의 표현은 고정적으로 자주 사용된다.

3) 결과의 부정은 没로 하지만, 가정에 대한 부정은 不를 사용한다.

형식	不 + 동사 + 결과보어
예시	如果你现在不吃饱，回到宿舍你会饿的。
	결과보어
	만약 네가 지금 배불리 먹지 않으면, 숙소에 돌아가서 배가 고플 거야.

4) 동태조사는 보어 뒤에 위치한다.

형식	술어 + 결과보어 + 동태조사(了 / 过)
예시	吃光了　다 먹었다　　　　　看见过　본 적이 있다
	결과보어 동태조사　　　　　결과보어 동태조사

! Tip 결과보어 뒤에는 동태조사 着가 나올 수 없다.

5) 결과보어로 많이 쓰이는 동사 / 형용사

到 dào	목적이 달성되거나 어느 지점에 도달한 것을 나타낸다.	她买到了那条裙子。 그녀는 그 치마를 샀다.
见 jiàn	시각이나 청각 등의 감각으로 대상을 감지했음을 나타낸다.	昨天我看见他了。 어제 나는 그를 보았다.
住 zhù	고정됨을 의미한다.	我记住了。 나는 기억해 두었다.
光 guāng	조금도 남아 있지 않음을 의미한다.	他把带的钱都花光了。 그는 지니고 있던 돈을 다 썼다.
着 zháo	동작이 어떤 결과에 도달함을 나타낸다.	她哭着哭着睡着了。 그녀는 울다 울다 잠이 들었다.
开 kāi	분리됨을 의미한다.	他离开了北京。 그는 베이징을 떠났다.
完 wán	완성됨을 의미한다.	我看完了这本书。 나는 이 책을 다 봤다.
懂 dǒng	동작의 결과로 이해하게 됨을 나타낸다.	我看懂了这部电影。 나는 이 영화를 보고 이해했다.

2 방향보어

방향보어는 동작의 구체적인 방향이나, 발전 방향을 나타낸다.

1) 단순 방향보어: 동사 바로 뒤에 하나의 방향보어가 온다.

형식	① 동사 + 来 / 去 말하는 사람이 있는 방향으로 동작이 행해지면 来를 쓰고, 말하는 사람에게서 멀어지는 방향으로 동작이 행해지면 去를 쓴다. ② 동사 + 上 / 下 / 进 / 出 / 回 / 过 / 起
예시	跑来 뛰어 오다 　　　　　　 跑去 뛰어 가다 跑上 뛰어 올라가다 　　　　 跑下 뛰어 내려가다 跑进 뛰어 들어가다 　　　　 跑出 뛰어 나가다 跑回 뛰어 돌아가다 　　　　 跑过 뛰어 지나가다 拿起 들어 올리다

2) 복합 방향보어

	上	下	进	出	回	过	起
来	上来 올라오다	下来 내려오다	进来 들어오다	出来 나오다	回来 돌아오다	过来 다가오다	起来 일어나다
去	上去 올라가다	下去 내려가다	进去 들어가다	出去 나가다	回去 돌아가다	过去 다가가다	×

3 가능보어

동사와 결과보어, 방향보어 사이에 得 / 不를 넣어, 동작이 그 결과에 이를 수 있는지 없는지의 가능 여부를 나타낸다.

1) 긍정형

형식	동사 + 得 + 결과 / 방향보어	
예시	看得懂　봐서 이해하다	看得出来　봐서 알아차리다

2) 부정형

형식	동사 + 不 + 결과 / 방향보어	
예시	看不懂　봐서 이해하지 못하다	看不出来　봐서 알아내지 못하다

3) 의문형

형식	동사 + 得 + 결과 / 방향보어 + 吗? 동사 + 得 + 결과 / 방향보어 + 동사 + 不 + 결과 / 방향보어? 문장 끝에 어기조사 吗를 붙이거나 가능보어의 긍정형과 부정형을 써서 정반의문문을 만든다.
예시	你看得懂吗? 너는 보고 이해할 수 있니? 你看得懂看不懂? 너는 보고 이해할 수 있니 없니?

4) 가능보어의 종류

예시	睡得着	잠들 수 있다	睡不着	잠들지 못하다
	吃得了	먹을 수 있다	吃不了	(양이 많아서) 먹을 수 없다
	走得动	걸을 수 있다	走不动	걸을 수 없다
	买得起	살 수 있다	买不起	(비싸서) 살 수 없다
	坐得下	앉을 수 있다	坐不下	(좁아서) 앉을 수 없다

4 정도보어

동작이나 상태가 어떤 정도인지를 표시한다. 술어에 동사, 형용사가 모두 사용될 수 있으며, 정도, 묘사, 설명, 평가 등을 나타내는 보어이다.

1) 기본형

형식	형용사 + 得 + 很 / 要命 / 要死 / 不得了 / 非常 (동사) + 목적어 + 동사 + 得 + 보어[정도부사 + 형용사]
예시	他今天忙得不得了。 그는 오늘 정말 바쁘다. 她说汉语说得非常好。 그녀는 중국어를 정말 잘한다.

> **Tip** 정도보어는 반드시 술어와 결합한다. 따라서, 她说汉语 + 得非常好처럼 목적어(汉语)바로 뒤에 나올 수 없으며, 반드시 동사(说)를 한번 더 써 줘야 한다. 만약 동사 하나를 생략하고 싶다면 맨 앞의 동사(说)를 생략할 수 있다. 她(说)汉语说 + 得非常好。

2) 부정형

형식	(동사) + 목적어 + 동사 + 得 + 보어[부정부사 + 형용사]
예시	她(说)汉语说得不好。 그녀는 중국어를 잘하지 않는다.

3) 보어의 다양한 예문

형식	동작의 정도를 표현하기 위해 [동사 + 得 + 보어]의 형식을 사용하는데, 보어에는 [정도부사 + 형용사]의 형식이 자주 쓰인다.
예시	这篇文章写得很好。 이 문장은 정말 잘 썼다. 小明跑得非常快。 샤오밍은 정말 빠르게 달린다. 他昨天晚上睡得很晚。 그는 어제저녁 잠을 매우 늦게 잤다. 这个女孩子长得真可爱。 이 여자아이는 정말 귀엽게 생겼다. 姐姐把房间打扫得很干净。 언니(누나)는 방을 매우 깨끗하게 청소했다.

> **Tip** 정도부사의 종류
> 정도부사는 정도의 낮음에서 높음까지를 나타내는 부사를 말한다. 很, 非常, 十分, 真, 有点儿, 比较 등이 자주 나온다.

5 동량보어

동작이 진행된 횟수를 나타내는 말을 동량보어라고 한다.

1) 기본형

형식	주어 + 동사 + 了/ 过 + 동량보어
예시	我看了三遍了。 나는 세 번을 보았다.

2) 목적어를 끌고 나올 때, 동량보어의 위치

형식	[일반목적어] 주어 + 동사 + 了/ 过 + 동량보어 + 목적어 [인칭대사] 주어 + 동사 + 了/ 过 + 목적어 + 동량보어
예시	我看过一次这本书。 나는 이 책을 한 번 본 적이 있다. 我见过他一次。 나는 그를 한 번 만난 적이 있다.

3) 이합사에서 동량보어의 위치

형식	동사 + 了/ 过 + 동량보어 + 목적어
예시	我们吵过一次架。 우리는 한 번 말다툼을 한 적이 있다.

!Tip 이합사(离合词)는 상황에 따라서 떨어지고(离) 붙는게(合) 가능한 단어를 의미한다. 구조는 [동사 + 목적어]로 되어 있으며, 평상시에는 붙어서 다니지만, 보어가 나올 때는 [동사 + 보어 + 목적어]의 어순으로 떨어져 사용된다.

4) 동량보어의 종류

一下	동작의 시도	看一下 봐 보다, 说一下 말해 보다, 找一下 찾아보다
一次	동작의 횟수	看一次 한 번 보다, 打一次 한 번 때리다, 去一次 한 번 가다
一遍	처음부터 끝까지 한 번	写一遍 한 번 쓰다, 看一遍 한 번 보다, 听一遍 한 번 듣다
一趟	왕복의 한 번	去一趟 한 번 다녀오다, 来一趟 한 번 왔다 가다

6 시량보어

동작이 지속된 시간의 양을 나타내는 말을 시량보어라고 한다.

1) 기본형

형식	주어 + 동사 + 了 + 시량보어
예시	我等了半天车。 나는 차를 한참 동안 기다렸다.

2) 인칭대사 목적어일 때, 시량보어의 위치

형식	주어 + 동사 + 了 + 목적어[인칭대사] + 시량보어
예시	我等了他半天。 나는 그를 한참 동안 기다렸다.

3) 이합사에서 시량보어의 위치

형식	주어 + 동사 + 了 + 시량보어 + 목적어
예시	我们吵了半天架。 우리는 한참 동안 싸웠다.

4) 시량보어의 종류

시량보어를 해석할 때는 '~동안'이라고 해석해야 한다.

分钟 fēnzhōng	분	五分钟 5분 동안, 十分钟 10분 동안, 二十分钟 20분 동안
小时 xiǎoshí	시	半个小时 30분 동안, 一小时 1시간 동안, 两个小时 2시간 동안
星期 xīngqī	주	一个星期 1주일 동안, 两个星期 2주일 동안, 三个星期 3주일 동안
月 yuè	월	一个月 1달 동안, 两个月 2달 동안, 十二个月 12달 동안
年 nián	년	一年 1년 동안, 两年 2년 동안, 五年 5년 동안

DAY 17

1. 都　　申请表　　填写的　　桌子上　　放在

　　_____

2. 猜不出　　这个问题　　的答案　　实在　　我

　　_____

3. 舒服地　　休息　　我们　　一天　　了

　　_____

4. 哥哥　　得　　睡不着觉　　兴奋

　　_____

5. 雨　　这场　　真　　下得　　及时

　　_____

DAY 18

1. 五十个人　　肯定　　这间　　坐不下　　教室

　　_____

2. 挂在　　客厅里　　山水画　　这张　　适合

　　_____

3. 检查　　请你　　你的e-mail地址　　再　　一遍

　　_____

4. 发生　　十分　　这件事　　得　　突然

　　_____

5. 严重　　很　　这儿的　　被污染得　　环境

　　_____

쓰기 제2부분 사진 보고 작문하기
기출문제 탐색전

문제 1

1.

交通(명사)

2.

高兴(형용사)

3.

整理(동사)

❶ 쓰기 총 15문제 중 제2부분은 5문제가 출제된다.

❷ 제시어는 동사 〉명사 〉형용사 순으로 출제된다.

❸ 제2부분은 1문제당 8점으로, 부분 점수로 채점된다. 즉 응시자 중에 가장 잘 쓴 사람은 최고 점수를 받지만, 상대적으로 문장의 완성도가 떨어지면 부분 점수만 받게 되므로, 좀 더 멋진 문장을 쓸 수 있도록 꾸준히 연습해야 한다.

❹ 처음부터 욕심 부리지 말고 '주어 + 술어 + 목적어' 순서로 차근차근 접근한 후, 다양한 단어를 넣어 문장을 꾸미고, 복문도 만들어 보자.

❺ 답안지 작성란이 좁다면, 글씨를 작게 써서 2줄로 작성해도 된다.

쓰기 제2부분에서 스스로 작문하는 문제는 5문제가 출제된다. 제시어로 가장 많이 출제되는 품사는 동사, 형용사, 명사다. 제시된 사진을 보고 어떠한 문장을 만들지 연상하는 것이 가장 중요하며, 연상된 내용을 중국어로 쓸 수 있어야 한다. 중국어는 글자가 어려워서 듣고 말할 수는 있어도, 쓸 줄 모르는 '문맹(文盲)'이 생각보다 많다. '문맹 타파!'라는 슬로건을 내걸고, 평상시 단어를 열심히 암기하고 자주 써 보자.

모범 답안

1. 这里的交通很不方便，经常堵车。 이곳의 교통은 너무 불편해. 자주 막혀.
2. 考试结束了，大家都非常高兴。 시험이 끝나자, 모두 무척 신이 났다.
3. 房间太乱了，我想整理整理。 방이 너무 어지러워서 정리 좀 하고 싶다.

❶ 먼저 적절한 주어를 생각한다.
사람 주어: 我 나 / 他 그 / 她 그녀 / 小姐 아가씨 / 哥哥 형. 오빠 / 孩子 아이 / 朋友 친구
非사람 주어: 交通 교통 / 考试 시험 / 房间 방 / 手机 휴대전화 / 商店 상점

❷ 제시어가 형용사라면 형용사 앞에 정도부사(很 / 非常 / 十分)를 써 주는 것이 좋다.
非常高兴 매우 기쁘다 / 很便宜 아주 싸다 / 十分容易 아주 쉽다
형용사는 술어가 될 수도 있고, 관형어가 될 수도 있다.
很漂亮 아주 예쁘다 / 漂亮的韩老师 아름다운 한 선생님

❸ 제시어가 동사라면 동사 앞에 진행을 나타내는 부사 在나 조동사를 사용해 주면 좋다.
想整理 정리하고 싶다 / 不会开车 운전을 할 줄 모른다 / 不能喝酒 술을 못 마신다

❹ 동사는 목적어를 취하거나, 연동문 또는 중첩형으로 쓸 수 있다.
买衣服 옷을 사다 / 喝饮料 음료를 마시다 / 找东西 물건을 찾다
去学校学习汉语 학교에 가서 중국어를 배운다 / 整理整理 좀 정리하다

01 워밍업! 주어 만들기

문장 만드는 것을 처음 시도해 본다면 어디서부터 시작해야 할지 막막할 것이다. 문장의 뼈대를 이루는 '주어 + 술어 + 목적어' 문장을 완성하려면 주어 만들기가 가장 기본이 된다. 천 리 길도 한 걸음부터니 이제 주어 찾기부터 시작해 보자!

쓰기 시크릿 백전백승

1 쓰기 점수는 제2부분을 공략하라!

제2부분은 사진과 단어가 제시되는 형식으로 총 5문항이 출제된다. 상대 평가여서 부분 점수를 줄 수 있고 배점도 높으므로(문제당 8점) 끝까지 최선을 다해 임하자.

2 성별과 연령을 고려하여 주어를 만들어라!

가장 일반적인 것은 남자면 他, 여자면 她를 쓰는 것이다. 사진에서 연령을 알 수 있다면 弟弟(남동생), 哥哥(형/오빠), 叔叔(삼촌), 爸爸(아버지), 爷爷(할아버지) 등을, 신분·직업을 고려한다면 老师(선생님), 运动员(운동선수), 大夫(의사), 演员(배우), 歌手(가수), 观众(관중) 등을 생각해 본다.

3 주어만 잘 써도 30%는 성공이다!

문장의 기본 성분 '주어 + 술어 + 목적어' 중에서 주어라도 잘 쓰면 최소 30%는 성공한 것이다. 주어를 만들 때 的를 이용해 관형어를 만들거나 수량사를 넣어 주면, 다른 사람보다 상대적으로 긴 문장을 만들 수 있으니 고득점에 유리하다.

> 예 老师 [명사만 제시]
> 这位老师 [수량사로 풍성하게 만듦]
> 我们的老师 [관형어로 풍성하게 만듦]

4 사물도 주어가 될 수 있다!

사람 외에 사물을 주어로 삼을 수도 있다는 점을 명심하자.

> 예 这本书的内容十分复杂。 이 책의 내용은 매우 복잡하다.
>   非사람 주어
> 这些作业让我烦恼。 이 숙제들은 나를 골치 아프게 한다.
>   非사람 주어

문제 1

牛奶

🔍 **문제 분석** 여자나 우유를 주어로 삼을 수 있다.

해설 ① 사람 주어: 我姐姐 내 언니(누나) / 我妈妈 내 어머니 / 这位售货员 이 점원
② 非사람 주어: 牛奶 우유 / 一杯牛奶 우유 한 잔 / 这种牛奶 이런 우유 / 新鲜的牛奶 신선한 우유

👍 **모범 답안** 我妈妈每天早上让我喝一杯牛奶。
엄마는 매일 아침 나에게 우유 한 잔을 마시게 한다.

睡觉前，喝一杯新鲜的牛奶对睡眠有帮助。
잠자기 전에, 신선한 우유 한 잔을 마시는 것은 수면에 도움이 된다.

문제 2

京剧

🔍 **문제 분석** 경극 배우나 관중, 또는 경극을 주어로 삼을 수 있다.

해설 ① 사람 주어: 他们 그들 / 京剧演员 경극 배우 / 观众 관중
② 非사람 주어: 京剧 경극 / 中国的京剧 중국의 경극 / 这场京剧 이 경극

👍 **모범 답안** 观众们正在看京剧演出。
관중들은 지금 경극 공연을 보고 있다.

这场京剧非常精彩，我很感动。
이 경극은 아주 훌륭해서, 나는 매우 감동을 받았다.

문제 3

头发

🔍 **문제 분석** 이발사나 머리를 하러 온 손님 또는 머리를 주어로 삼을 수 있다.

해설 ① 사람 주어: 我 나 / 他 그 / 理发师 이발사
② 非사람 주어: 头发 머리 / 我的头发 나의 머리 / 长头发 긴 머리

👍 **모범 답안** 理发师把我的头发剪得很短。
이발사는 나의 머리카락을 아주 짧게 잘랐다.

我的头发太长了，你给我剪一剪吧。
제 머리카락이 너무 기니, 당신이 좀 잘라 주세요.

문제 4

自行车

🔍 **문제 분석** 자전거를 타고 가는 사람, 또는 자전거를 주어로 삼을 수 있다.

해설 ① 사람 주어: 他们 그들 / 中国人 중국인 / 很多中国人 많은 중국인 / 骑自行车的人 자전거 타는 사람
② 非사람 주어: 自行车 자전거 / 他们的自行车 그들의 자전거

👍 **모범 답안** 很多中国人骑自行车上下班。
많은 중국인들이 자전거를 타고 출퇴근한다.

自行车是我上下班的交通工具。
자전거는 내가 출퇴근할 때의 교통수단이다.

시크릿 보물상자

1 적절한 주어 선택하기

사진에 사람이 나온다면, 성별을 구분하여 적절한 주어를 선택해야 한다. 빠른 시간 안에 주어를 선택해야 다음 단계인 술어와 목적어 찾기가 가능하다.

	남자	여자
일반 주어	他 그	她 그녀
복수 주어	他们 그들	她们 그녀들
연령별 주어	弟弟 남동생 ＜ 哥哥 형, 오빠 ＜ 先生 선생, 미스터 ＜ 爸爸 아빠 ＜ 爷爷 할아버지	妹妹 여동생 ＜ 姐姐 언니, 누나 ＜ 小姐 아가씨 ＜ 妈妈 엄마 ＜ 奶奶 할머니
공통 주어	我 나　　　　你 너, 당신　　　　朋友 친구　　　　孩子 아이　　　　老人 노인	
특정 신분	老师 선생님　　　大夫 의사　　　　服务员 종업원　　　观众 관중	
사물 주어	书 책　　　　瓶子 병　　　　花 꽃　　　　水果 과일	

2 수식어 만들기

주어에 적절한 수식어를 추가하여 문장을 풍부하게 만든다.

인칭대사	가족 혹은 자신과 친분 있는 사람으로 작문할 때	我(的) 나의
지시대사	사진 속 인물을 객관적인 시각으로 바라보고 작문할 때	这 이 这位 이분
형용사	다양한 형용사로 수식해서 작문할 때	漂亮的 예쁜 幸福的 행복한

 내가 생각하는 HSK란? - HSK는 [   ]다.

- HSK는 마라톤이다. 끝까지 초심을 잃지 않아야만 결승선에 도달할 수 있다. - 조은주
- HSK는 운전면허다. 요령을 알고 꾸준히 반복하면 급수를 딸 수 있으니까. - 김현성
- HSK는 우리 생의 첫 번째 계단이다. 첫 계단도 못 올라가면 인생은⋯ ㅠㅠ - 이윤정
- HSK는 껌이다. 처음 씹을 땐 달지만, 점점 맛이 이상해진다. 그러나 단맛이 그리워 계속 씹고 싶어진다. - 민경련
- HSK는 탈모제다. 공부할수록 머리가 빠진다. ㅠㅠ - 송은주

3 非사람 주어 만들기

그림 속의 상황을 보고 사람뿐만 아니라 사물을 주어로 만들 수도 있다.

제시어		주어 만들기
贵	사람 주어	我妈妈昨天买来了一个很贵的花瓶。 우리 엄마는 어제 아주 비싼 꽃병을 사오셨다.
	사물 주어	这个花瓶的价格非常贵。 이 꽃병의 가격은 매우 비싸다.
减肥	사람 주어	我姐姐为了减肥每天早上运动。 내 언니(누나)는 다이어트를 위해 매일 아침 운동을 한다.
	사물 주어	运动对减肥很有帮助。 운동은 다이어트에 아주 도움이 된다.
吃惊	사람 주어	这三个姑娘看到电脑上的消息以后，很吃惊。 이 세 명의 아가씨들은 컴퓨터 상의 소식을 보고 나서, 매우 놀랐다.
	사물 주어	电脑上的内容让我们很吃惊。 컴퓨터 상의 내용은 우리를 놀라게 했다.

感动日记

오늘 새롭게 알게 된 내용, 가장 중요한 핵심 내용, 학습 소감과 각오 등을 적어 보세요.

▶ 다음 그림에 어울리는 주어를 써 보세요.

 DAY 19

1.

_____

2.

_____

3.

_____

4.

_____

 **DAY 20**

1.

_____

2.

_____

3.

_____

4.

_____

02 명사 꾸미기

명사 제시어가 나오면, 그 명사에 어울리는 동사가 필요하다. 따라서 동사와 목적어의 짝꿍(搭配) 관계를 많이 암기해 놓아야 쉽게 작문할 수 있다. 동사나 명사 제시어가 나왔을 때, 호응하는 짝꿍이 단번에 떠오르면 작문 성공률은 90% 이상이 되므로 명사와 동사는 함께 외워 두자!

쓰기 시크릿 백전백승

1 다양한 양사를 익혀 둔다!

중국어에서는 명사 앞에 양사가 많이 쓰이므로, 명사를 꾸밀 수 있는 적절한 양사를 많이 알고 있는 것이 좋다. '시크릿 보물상자'의 기본적인 양사들을 꼭 암기해 두자.

2 양사가 생각나지 않을 때는 유연성 있게 대처하라!

만약 작문할 때 적절한 양사가 생각나지 않는다면, 가장 기본적으로 쓰이는 양사 个를 활용하는 것이 좋다. 경우에 따라서는 양사를 생략하기도 한다.

예 这篇文章 이 문장 → 这个文章 / 这文章

那张地图 그 지도 → 那个地图 / 那地图

3 제시된 명사와 호응하는 동사를 떠올려라!

제시된 사진과 명사를 보고, 호응할 수 있는 적절한 동사를 떠올리는 것이 가장 중요하다. 대부분의 명사는 여러 개의 동사와 함께 쓰일 수 있으니, 자신이 가장 자신 있는 동사를 선택하는 것이 좋다.

예

帽子

→ 我的女朋友戴着很漂亮的帽子。 내 여자 친구는 예쁜 모자를 쓰고 있다.

쓰기 어려운 동사
→ 자신 있게 쓸 수 없다면 다른 동사를 찾아라!

→ 我的女朋友昨天新买了很漂亮的帽子。 내 여자 친구는 어제 예쁜 모자를 새로 샀다.

누구나 쓸 수 있는 동사
→ 글자를 틀리거나 어법적 오류를 범할 경우 감점 요인이 되므로, 정확하게 쓸 수 있는 표현을 선택한다.

4 기타 성분을 삽입하라!

문장의 뼈대가 되는 '주어 + 술어 + 목적어' 이외의 성분을 편의상 기타 성분이라고 하자.
부사, 조동사, 보어, 시간사 등의 기타 성분을 활용하여 문장의 완성도를 높인다.

[부사, 조동사]　주어 뒤, 술어 앞에 위치시킨다.

我一直想买这本书。나는 계속 이 책이 사고 싶었다.

[보어]　술어 뒤에 위치시킨다.

这本书我已经看了两三遍了。이 책을 나는 이미 두세 번 보았다.

[시간사]　주어의 앞이나 뒤에 위치시킨다.

今天我见了一个朋友。오늘 나는 한 친구를 만났다.

我今天见了一个朋友。나는 오늘 한 친구를 만났다.

NEW 단어 + TIP

- 信息 xìnxī 명 정보, 소식
  예 在网站上可以了解很多信息。인터넷상에서 많은 정보를 알 수 있다.

- 小吃 xiǎochī 명 간식거리
  예 北京的小吃非常有名。베이징의 간식거리는 매우 유명하다.

- 皮鞋 píxié 명 가죽 구두
  예 这双皮鞋是今年最流行的款式。이 가죽 구두는 올해 가장 유행하는 스타일이다.

- 互联网 hùliánwǎng 명 인터넷
  예 我们通过互联网获得很多信息。우리는 인터넷을 통해 많은 정보를 얻는다.

- 矿泉水 kuàngquánshuǐ 명 생수, 광천수
  예 运动的时候, 我喝了两瓶矿泉水。운동할 때, 나는 생수 두 병을 마셨다.

- 烤鸭 kǎoyā 명 오리구이
  예 我很喜欢吃北京烤鸭。나는 베이징 오리구이를 매우 좋아한다.

- 包子 bāozi 명 소(馅)기 든 찐빵
  예 中国的包子在世界上很有名。중국의 찐빵은 세계에서 매우 유명하다.

- 零钱 língqián 명 잔돈, 거스름돈
  예 这是找你的零钱, 请收好。이것은 거스름돈입니다. 잘 챙기세요.

- 短信 duǎnxìn 명 문자 메시지
  예 我今天收到了很多短信, 也发了不少短信。나는 오늘 많은 문자를 받았고, 또 적지 않은 문자를 보냈다.

- 花 huā 명 꽃, 화초
  예 春天来了, 院子里开了很多花。봄이 와서 정원에 많은 꽃이 피었다.

문제 1

护照

모범 답안
保管好你的护照，万一弄丢了，可麻烦了。
네 여권을 잘 보관하고 있어, 만일 잃어버리면, 정말 골치 아프게 돼.

참고 답안
把你的护照给我看一下。당신의 여권을 좀 보여 주세요.
你千万不要把这本护照弄丢了。너는 절대로 이 여권을 잃어버려서는 안 된다.

해설
여권은 양사 本을 이용하여 一本护照라고 표현하고, '만들다'는 동사 办을 이용하여 办护照라고 표현할 수 있다. 여권은 분실하면 절대 안 되는 물건이니 '잃어버리지 마라', '잘 보관해라', '내일 외국에 나가니 여권을 꼭 가지고 와라' 등으로 작문할 수 있다.

단어
护照 hùzhào 몡 여권 | 保管 bǎoguǎn 동 보관하다 | 弄丢 nòngdiū 잃어버리다 | 办 bàn 동 처리하다

문제 2

羽毛球

모범 답안
他打羽毛球打得不错。그는 배드민턴을 잘 친다.

참고 답안
他有时跟朋友打羽毛球。그는 가끔 친구와 배드민턴을 친다.
明天有场羽毛球比赛，我得好好准备。내일 배드민턴 경기가 있어서, 나는 열심히 준비해야 한다.
他的羽毛球球技很高。그는 배드민턴 치는 기술 수준이 높다.

해설
羽毛球의 양사로는 가장 보편적으로 쓰는 个를 사용해도 무난하다. 羽毛球와 같은 운동 종목을 나타내는 양사 项과 함께 一项运动이라는 표현법을 기억해 두면 좋다. 그 외에 '배드민턴을 잘 친다/못 친다', '배드민턴 경기에 참가한다' 등의 작문을 할 수 있다.

단어
羽毛球 yǔmáoqiú 몡 배드민턴 | 不错 búcuò 혱 좋다, 괜찮다 | 有时 yǒushí 튄 때때로, 가끔 | 朋友 péngyou 몡 친구 | 比赛 bǐsài 몡 경기 | 球技 qiújì 몡 공을 다루는 기술

쓰기

1 동사와 짝꿍 명사

동사	설명	짝꿍 명사		
尝 做	맛보다 만들다	饺子 교자, 만두 米饭 쌀밥	饼干 과자, 비스킷 蛋糕 케이크	面包 빵 包子 찐빵, 만두
喝	마시다	饮料 음료 咖啡 커피 矿泉水 생수, 광천수	牛奶 우유 水 물	啤酒 맥주 汤 국
挂	(전화를) 끊다 (벽 등에) 걸다	电话 전화 衣服 옷	画儿 그림 帽子 모자	地图 지도 镜子 거울
放	(재료를) 넣다	盐 소금	糖 설탕	酱油 간장
戴	착용하다	帽子 모자	眼镜 안경	手表 손목시계
穿 脱	입다, 신다 벗다	衣服 옷	鞋 신발	袜子 양말
写	쓰다, 적다	日记 일기	信 편지	小说 소설
看	보다	电视 텔레비전 杂志 잡지	书 책 表演 공연	报纸 신문
打	(구기 종목을) 치다	乒乓球 탁구	羽毛球 배드민턴	网球 테니스
发	보내다, 송부하다	短信 문자	传真 팩스	e-mail 이메일

2 명사를 꾸며 주는 방법

1) 짝꿍 동사로 살 붙이기

예시	日记 일기	写 쓰다 写日记 일기를 쓰다	看 보다 看日记 일기를 보다	
	裤子 바지	买 사다 买裤子 바지를 사다	穿 입다 穿裤子 바지를 입다	试 시험 삼아 ~해 보다 试一下裤子 바지를 입어 보다

2) 짝꿍 양사로 살 붙이기

예시	消息 소식	一条消息 소식 하나
	护士 간호사	一位护士 간호사 한 분

3) 시간 명사를 활용하여 문장 만들기

예시	我每天都写日记。 나는 매일 일기를 쓴다. 我每天睡觉前写日记。 나는 매일 자기 전에 일기를 쓴다. 我昨天去东大门买了一条裤子。 나는 어제 동대문에 가서 바지 하나를 샀다.

❸ 양사와 짝꿍 명사

양사	설명	짝꿍 명사		
本	책, 서적 관련	书 책 杂志 잡지	小说 소설 词典 사전	护照 여권
张	얇고 평평한 평면의 물건	照片 사진	地图 지도	桌子 탁자, 책상
篇	문장이나 시	文章 글	报告 보고서	论文 논문
只	작은 동물	鸟 새	猫 고양이	小狗 강아지
位	존중, 존경의 의미	老师 선생님 警察 경찰	老人 노인 记者 기자	售货员 판매원 护士 간호사
条	길고, 구부릴 수 있는 것	裤子 바지 !Tip 옷을 셀 때는 주로 하의에 쓰임	裙子 치마	路 길
双	쌍을 이루는 것	鞋 신발	袜子 양말	
所	복지(비영리)를 위한 곳	房子 집	学校 학교	医院 병원
家	이윤 추구(영리)를 위한 곳	商店 상점	饭店 호텔	公司 회사
间	문과 창이 있는 곳	房间 방	屋子 방, 건물	教室 교실
套	세트를 이루는 것	房子 집	沙发 소파	家具 가구
瓶	병에 들어 있는 것	啤酒 맥주	饮料 음료수	矿泉水 생수, 광천수
盒	상자에 들어 있는 것	饼干 과자, 비스킷	巧克力 초콜릿	蛋糕 케이크
辆	차량	自行车 자전거	汽车 자동차	
台	가전 제품	电视 텔레비전	冰箱 냉장고	笔记本 노트북
把	손잡이가 있는 물건	椅子 의자	雨伞 우산	钥匙 열쇠
秒	초 시간을 세는 단위	时间 시간		

DAY 21

1.

钥匙

_____

2.

售货员

_____

3.

毛巾

_____

4.

密码

_____

DAY 22

1.

饺子

_____

2.

盐

_____

3.

功夫

_____

4.

零钱

_____

03 형용사 꾸미기

DAY 23-24

주어 만들기와 명사 꾸미기를 배웠으니, 이번 장에서는 형용사를 활용하여 멋진 술어 만드는 법을 공부해보자. 문제에 형용사가 제시되어 있다면, 제시된 형용사를 술어로 하여, 그 앞에 정도부사 非常 하나만 써줘도 기본 문장 만들기는 성공한 셈이다.

예 我的学生 + 非常 + 努力。 나의 학생은 + 매우 + 노력한다.

작문을 못한다고 두려워하지 마라. 차근차근 연습한다면 꼭 좋은 점수를 얻을 수 있을 테니, 이번 장에서는 형용사 꾸미기를 정복해 보자.

쓰기 시크릿 백전백승

1 제시어가 형용사임을 간파하라!

형용사 꾸미기를 배워서 활용하려고 해도, 제시된 단어가 형용사임을 파악하지 못한다면 아무 소용이 없다. 형용사란 동작이 아닌, 어떤 상태나 모습을 나타내는 단어다. 형용사 앞에 정도부사 很을 붙여서 읽어 보았을 때 자연스럽다면 형용사일 가능성이 높다.

[시험에 나올 만한 형용사]

很简单 매우 간단하다	很方便 매우 편리하다	很满意 매우 만족하다
很可爱 매우 귀엽다	很流利 매우 유창하다	很丰富 매우 풍부하다
很优秀 매우 우수하다	很讨厌 매우 싫다	很可惜 매우 안타깝다

2 초보자라면 정도부사를 활용하라!

형용사임을 파악했다면 과감하게 정도부사를 사용하자! 가장 기본적인 很을 사용해도 좋고, 음절 수가 많은 非常을 활용해도 좋다. 감정을 나타내는 형용사 앞에는 十分을 써 주는 것이 좋다.

예 很着急 매우 조급하다 / 非常着急 아주 조급하다 / 十分着急 대단히 조급해하다

3 실력자라면 정도보어에 도전해 보라!

정도부사로 형용사 꾸미기에 익숙해졌다면, 정도보어를 이용한 형용사 꾸미기에 도전해 보자. 정도보어는 '형용사 술어 + 구조조사 得 + 정도를 나타내는 표현(부사/형용사 등)' 형태로 만든다.

[정도부사 활용] **很贵 / 非常贵** 매우 비싸다

[정도보어 활용] **贵得很 / 贵得不得了 / 贵得要命 / 贵得要死 / 贵得不行** 너무 심하게 비싸다

贵得多 많이 비싸다

贵得吓人 놀랄 만큼 비싸다

贵得没有人要买 너무 비싸서 아무도 사려 하지 않는다

4 전치사구, 시간사 등을 활용하여 문장을 풍성하게 만들어라!

형용사 술어는 목적어를 갖지 않기 때문에 문장이 비교적 간단하다. 따라서 다른 성분을 이용해 문장을 더 풍성하게 만들어 줄 필요가 있다. 여러 가지 상황을 가정하여 복문(절이 두 개 있는 문장)을 만들어 주는 것도 좋다.

[전치사구 삽입] **今年商品的价格比去年贵得多。(= 贵多了)**

올해 상품 가격은 작년보다 훨씬 비싸다.

红色的毛衣对你非常合适。 붉은색 스웨터는 너에게 아주 잘 어울린다.

[시간사 삽입] **今天你穿得很可爱。** 오늘 너 옷차림이 귀엽다.

[복문 구조] **那天我去广州出差，所以不能参加你的婚礼了，真可惜。**

그날 나는 광저우에 출장을 가기 때문에, 너의 결혼식에 참가할 수 없어, 정말 안타깝다.

 내가 생각하는 HSK란? - HSK는 [　　　　　] 다.

- HSK는 돈이다. 높은 급수를 취득하면 좋은 직업도 얻고, 나의 연봉이 올라가니깨! – 최나애
- HSK는 족쇄다. 일단 차면 헤어나올 수 없다. ㅠㅠ 단, 열쇠를 찾으면 자유다! – 전혜미
- HSK는 술이다. 처음에는 쓰지만 마실수록 달다. – 이상학
- HSK는 길이다. 아무리 걸어도 끝이 없다. 내가 현재 어디에 서있는지, 그리고 얼만큼의 속도로 걷는지가 매우 중요하다. – 함주희
- HSK는 수박 겉 핥기 식으로는 절대 그 안의 단맛을 알 수 없는 것! ^.^ – 송영미
- HSK는 별나라다. 매일 밤 꿈속에서도 만나니까. – 송이슬

문제 1

烦恼

| 모범 답안 | 每个人都有烦恼的事。 사람마다 모두 고민스러운 일이 있다. |

| 참고 답안 | 你最近好像有什么烦恼，快跟我说说。 너 요즘 무슨 고민이 있는 거 같은데, 어서 나에게 말해 봐. |
| | 因为这件事，我最近烦恼透了。 이 일 때문에 나는 요즘 온통 고민스럽다. |

해설 형용사 烦恼가 술어가 되면, 정도를 나타내는 다양한 정도부사를 이용해 很烦恼(매우 고민스럽다), 非常烦恼(대단히 고민스럽다)라고 표현하든지, 정도가 심함을 나타내는 정도보어 死了, 透了를 이용해 烦恼死了(고민되어 죽겠다), 烦恼透了(온통 고민스럽다)라고 표현해도 된다. 또 형용사를 관형어로 써서 烦恼的事(고민스러운 일)라고 쓸 수도 있다. 무엇 때문에 고민스러운지, 얼마나 고민스러운지를 작문하면 된다.

단어 烦恼 fánnǎo 휑 걱정하다, 고민스럽다 | 最近 zuìjìn 휑 요즘, 최근 | 因为 yīnwèi 접 왜냐하면 | 透 tòu 휑 아주 ~하다(동작·상태가 심함을 나타냄)

문제 2

合适

| 모범 답안 | 这件衣服对我合适极了，我真想买。 이 옷은 나한테 무척 잘 어울려서, 정말 사고 싶다. |

| 참고 답안 | 这是新买的衣服吗？对你真合适。 이건 새로 산 옷이니? 너한테 정말 어울린다. |
| | 我还没找到合适的衣服。 나는 아직 어울리는 옷을 찾지 못했다. |

해설 형용사 合适 앞에 정도부사 很, 非常, 真을 사용하거나 형용사 뒤에 极了를 붙여 정도가 높음을 표현할 수 있다. 또 형용사는 목적어를 가지고 나올 수 없으므로, '너에게 잘 어울린다'라고 말하려면 전치사 对를 이용하여 对你合适라고 표현해야 한다. 사진에 등장한 사물이나 사물의 색깔 등이 상대방에게 잘 어울린다는 표현으로 작문할 수 있다.

단어 合适 héshì 휑 적합하다, 알맞다 | 衣服 yīfu 명 옷 | 找 zhǎo 동 찾다

1 정도부사 활용 예

형용사의 가장 큰 특징은 정도부사의 수식을 받을 수 있다는 것이다. 형용사 제시어 문제에서 이 점을 활용하면, 쉽고 간편하게 형용사를 꾸며 줄 수 있다.

Tip 부사 활용에 자신 없으면 가장 일반적인 很이나 非常을 쓰면 된다.

정도부사	예시	해석
很 hěn 매우	很漂亮	매우 예쁘다
	很复杂	매우 복잡하다
	很快	매우 빠르다
	很贵	매우 비싸다
非常 fēicháng 아주	非常困	아주 졸리다
	非常激动	아주 감격하다
	非常精彩	아주 훌륭하다
十分 shífēn 무척	十分着急	무척 조급해하다
	十分难过	무척 괴롭다
	十分高兴	무척 기쁘다
太…了 tài…le 너무 ~하다	太可爱了	너무 귀엽다
	太有意思了	너무 재미있다
	太聪明了	너무 똑똑하다
	太贵了	너무 비싸다
真…啊! zhēn…a! 정말 ~하다	真厉害啊!	정말 대단하다!
	真香啊!	정말 향기롭다!
多么…啊! duōme…a! 얼마나 ~한가!	多么高兴啊!	얼마나 기쁜가!
	多么美丽啊!	얼마나 아름다운가!
형용사 + 极了 jile 굉장히 ~하다	好极了	굉장히 좋다
	好吃极了	굉장히 맛있다
	好看极了	굉장히 보기 좋다

2 정도보어 활용 예

정도보어는 동작이나 상태가 어떤 정도인지를 표시하며, 동사나 형용사 술어에 모두 사용될 수 있다. 구조조사 得 뒤에는 주로 형용사가 많이 쓰이지만 동사구, 주술구가 오기도 한다. 다양한 정도보어를 사용하여 멋진 문장을 만들어 보자.

정도보어	예시	해석
형용사 + 得 + 很 / 不得了	好得很	매우 좋다
	累得很	매우 피곤하다
	饿得不得了	매우 배고프다
	困得不得了	매우 피곤하다
동사 + 得 + 부사 + 형용사	说得很快	매우 빠르게 말하다
	睡得很晚	매우 늦게 자다
	看得非常清楚	대단히 자세하게 보다
형용사 + 得 + 가능 / 방향보어	吵得睡不着觉	시끄러워서 잠을 잘 수가 없다
	伤心得哭起来了	슬퍼서 울기 시작했다
	兴奋得跳起来了	뛸 듯이 흥분했다
동사 / 형용사 + 得 + 보충 표현	打扮得好像演员似的	마치 배우처럼 꾸미다
	说得跟中国人一样好	중국인처럼 말을 잘하다
	忙得没时间吃饭	밥 먹을 시간도 없이 바쁘다

3 형용사 꾸며 주는 방법

1) 주어 + 정도부사 + 형용사

예시	他非常高兴。 그는 매우 기쁘다. 　　정도부사

2) 부사, 전치사구, 시간사 등을 삽입한다.

예시	他今天 非常高兴。 그는 오늘 매우 기쁘다. 　시간사　부사

3) 형용사로 관형어나 부사어를 만든다.

예시	他高高兴兴地听音乐。 그는 신나게 음악을 듣는다. 　　부사어

4) 다양한 상황을 생각하여 복문을 만든다.

	今天是他的生日, 看样子他非常高兴。 오늘은 그의 생일인데, 보아하니 그가 매우 기뻐 보인다. 收到生日礼物, 他高兴得不得了。 생일 선물을 받고, 그는 매우 신이 났다. 老师称赞他, 他高兴得不得了。 선생님이 칭찬하니, 그는 매우 신이 났다. 受到老师表扬, 他高兴极了。 선생님의 칭찬을 받고, 그는 아주 기뻤다. 认识你, 我感到非常高兴。 당신을 알게 되어, 나는 매우 기쁘게 생각합니다. 听到这个消息, 他非常高兴。 이 소식을 듣고, 그는 매우 기뻤다.
예시	

感动日记

오늘 새롭게 알게 된 내용, 가장 중요한 핵심 내용, 학습 소감과 각오 등을 적어 보세요.

DAY 23

1.

重

_____

2.

紧张

_____

3.

香

_____

4.

乱

_____

DAY 24

1.

暖和

_____

2.

开心

_____

3.

伤心

_____

4.

兴奋

_____

쓰기

04 동사 꾸미기 I

한 문장을 구성하는 데 동사는 아주 중요하다. 동사만 제대로 활용할 수 있다면 기본 점수는 문제없이 획득할 수 있다. 거기에 동사를 도와주는 조동사나 부사로 동사를 꾸며 준다면 금상첨화가 될 것이다. 그렇다면 이제부터 점수를 올려 주는 동사 꾸미기를 배워 보자.

쓰기 시크릿 백전백승

1 제시어가 동사임을 간파하라!

동사 꾸미기를 배워서 활용하려고 해도, 제시된 단어가 동사임을 파악하지 못한다면 아무 소용이 없다. 동사란 사람 또는 사물의 움직임이나 작용을 나타내는 단어다. 제시된 단어의 뜻을 음미해 보았을 때, 움직임을 떠올릴 수 있거나, 호응하는 목적어가 생각난다면 동사라고 유추할 수 있다.

[시험에 나올 만한 동사]

休息 휴식하다	商量 상의하다	睡觉 잠을 자다
安排 안배하다	帮助 도와주다	打扫 청소하다
保护 보호하다	整理 정리하다	旅游 여행하다

2 把처치문을 활용하라!

把처치문은 중국어에서 비교적 특수한 구문에 속한다. 일반적으로 쓰이는 평서문에서, 만약 주어의 어떤 행위를 통하여 목적어에 어떠한 영향이나 변화가 생겼을 때 把처치문을 사용하게 된다. 쓰기 제2부분에서 처치문을 사용해서 멋진 문장을 만들어 보자.

[평서문] 주어 + 술어 + 목적어

예 猫 吃 鱼。　고양이가 생선을 먹다.
　　주어 술어 목적어

[처치문] 주어 + 把 목적어 + 술어 + 기타 성분

예 猫 把鱼 吃了。　고양이기 생선을 먹어 버렸다.
　　주어　목적어 술어 기타 성분

Tip 기타 성분에 자주 나오는 결과보어는 在, 到, 给 등이 있다.

3 **조동사를 사용할 때는 了를 쓰지 마라!**

조동사는 능력 · 바람 · 허락 · 당위성 등을 나타내는데, 능력을 제외한 조동사는 모두 아직 발생하지 않은 동작을 표현하므로, 뒤에 완료를 나타내는 了를 붙이지 않는다.
(단, 변화를 나타내거나 고정 구문은 예외: 就要…了 / 不能再…了)

4 **진행을 나타내는 부사나 조사를 활용하라!**

동사 앞에서 진행형을 만들어 주는 부사 正在는 줄여서 在만 쓸 수도 있고, 동사 뒤에 동태 조사 着를 붙여 줄 수도 있다.

[형식]   在 + 동사 + 着 + 목적어 + 呢

예   他在吃着饭呢。 그는 지금 밥을 먹고 있는 중이다.
　　　　동사 목적어

✉ **내가 생각하는 HSK란? – HSK는 [   ] 다.**

- HSK는 물과 같다. 마시면 몸에 빠르게 흡수되고 배우면 배울수록 갈증이 난다. – 양지은
- HSK는 양파다. 벗기면 벗길수록 새롭고, 알면 알수록 새로운 것이 나오니까. – 정정은
- HSK는 아이러니다. 단어를 다 알지 못해도 시험을 잘 볼 수 있고, 확실히 몰라도 맞출 수 있기 때문이다. – 이진희
- HSK는 밥줄이다. 급수가 없으면 취직도 못하니까. – 오수영
- HSK는 산이다. 올라가기는 힘들지만 참고 노력하면 정복할 수 있으니까. – 이성원
- HSK는 Hobby Study King이다. 취미가 될 정도로 즐겨야 하고, 공부를 꼭 해야 왕좌에 오를 수 있다. – 임찬우

문제 1

商量

모범 답안 这件事，你可以跟老师商量商量。 이 일을 너는 선생님과 상의해 봐도 된다.

참고 답안 我们得好好商量一下。 우리는 잘 상의해야 한다.

你们商量的时间太长了。 너희는 상의하는 시간이 너무 길다.

해설 동사 商量은 '상의하다'라는 뜻으로, 동량보어 一下를 사용하여 商量一下(좀 상의하다)로 표현해도 되고, ABAB 형식으로 중첩하여 商量商量이라고 표현해도 된다. 누구와 상의하는지 대상을 표현하고 싶다면 전치사 跟을 사용하여 跟他商量 (그와 상의하다)이라고 하면 된다. 得(~해야만 한다)와 可以(~해도 된다) 등의 조동사를 활용할 수도 있다.

⚠️TIP 최신 기출문제 분석에서 商量(상의하다), 讨论(토론하다) 등의 단어가 제시된 적이 있다. 모범 답안을 참고하여 讨论으로 작문해 보자.

단어 商量 shāngliang 동 상의하다, 의논하다 | 得 děi 조동 ~해야 한다 | 好好 hǎohāo 부 실컷, 충분히 | 时间 shíjiān 명 시간

문제 2

打折

모범 답안 这家商场正在进行打折活动。 이 상점은 지금 할인 행사를 하고 있다.

참고 답안 太贵了，给我打点折吧。 너무 비싸요, 할인 좀 해 주세요.

已经打了很多折，不能再便宜了。 이미 많이 할인된 것이라서, 더 이상 싸게 해 드릴 수 없어요.

해설 打折는 '할인하다'라는 의미다. 주의할 점은 打八折라고 하면 10을 기준으로 2를 할인하고 8에 해당하는 가격만 받겠다는 의미이므로, 20% 할인이라는 뜻이다. 또한 打折는 이합동사(동사 + 목적어)라서 打点折처럼 단어를 분리하여 쓸 수도 있다. '할인 행사'는 打折活动이라고 한다.

단어 打折 dǎzhé 동 가격을 깎다, 할인을 하다 | 商场 shāngchǎng 명 상가, 쇼핑센터 | 正在 zhèngzài 부 지금 ~하고 있다 | 进行 jìnxíng 동 진행하다 | 活动 huódòng 명 행사, 활동 | 贵 guì 형 (가격이) 비싸다 | 已经 yǐjing 부 이미 | 便宜 piányi 형 (값이) 싸다

1 把처치문

把는 전치사로 술어 뒤에 있던 목적어(명사/대사)를 술어 앞으로 끌고 나와 강조하는 역할을 한다. 왜 평서문을 굳이 처치문으로 만들어야 할까? 그것은 행위자의 동작을 통해서 대상(목적어)에 어떠한 변화나 영향이 생겼다는 것을 강조해 주기 위해서이다. 따라서 처치문은 단순히 목적어를 술어 앞으로 끌고 나오기만 해서는 안 되며, 반드시 술어 뒤에 동태조사나 각종 보어를 활용해서 어떤 변화가 생겼는지를 표현해 주어야 한다.

Tip 이때 처치 대상은 불특정한 것이 아니라, 말하는 사람과 듣는 사람이 모두 알고 있는 특정한 것이어야 한다.

1) 기본 어순: 주어 + 把 + 처치 대상 + 동사 + 기타 성분

2) 기타 성분: 처치문은 술어(동사) 뒤에 반드시 결과, 변화, 영향을 나타내 주는 기타 성분이 나온다. 把처치문에서 자주 쓰이는 보어들을 익혀 보자.

📌 결과보어

在	~에 존재	把(画儿，地图，照片)挂在墙上。(그림, 지도, 사진)을 벽에 걸다. 把(书，水，手机)放在桌子上。(책, 물, 휴대전화)를 책상 위에 놓다.
到	~에 도달	把(信，资料，文件)寄到我们公司。 (편지, 자료, 문서)를 우리 회사로 보내다. 把(沙发，电视，桌子)抬到对面。 (소파, 텔레비전, 책상)을 맞은편에 들어다 놓다.
给	~에게 전해짐	把(书，礼物，巧克力)送给朋友。(책, 선물, 초콜릿)을 친구에게 주다. 把(水，茶，牛奶)倒给奶奶。(물, 차, 우유)를 할머니에게 따라 주다.
好	완성	把(房间，办公室，行李)收拾好了。(집, 사무실, 짐)을 잘 정리하였다. 把(作业，任务)做好了。(숙제, 임무)를 잘 처리하였다.

📌 방향보어

下来	분리, 이탈	把(衣服，鞋，袜子)脱下来。(옷, 신발, 양말)을 벗다.
出来	안 → 밖	把(书，钱)拿出来。(책, 돈)을 꺼내다.
过去	가까운 곳 → 먼 곳	把(信，包裹)寄过去。(편지, 소포)를 부치다.
过来	비정상 → 정상	把(他，孩子)叫醒过来。(그, 아이)를 불러 깨우다.

쓰기

📌 정도보어

得很干净	~한 정도가 깨끗하다	把房间打扫得很干净。방을 깨끗하게 청소하다.
得太多了	~한 정도가 너무 많다	把红酒倒得太多了。포도주를 너무 많이 따랐다.
得很清楚	~한 정도가 매우 정확하다	把书念得很清楚。책을 아주 정확하게 읽었다.

📌 동량보어 一下

一下	한번 ~해 보다 (시도)	把作业改一下。숙제를 좀 고쳐 보다. 把厨房打扫一下。주방을 좀 청소하다. 把地图挂一下。지도를 좀 걸다. 把沙发抬一下。소파를 좀 들어 올리다.

2 조동사 활용 예

동사 제시어 문제를 풀 때 적절한 조동사를 사용하면 높은 점수를 받을 수 있다. 가장 무난하게 사용할 수 있는 조동사는 可以, 会, 想 등이다.

대표 조동사	예시	해석
可以 ~해도 된다	可以用信用卡	신용카드를 사용해도 된다
	可以用我的手机	내 휴대전화를 사용해도 된다
	可以用我的词典	내 사전을 사용해도 된다
	可以抽烟	담배를 피워도 된다
会 (배워서) ~할 수 있다, ~할 줄 알다	会说汉语	중국어로 말할 수 있다
	会弹钢琴	피아노를 칠 수 있다
	会开车	차를 운전할 줄 안다
想 ~하고 싶다	想买电脑	컴퓨터를 사고 싶다
	想出去散步	나가서 산책하고 싶다
	想吃妈妈做的菜	엄마가 만든 음식을 먹고 싶다

3 부사 활용 예

부사의 종류는 무궁무진하다. 각 단어에 적절한 부사를 사용하면 더할 나위 없이 좋겠지만, 작문의 첫 걸음마를 뗄 때는 초보자라면 좋은 성적을 얻을 수 있도록 다음의 비법부터 마스터한다. 동사 제시어 문제에 진행을 나타내는 부사 正在를 사용하면 문장이 한결 풍성해지고 긴장감이 생긴다. 예문을 통해 확실히 익혀 보자.

부사		예시	해석
在 상태 강조		在看电视	TV를 보고 있다
		在上网	인터넷을 하고 있다
		在整理房间	방을 정리하고 있다
		在学跳舞	춤을 배우고 있다
正在 시간, 상태 강조		正在聊天	수다를 떨고 있다
		正在打扮	치장을 하고 있다
		正在锻炼身体	체력을 단련하고 있다
着 동작의 지속		听着歌儿	노래를 듣고 있다
		抱着孩子	아이를 안고 있다
		笑着说	웃으면서 말한다

!Tip 正은 시간에 중점을 두고, 在는 상태에 중점을 두며, 正在는 시간과 상태에 두루 쓴다. 在는 반복적으로 진행되거나 오랫동안 지속되는 일에 쓸 수 있으나, 正在는 그렇지 않다.

1) 여러 가지 부사의 어순

형식	★어기부사 , 주어 + ★어기 + ★시간 + 빈도 + 범위 + ★정도부사 + 형용사 / 심리동사 + 일반동사

!Tip 이렇게 많은 부사가 동시에 나오는 문장을 작문할 필요는 없으니 순서를 꼭 암기할 필요는 없다. 하지만 어기부사, 시간부사의 순서와 정도부사가 형용사를 꾸며 준다는 사실만은 꼭 기억하자.

2) 부사의 종류

부사의 종류	예시		
시간을 나타내는 부사	刚 막 才 비로소	已经 이미 就 곧	曾经 일찍이 正在 지금
범위를 나타내는 부사	都 모두 一起 함께	全 전부 只 단지	一共 총(합쳐서) 光 오직
정도를 나타내는 부사	有点儿 약간 非常 아주	比较 비교적 太 너무	很 매우 十分 아주
빈도를 나타내는 부사	再 다시 常常 자주	又 또 往往 종종	还 또 经常 자주
긍정 / 부정을 나타내는 부사	不 아니다 别 ～하지 마라	没(有) ～하지 않다	一定 반드시
어기를 나타내는 부사	幸亏 다행히 反正 어쨌든	难道 설마 却 오히려	到底 도대체
상태를 나타내는 부사	突然 갑자기	仍然 여전히	逐渐 점점

感动日记

오늘 새롭게 알게 된 내용, 가장 중요한 핵심 내용, 학습 소감과 각오 등을 적어 보세요.

DAY **25**

1.

挂

_____

2.

寄

_____

3.

抬

_____

4.

扔

_____

DAY **26**

1.

脱

_____

2.

醒

_____

3.

倒

_____

4.

打扫

_____

쓰기

05 동사 꾸미기 Ⅱ

조동사나 부사 외에도 전치사를 사용하여 동사를 더 풍성하고 멋지게 만들 수 있다. 전치사는 단독으로 나오지 않고 반드시 '전치사 + 명사'의 형태로 술어 앞에 나와 문장의 의미를 풍성하고 정확하게 만든다. 시간사, 보어 및 연동문을 이용하여 문장을 만드는 연습도 함께 해 보자.

쓰기 시크릿 백전백승

1 적절한 전치사구를 이용하여 동사를 꾸며라!

중국어에는 많은 전치사가 있지만, 다음의 핵심 전치사들은 꼭 숙지하자.

[핵심 전치사] 在 / 对 / 为 / 向 / 跟 / 给 / 把 / 被 / 比

2 장소를 나타내는 전치사의 특징을 기억하라!

在 : 장소를 나타내며, 술어 앞에서 전치사로, 술어 뒤에서 보어로 활용할 수 있다.

예 在椅子上坐着 의자에 앉아 있다 [동작의 상태를 강조]
　　전치사구

坐在椅子上 의자에 앉아 있다 [어느 장소에 있는지를 강조]
　결과보어

3 대상을 나타내는 전치사의 특징을 기억하라!

对 : 태도를 나타낼 때 자주 사용된다.　예 对这件事不满意 이 일에 불만족하다

　　술어가 有 / 没有일 때 많이 사용한다.　예 对你有意见 너에게 불만이 있다

向 : 신체 동작을 나타낼 때 자주 사용한다.　예 向他点了点头 그에게 고개를 끄덕였다

　　입으로 하는 동작을 사용할 때 자주 사용한다.　예 向他解释 그에게 설명하다

跟 : 상호 교류 동작을 나타낼 때 자주 사용한다.　예 跟他交流 그와 교류하다

给 : 대상이 무언가를 수혜 받을 때 자주 사용한다.　예 给你打电话 너에게 전화하다

4 다양한 표현법을 사용하라!

① 동사는 기본적으로 목적어를 가질 수 있으니, 적절한 목적어를 넣어 준다.

② 술어 앞에 '부 + 조 + 전', 술어 뒤에는 보어를 삽입한다.

③ 是…的 강조 구문이나 특별동사 喜欢을 이용하여 작문한다.

④ 시간사나 삽입어(看起来) 등을 이용하여 문장을 풍성하게 만든다.

⑤ 연동문이나 一边…一边 등을 이용해서도 멋진 문장을 만들 수 있다.

문제 1

散步

| 모범 답안 | 他们几个人喜欢去公园散步。그들 몇 명은 공원에 가서 산책하는 것을 좋아한다. |

| 참고 답안 | 饭后散步对消化很好。식후에 산책하는 것은 소화에 매우 좋다. |
| | 他经常在海边散步。그는 자주 해변에서 산책한다. |

해설 散步는 이합동사(동사 + 목적어)로 뒤에 목적어를 가지고 나올 수 없으며, 중첩은 AAB 형식으로 散散步라고 해야 한다. 밖으로 나가 산책하는 것은 出去散步, 공원에 가서 산책하면 去公园散步라고 표현한다. 어디에서 산책을 하는지, 산책하는 것을 좋아하는지, 산책을 하면 좋은 점 등을 생각하여 작문하면 된다.

단어 散步 sànbù 图 산책하다 | 喜欢 xǐhuan 图 좋아하다 | 公园 gōngyuán 图 공원 | 消化 xiāohuà 图 소화하다 | 经常 jīngcháng 閏 자주, 늘, 항상 | 海边 hǎibiān 图 해변

문제 2

逛

| 모범 답안 | 没事的时候，我们夫妻俩都喜欢逛街。일이 없을 때, 우리 부부는 쇼핑하는 것을 좋아한다. |

| 참고 답안 | 今天上午我去逛了逛市场。오늘 오전에 나는 시장에 가서 구경을 좀 했다. |
| | 逛逛公园对身体好。공원을 거니는 것은 몸에 좋다. |

해설 逛은 '밖으로 나가 산책하다/거닐다'의 뜻이다. 목적어로 市场(시장), 商店(상점), 街(거리)를 취한다면 '쇼핑하다'의 뜻으로도 자주 쓰인다. 1음절 동사는 중간에 一를 넣어 A一A 형식으로 중첩하므로, 逛一逛(좀 구경하다)이라고 할 수 있고, 동작이 이미 발생하였다면 一를 了로 바꾸어 逛了逛(구경을 좀 했다)이라고 표현한다.

단어 逛 guàng 图 돌아다니다, 구경하다 | 夫妻 fūqī 图 부부 | 俩 liǎ 图 두 사람, 두 개 | 街 jiē 图 거리 | 市场 shìchǎng 图 시장 | 公园 gōngyuán 图 공원

1 전치사 활용 예

동사 제시어 문제를 풀 때 전치사를 이용해서 장소나 대상을 표현하여 문장을 더 풍성하게 만들 수 있다. 다음의 대표 전치사들을 확실히 암기해 두자.

자주 쓰는 전치사	예시	해석
在 + 장소	坐在沙发上	소파 위에 앉아 있다
	躺在床上	침대 위에 누워 있다
	放在桌子上	탁자 위에 놓여 있다
	在公园里跑步	공원에서 조깅하다
对 + 대상	对客人很热情	손님에게 아주 친절하다
	对病人非常关心	환자에게 매우 관심을 기울인다
	对健康有帮助	건강에 도움이 된다
	对京剧感兴趣	경극에 흥미를 느낀다
为 + 대상	为他鼓掌	그에게 박수를 보낸다
	为你服务	당신을 위해 봉사한다
向 + 대상	向他道歉	그에게 사과하다
	向他解释	그에게 설명하다
跟 + 대상	跟朋友见面	친구와 만나다
	跟他商量	그와 상의하다
给 + 대상	给老师写信	선생님께 편지를 쓰다
	给他留下很好的印象	그에게 매우 좋은 인상을 남기다
把 + 처치 대상	把杯子打破了	컵을 깨뜨렸다
	把纸扔到垃圾桶里	종이를 휴지통에 버렸다
	把黑板擦得很干净	칠판을 매우 깨끗하게 닦았다

2 동사의 여러 가지 종류

동사는 우리가 알고 있는 것 이상으로 여러 가지 기준으로 분류할 수 있다. 목적어를 끌고 나오는 것을 기준으로 삼는다면, 자동사, 타동사, 수여동사, 이합사 등으로 구분할 수 있다. 우리가 알고 있는 동사는 대부분 목적어를 끌고 나올 수 있는데, 이를 '타동사'라고 부른다.

종류	특징	예시
자동사	동사 + ~~목적어~~	旅行 + 北京 (X) → 去北京 + 旅行
타동사	동사 + 목적어	看 + 电视 学习 + 汉语 等 + 朋友
수여동사	동사 + 목적어1 + 목적어2	送 + 我 + 一本书 告诉 + 我 + 一件事
이합사	(동사 + 목적어) + ~~목적어~~	见面 + 朋友 (X) → 跟朋友见面 [개사구 사용] 毕业 + 大学 (X) → 毕业于大学 [결과보어 사용] 出差 + 中国 (X) → 去中国出差 [연동문 사용]

Tip 이합사는 '동사 + 목적어' 구조로 이루어진 2음절 동사로, 동사 성분과 목적어 성분이 함께 쓰이기도 하고, 필요에 의해서 따로 분리되어 사용될 수 있는 것이 특징이다. 그래서 '떨어진다(离)'와 '합해진다(合)'를 써서 离合词(이합사)라는 이름이 지어진 것이다.

예 毕业, 帮忙, 结婚, 生气, 道歉, 睡觉, 游泳, 聊天, 散步, 唱歌, 跳舞 등

3 是…的 강조 구문 활용 예

是…的는 어떤 동작이나 행위가 과거에 이미 실현되었거나 완성된 상태에서 쓸 수 있다. 동작은 이미 알고 있지만, 동작이나 행위가 행해진 '시간, 장소, 대상, 목적, 방식, 조건'을 특별히 강조하고 싶을 때, 강조하고 싶은 단어 바로 앞에 是를 쓰고, 맨 뒤에 的를 써서 나타내는 강조 구문이다.

형식	是 + 시간 / 장소 / 방식 / 대상 + 的
예시	我儿子是2005年出生的。 우리 아들은 2005년도에 태어난 것이다. 这只猫是从奶奶家带来的。 이 고양이는 할머니 댁에서 데려온 것이다. 他是跟老师一起来的。 그는 선생님과 함께 온 것이다.

4 특별동사 喜欢 활용 예

喜欢은 동사지만, 뒤에 동사구를 목적어로 가질 수 있는 특징이 있어서, 작문할 때 활용도가 높다.

예시	喜欢 + 逛街 쇼핑하는 것을 좋아한다	喜欢 + 吃饼干 과자 먹는 것을 좋아한다.
	喜欢 + 跳舞 춤을 추는 것을 좋아한다.	喜欢 + 看电视 텔레비전 보는 것을 좋아한다.
	喜欢 + 唱歌 노래하는 것을 좋아한다.	喜欢 + 吃巧克力 초콜릿 먹는 것을 좋아한다.
	喜欢 + 打篮球 농구하는 것을 좋아한다.	喜欢 + 跟朋友聊天 친구와 수다 떠는 것을 좋아한다.

5 여러 가지 표현의 활용 예

다양한 표현법	예시	해석
시간사: 早上 / 今天 / 每天 / 经常	早上喝一杯咖啡	아침에 커피 한 잔을 마신다
	每天早上看报	매일 아침 신문을 읽는다
	今天很愉快	오늘은 매우 유쾌하다
	经常迟到	자주 지각을 한다
	经常骑自行车上班	자주 자전거를 타고 출근한다
연동문: 동사1 + … + 동사2 + …	去北京出差	베이징으로 출장을 간다
	去中国旅行	중국으로 여행을 간다
	带着孩子去超市	아이를 데리고 슈퍼마켓에 간다
	听着歌儿上网	노래를 들으며 인터넷을 한다
고정 구문: 好像 / 看起来 / 一边… 一边…	好像有烦恼	고민이 있는 것 같다
	看起来很累	보아하니 피곤한 듯하다
	一边喝茶, 一边听音乐	차를 마시면서 음악을 듣는다
보어	吃得很快	빨리 먹는다〔정도보어〕
	批评了一顿	한 차례 꾸지람을 했다〔동량보어〕
	讨论了一个小时	한 시간 동안 토론을 했다〔시량보어〕
	买到一件衣服	옷 한 벌을 샀다〔결과보어〕

感动日记

오늘 새롭게 알게 된 내용, 가장 중요한 핵심 내용, 학습 소감과 각오 등을 적어 보세요.

DAY 27

1.

减肥

_____

2.

干杯

_____

3.

打招呼

_____

4.

理发

_____

DAY 28

1.

出差

_____

2.

毕业

_____

3.

出生

_____

4.

戴

_____

06 기출문제 정복하기

DAY **29-30**

'지피지기면 백전백승'이라는 말이 있다. 시험 공부를 할 때는 먼저 기출문제의 유형이나 난이도를 제대로 파악하고 공부한다면 훨씬 큰 효과를 볼 수 있다. 新HSK 4급 쓰기 제2부분에서는 동사 문제가 가장 많이 나왔으며, 명사, 형용사, 양사 순으로 출제되었다. 이번 장에서는 시험에 나온 기출 단어들을 분석해 본다. 모르는 단어가 있다면 암기한 후, 앞서 배운 기본 지식을 동원하여 작문해 보자.

쓰기 시크릿 백전백승

1 가장 많이 출제되는 품사를 파악하라!

기출문제를 분석해 보면 그중 동사가 가장 많이 출제되었고 그 다음 명사, 형용사, 그리고 양사 등 기타 품사 순서로 출제되고 있다.

[출제 빈도]   동사 〉 명사 〉 형용사 〉 양사

2 출제 범위를 파악하라!

4급 필수어휘 1200단어는 1급~4급까지의 단어를 모두 포함한다. 4급부터 추가된 새 단어는 600개로 쓰기 제2부분은 거의 이 범위에서 출제된다. 2급 단어나 3급 단어에서 출제된 적은 아직까지 없다.

3 각 품사별 공략법을 기억하라!

[동사 문제]   동사에 어울리는 목적어를 함께 써 주어야 한다. 부사, 조동사, 전치사구 등을 이용해 풍성한 문장을 만들어 준다.

[명사 문제]   명사를 주어로 삼아도 되고 목적어로 삼아도 된다. 명사와 어울리는 동사를 떠올리는 것이 급선무다.

[형용사 문제]   형용사는 목적어를 끌고 나오지 못하므로, 술어로 사용하면 문장이 바로 완성된다. 이때 정도부사 很, 非常을 활용하거나, 구조조사 得를 사용하여 정도보어(…得不得了, …得要命)를 만들어 주면 멋진 문장이 된다.

[기타 문제]   기타 품사로는 양사가 출제되었다. 양사가 나오면 무조건 '(지시대사 +) 수사 + 양사 + 명사'의 어순이 된다.

최근 10년간 시행된 新HSK 4급에서 다뤄진 쓰기 제2부분 문제를 분석했다. 자주 등장하는 문제는 계속 반복되어 출제되고 있음을 알 수 있다. 이곳에 수록된 단어로 작문해 둔다면 시험장에서 미소를 지을 수 있을 것이라 믿는다.

1 명사

★는 2회 이상 출제된 문제입니다.

警察 경찰		记者 기자		护士 간호사	
★ 售货员 판매원		★ 饺子 만두		饼干 과자, 비스킷	
★ 巧克力 초콜릿		矿泉水 생수		汤 국	
★ 味道 맛		★ 盐 소금		糖 설탕	
区别 차이		力气 힘		★ 盒子 상자	
★ 价格 가격		方向 방향		号码 번호	
密码 비밀번호		信封 봉투		现金 현금	
零钱 잔돈		肚子 배		胳膊 팔	

쓰기

镜子 거울		袜子 양말		杂志 잡지	
★ 日记 일기		★ 钥匙 열쇠		羽毛球 배드민턴	
汗 땀		牙膏 치약		★ 毛巾 수건	
★ 传真 팩스		短信 메시지		★ 动作 동작	
功夫 무술		★ 长城 만리장성			

2 동사

★ 毕业 졸업하다		咳嗽 기침하다		★ 讨论 토론하다	
商量 상의하다		出差 출장을 가다		★ 出生 태어나다	
★ 脱 벗다		★ 禁止 금지하다		★ 破 찢어지다	
排队 줄을 서다		★ 躺 눕다		★ 干杯 건배하다	

★ 修理 수리하다		散步 산책하다	批评 꾸짖다
★ 猜 추측하다		★ 收拾 정리하다	★ 来不及 시간이 맞지 않다
★ 醒 깨다		理发 이발하다	打扮 치장하다
复印 복사하다		吃惊 놀라다	★ 擦 닦다
★ 挂 걸다		减肥 다이어트하다	抬 들다
加班 야근하다		整理 정리하다	估计 예측하다
适合 적합하다		开车 운전하다	值得 ~할 만하다
赢 이기다		打扫 청소하다	扔 버리다
指 가리키다		★ 戴 쓰다	★ 保护 보호하다
祝贺 축하하다		★ 寄 부치다	★ 敲 두드리다

乘坐 탑승하다		★ 占线 통화 중이다		★ 迷路 길을 잃다	
★ 倒 따르다		举 들다		打招呼 인사하다	
照 찍다		降落 착륙하다		旅行 여행하다	
放松 느슨하게 하다					

3 형용사

合适 알맞다		★ 兴奋 흥분하다		★ 凉快 시원하다	
激动 감격하다		困 졸리다		脏 더럽다	
详细 자세하다		★ 重 무겁다		轻 가볍다	
无聊 무료하다		正式 정식의		厉害 심하다	
★ 香 향기롭다		★ 耐心 참을성이 있다		粗心 부주의하다	

伤心 슬퍼하다 ★		难受 괴로워하다		暖和 따뜻하다 ★	
咸 짜다 ★		苦 쓰다 ★		标准 표준이다	
满 가득차다		乱 엉망이다 ★		厚 두껍다	
空 비어 있다 ★		开心 기쁘다 ★		准时 제때에	

4 기타 품사

| 篇
번 | | 遍
번 ★ | | 棵
그루 ★ | |
| 秒
초 | | 页
쪽 ★ | | | |

출제 가능성이 높은 단어는?!

최근 기출문제를 분석해 보면, 4급 지정 단어 중 이전에 변동 보충된 단어에서 많이 출제되었음을 알 수 있다.
먼저 기출문제를 풀어 보고, 시간적 여유가 있다면 출제될 가능성이 높은 아래 단어도 눈여겨 보자!

- 개정 단어 중 이미 출제된 적이 있는 단어

  开心 / 举 / 倒 / 胳膊 / 修理 / 放松 / 矿泉水 / 包子 / 零钱 / 现金 / 信封 / 秒 / 迷路

- 앞으로 출제될 가능성이 있는 단어

  棒 / 研究 / 照 / 短信 / 存 / 烤鸭 / 花 / 感兴趣 / 登机牌 / 饭店 / 餐厅 / 勺子 / 房东 / 客厅

DAY
29-30

▶ 명사
제시어

1.

长城

_____

2.

巧克力

_____

3.

日记

_____

4.
袜子

_____

5.

味道

_____

6.

镜子

_____

7.

现金

_____

8.

沙发

_____

9.

力气

_____

10.

价格

_____

11.

护士

_____

12.

记者

_____

13.

方向

_____

14.

区别

_____

15.

胳膊

_____

1.

批评

_____

2.

猜

_____

3.

放松

_____

4.

收拾

_____

5.

复印

_____

6.

禁止

_____

7.

来不及

_____

8.

修理

_____

9.

吃惊

_____

10.

占线

_____

11.

迷路

_____

12.

躺

_____

13.

敲

_____

14.

降落

_____

15.

照

_____

16.

开车

_____

17.

 指

_____

18.

 举

_____

19.

 咳嗽

_____

20.

 破

_____

21.

 试

_____

22.

 尝

_____

23.

 联系

_____

24.

 抽烟

_____

▶ 형용사
제시어

1.

脏

_____

2.

凉快

_____

3.

困

_____

4.

轻

_____

5.

激动

_____

6.

详细

_____

7.

无聊

_____

8.

难受

_____

9.

满

_____

10.

苦

_____

11.

咸

_____

12.

空

_____

13.

耐心

_____

14.

粗心

_____

15.

标准

_____

16.

厉害

_____

▶ 기타
품사

1.

朵

_____

2.

棵

_____

3.

页

_____

4.

秒

_____

5.

遍

_____

6.

篇

_____

쓰기

第 一 部 分

第1-10题：完成句子。

例如： 那座桥　　　800年的　　　历史　　　有　　　了

　　　　那座桥有800年的历史了。

1. 没　　　他们俩的看法　　　区别　　　什么

2. 把　　　寄出去　　　那份申请　　　导游　　　了

3. 包　　　咸　　　饼干　　　有点儿　　　这

4. 奇怪　　　翻译得　　　这篇　　　文章　　　有点儿

5. 被　　　吵醒　　　外面的响声　　　他　　　了

6. 我已经　　　这里的　　　逐渐　　　气候　　　适应了

7. 对李护士的　　　你　　　也许　　　误会了　　　行动

8. 羡慕　　　很让人　　　感情　　　他们　　　两个人的

9. 重视　　　问题　　　被社会　　　所　　　海洋污染

10. 越来越　　　进行得　　　好　　　这份　　　工作

第 二 部 分

第11-15题：看图，用词造句。

例如：　　　　　　　乒乓球　　　我很喜欢打乒乓球。

11.　　　　　　擦

12.　　　　　　打扮

13.　　　　　　厚

14.　　　　　　杂志

15.　　　　　　正式

新HSK 4급 답안지 작성법

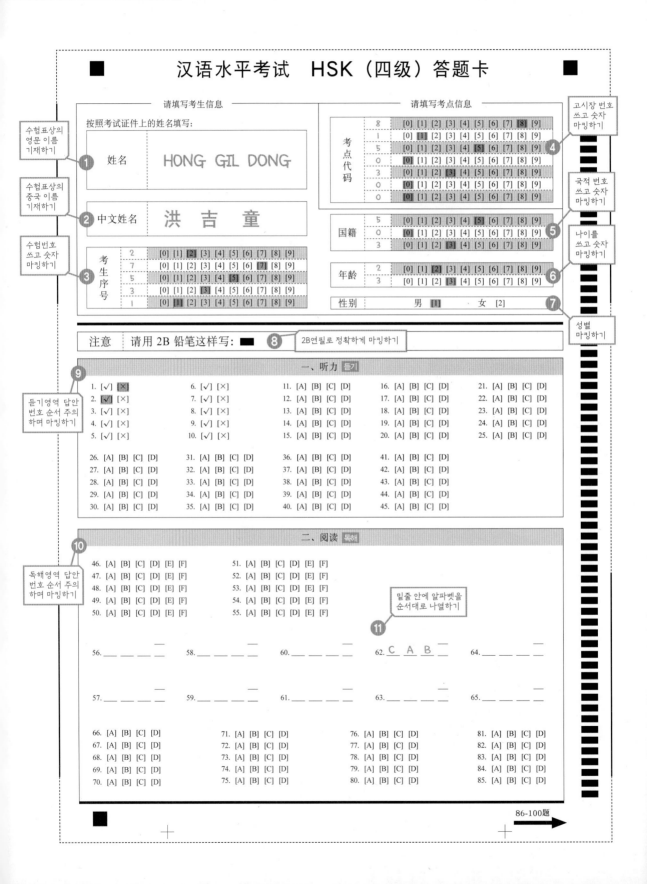

86.   牙疼最好使用这种牙膏。

87.

88.

89.

90.

91.

92.

93.

94.

95.

96.

97.

98.

99.

100.

国家汉办/孔子学院总部
Hanban/Confucius Institute Headquarters

新 汉 语 水 平 考 试
Chinese Proficiency Test

HSK（四级）成绩报告
HSK (Level 4) Examination Score Report

姓名：＿＿＿＿＿＿＿＿＿＿＿＿＿＿＿＿＿＿＿＿＿
Name

性别：＿＿＿＿＿ 国籍：＿＿＿＿＿＿＿＿＿＿＿＿＿
Gender　　　　　Nationality

考试时间：＿＿＿＿＿＿＿ 年 ＿＿＿＿＿ 月 ＿＿＿＿＿ 日
Examination Date　　　　　　Year　　　Month　　　Day

编号：＿＿＿＿＿＿＿＿＿＿＿＿＿＿＿＿＿＿＿＿
No.

	满分（Full Score）	你的分数（Your Score）
听力（Listening）	100	
阅读（Reading）	100	
书写（Writing）	100	
总分（Total Score）	300	

总分180分为合格（Passing Score：180）

主任　　　　　　　　　　　 国家汉办
Director ＿＿＿＿＿＿＿＿＿＿＿ Hanban
　　　　　　　　　　　　　　　HANBAN

中国・北京
Beijing・China

新HSK 4급

정답

듣기 听力

제1부분 단문

DAY 1	1. V	2. V	3. V	4. V	5. V
DAY 2	1. V	2. V	3. V	4. V	5. V
DAY 3	1. X	2. X	3. X	4. X	5. X
DAY 4	1. X	2. X	3. X	4. X	5. X
DAY 5	1. V	2. V	3. V	4. X	5. V
DAY 6	1. V	2. V	3. X	4. V	5. V
DAY 7	1. X	2. V	3. X	4. X	5. X
DAY 8	1. X	2. X	3. V	4. X	5. X

제2·3부분 대화문

DAY 9	1. A	2. A	3. B	4. A
DAY 10	1. A	2. D	3. D	4. C
DAY 11	1. A	2. D	3. C	4. B
DAY 12	1. B	2. A	3. A	4. D
DAY 13	1. B	2. C	3. B	4. C
DAY 14	1. A	2. A	3. A	4. C
DAY 15	1. C	2. A	3. D	4. B
DAY 16	1. C	2. C	3. B	4. B
DAY 17	1. B	2. B	3. A	4. D
DAY 18	1. B	2. B	3. D	4. B
DAY 19	1. C	2. D	3. D	4. C
DAY 20	1. C	2. C	3. B	4. A
DAY 21	1. A	2. D	3. B	4. B
DAY 22	1. B	2. B	3. A	4. A

제3부분 긴 지문

DAY 23	1. A	2. A	3. D	4. D
DAY 24	1. B	2. B	3. D	4. D
DAY 25	1. B	2. D	3. D	4. C
DAY 26	1. C	2. B	3. C	4. D
DAY 27	1. C	2. D	3. B	4. C
DAY 28	1. C	2. D	3. D	4. B
DAY 29	1. B	2. D	3. C	4. C
DAY 30	1. C	2. D	3. D	4. C

실전 모의고사

제1부분

| 1. X | 2. V | 3. V | 4. X | 5. X | 6. V |
| 7. X | 8. X | 9. X | 10. V |

제2부분

11. C	12. A	13. A	14. D	15. C	16. D
17. B	18. A	19. D	20. D	21. A	22. C
23. B	24. A	25. C

제3부분

26. B	27. C	28. C	29. B	30. C	31. B
32. A	33. C	34. D	35. D	36. B	37. D
38. A	39. D	40. B	41. C	42. A	43. D
44. D	45. D

독해 阅读

제1부분 빈칸 채우기

DAY 1	1. B	2. D	3. A	4. F	5. C
DAY 2	1. D	2. F	3. A	4. C	5. E
DAY 3	1. F	2. E	3. B	4. C	5. A
DAY 4	1. D	2. A	3. B	4. C	5. E
DAY 5	1. E	2. F	3. A	4. D	5. C
DAY 6	1. F	2. B	3. A	4. E	5. C
DAY 7	1. F	2. E	3. C	4. B	5. D
DAY 8	1. F	2. C	3. D	4. A	5. B
DAY 9	1. D	2. B	3. A	4. C	5. E
DAY 10	1. F	2. A	3. B	4. C	5. E

제2부분 문장 순서 배열하기

| DAY 11 | 1. C A B | | 2. A C B | 3. C A B |
| | 4. B C A | | 5. C A B | |

DAY 12	1. B A C	2. A C B	3. A B C
	4. C B A	5. B A C	
DAY 13	1. A C B	2. C B A	3. C B A
	4. B C A	5. B C A	
DAY 14	1. B C A	2. B C A	3. A B C
	4. C B A	5. C B A	
DAY 15	1. B A C	2. B A C	3. C B A
	4. A C B	5. B C A	
DAY 16	1. C B A	2. C B A	3. B C A
	4. B A C	5. B A C	
DAY 17	1. B A C	2. B C A	3. A C B
	4. B A C	5. C A B	
DAY 18	1. B A C	2. C B A	3. C A B
	4. C B A	5. B C A	
DAY 19	1. A C B	2. A C B	3. B A C
	4. C A B	5. A C B	
DAY 20	1. B C A	2. A C B	3. B C A
	4. A B C	5. C A B	

제3부분 단문 독해

DAY 21	1. D	2. D	3. B	4. D
DAY 22	1. A	2. B	3. B	4. A
DAY 23	1. D	2. A	3. C	4. D
DAY 24	1. D	2. C	3. B	4. B
DAY 25	1. D	2. B	3. D	4. B
DAY 26	1. B	2. D	3. B	4. C
DAY 27	1. B	2. D	3. C	4. B
DAY 28	1. C	2. D	3. D	4. C
DAY 29	1. B	2. B	3. A	4. B
DAY 30	1. D	2. C	3. B	4. A

실전 모의고사

제1부분

1. E	2. F	3. C	4. A	5. B	6. F
7. A	8. E	9. D	10. B		

제2부분

11. C B A	12. B A C	13. C A B
14. A C B	15. C A B	16. A B C
17. A C B	18. B A C	19. B A C
20. A B C		

제3부분

21. A	22. D	23. A	24. D	25. D	26. D
27. B	28. D	29. D	30. D	31. A	32. D
33. D	34. A	35. B	36. A	37. C	38. B
39. D	40. B				

쓰기 书写

제1부분 어순 배열하기

DAY 1

1. 他对自己的成绩很满意。
2. 他这次考试的成绩非常糟糕。
3. 这两个姐妹的性格完全相反。
4. 那家饭馆的服务特别好。
5. 现在去大使馆的路特别堵。 /
   去大使馆的路现在特别堵。

DAY 2

1. 小镇的晚上十分热闹。
2. 下雨后空气很湿润。
3. 小王的身体一直不太好。
4. 南方的气候比北方更湿润。
5. 今天的西红柿汤有点儿酸。

DAY 3

1. 我的学生已经有了一定的进步。
2. 这场篮球比赛就要结束了。
3. 这座电视塔的高度超过了400米。
4. 网络缩短了人与人之间的距离。
5. 他出的这个主意起了很大的作用。

DAY 4

1. 那个湖看上去好像一面镜子。 / 看上去那个湖好像一面镜子。

2. 这位病人暂时没有生命危险。

3. 我们不再相信他的任何理由了。

4. 这篇文章没有语法错误。

5. 那几个人的付出获得了很完美的成功。

DAY 5

1. 我发现我的头发特别干。

2. 大家都认为他的计划太复杂了。

3. 那个公司决定提高商品的质量。

4. 我保证按时完成这项任务。

5. 他希望获得大家的谅解。

DAY 6

1. 医院打算招聘一位主任医师。

2. 叔叔打算6月底去上海旅行。

3. 我希望能给她留下美好的印象。

4. 代表们决定提前一天回国。

5. 1.2米以下的儿童不需要买车票。

DAY 7

1. 我的条件完全符合公司的招人要求。

2. 这学期我要获得奖学金。 /
   我这学期要获得奖学金。

3. 我的教授对中国京剧非常感兴趣。

4. 研究人员对中小学生家长进行了问卷调查。

5. 他从来没有放弃过自己的梦想。

DAY 8

1. 他恐怕看过那个电子邮件了。 /
   恐怕他看过那个电子邮件了。

2. 这里离火车站还有10多公里。

3. 我对现在的这份工作感到非常满意。

4. 抽烟对身体没有任何好处。

5. 我以前好像在什么地方见过他。

DAY 9

1. 我没把用过的毛巾扔在镜子旁边。

2. 我好像把韩教授的中文姓名写错了。

3. 她竟然把信用卡的密码给忘记了。

4. 那名优秀学生被全校老师所称赞。

5. 昨天那棵大树被刮倒了。 /
   那棵大树昨天被刮倒了。

DAY 10

1. 别把笔记本电脑的说明书弄丢了。

2. 你把这份调查问卷复印80份。

3. 请将这些报纸按时间顺序排列好。

4. 我的杯子不小心被弟弟给打破了。

5. 大家被他的精神所感动。

DAY 11

1. 森林里住着很多老虎。

2. 客厅的墙上挂了一张地图。

3. 姐姐的普通话比我的更标准。

4. 这件衣服的颜色比那件稍微深一些。

5. 她的体重好像比上个月轻了很多。

DAY 12

1. 桌子上放着一盒巧克力蛋糕。

2. 奶奶的院子里有一棵葡萄树。

3. 我觉得南方的天气肯定比北方暖和得多。

4. 放寒假的时间比原计划推迟了一周。

5. 这种药的味道没有你想象的那么苦。

DAY 13

1. 父亲总是领着我们去香山看红叶。

2. 爷爷有办法解决这样的问题。

3. 这条消息让所有的人都很激动。

4. 父母的鼓励使孩子恢复了自信。

5. 没人能替你办这件事。

DAY 14

1. 你应该找律师好好谈谈情况。

2. 我的同事邀请我去参观他的新房。

3. 我没有理由给他发那样的短信。

4. 祝贺你顺利地考上了名牌大学。

5. 怎样才能让你的父母同意我们结婚呢?

DAY 15

1. 你怎么连这个最基本的规定也不知道?

2. 我孙子是去年夏天出生的。

3. 这些菜是专为老年人提供的。

4. 他的肺炎是由抽烟引起的。

5. 抽烟对身体一点儿好处也没有。

DAY 16

1. 你怎么连话都说不清楚？
2. 我儿子是2005年1月8号出生的。
3. 运动员是什么时候出场的？
4. 这件事一点儿也不能马虎。
5. 他困得连眼睛都睁不开了。

DAY 17

1. 填写的申请表都放在桌子上。
2. 我实在猜不出这个问题的答案。
3. 我们舒服地休息了一天。
4. 哥哥兴奋得睡不着觉。
5. 这场雨下得真及时。

DAY 18

1. 这间教室肯定坐不下五十个人。
2. 这张山水画适合挂在客厅里。
3. 请你再检查一遍你的e—mail地址。
4. 这件事发生得十分突然。
5. 这儿的环境被污染得很严重。

제2부분 사진 보고 작문하기

DAY 19

1. 我的弟弟 / 一个孩子 / 这个孩子 / (这个)小孩子 / (这个)小男孩子 / 站在那儿的小男孩子 / 背着书包的小男孩子

2. 我的妹妹 / 一个孩子 / 这个孩子 / (这个)小孩子 / (这个)小女孩子 / 戴着帽子的小女孩子 / 很可爱的小女孩子

3. 我的爷爷 / 一位老人 / 这位老人 / 正在看书的爷爷 / 坐在椅子上的老人

4. 我们姐妹 / 三个女孩子 / 这三个女孩子 / 一起拍照的三个女孩子 / 我的老朋友们

DAY 20

1. 鞋 / 一双鞋 / 这双鞋 / (一双)运动鞋 / (一双)新买的鞋 / 朋友送给我的鞋

2. 水果 / 一斤水果 / 一些水果 / 这些水果 / 我最喜欢吃的水果 / 各种各样的水果 / 在超市里买的水果 / 昨天在市场买的水果

3. 手机 / 一部手机 / 一个手机 / 这个手机 / 新买的手机 / 新上市的手机 / 最近新出的手机 / 非常有用的手机

4. 咖啡 / 一杯咖啡 / 这一杯咖啡 / 黑咖啡 / 我喜欢喝的黑咖啡 / 免费提供的咖啡

DAY 21

1. 我把房门钥匙还给房东了。
2. 她是一位热情的售货员，我们都很喜欢她。
3. 他用毛巾擦了脸上的汗。
4. 我忘了密码，该怎么办呢？

DAY 22

1. 这是我做的饺子，快来尝尝，味道怎么样？
2. 这个菜已经太咸了，不用再放盐。
3. 你学过中国功夫吗？听说动作都很难。
4. 他把零钱都放在钱包里了。

DAY 23

1. 这个箱子太重了，我一个人搬不了。
2. 面试时，我紧张得不得了。
3. 男朋友送给我一束鲜花，真香。
4. 我哥哥的房间总是很乱。

DAY 24

1. 冬天喝一杯热咖啡，感觉很暖和。
2. 我终于得了第一名，非常开心。
3. 不要太伤心了，一切都会好的。
4. 明天就要毕业了，她兴奋得睡不着觉。

DAY 25

1. 你把衣服和帽子挂在墙上吧！
2. 我想把这封信寄给妈妈。
3. 我们把沙发抬到电视对面吧。
4. 我把垃圾扔到垃圾桶里了。

DAY 26

1. 先把鞋子和袜子脱下来，然后去洗澡。
2. 要迟到了，快把他叫醒过来吧。
3. 服务员正在给客人倒酒。
4. 妈妈把桌子下面打扫得很干净。

1. 她为了减肥，每天早上跑4公里。
2. 为我们的友谊，干杯!
3. 我向他打招呼，他好像没看到我。
4. 请按照这张照片给我理发。

1. 我的爸爸经常去美国出差。
2. 马上就要毕业了，我非常高兴。
3. 我女儿是上个月出生的。
4. 她很喜欢戴帽子，所以每天都戴着帽子去学校。

명사 제시어

1. 听说长城又高又长，可是我从来没去过。
2. 巧克力让人发胖。
3. 我有每天写日记的习惯。
4. 他才3岁，不会自己穿袜子。
5. 你觉得我做的蛋糕味道怎么样?
6. 你把镜子挂在墙上，要小心点儿。
7. 我的钱包里没有现金。
8. 姐姐躺在沙发上看电视。
9. 我觉得男的力气比女的更大。
10. 这件衣服的价格太贵了。
11. 护士又叫白衣天使，所以我想当护士。
12. 他努力学习，是因为想当记者。
13. 我不知道要往哪个方向走。
14. 这两台手机看起来没有什么区别。
15. 让我看看你胳膊受伤的地方。

동사 제시어

1. 孩子被妈妈批评了一顿。
2. 我猜不出来她到底画的是什么?
3. 请放松放松，这个针不怎么疼。
4. 我已经把行李收拾好了。
5. 请你帮我复印一份资料，好不好?
6. 公共场所禁止吸烟。
7. 来不及了，还是坐出租车吧。
8. 师傅，请把这个车修理一下。
9. 听到这个消息，她非常吃惊。
10. 给你打了好几次电话，你一直占线。
11. 他们拿着地图，可还是迷路了。
12. 我的儿子一躺下，就不知不觉睡着了。

13. 他买了一束花，去女朋友家敲门。
14. 飞机降落的时候，不能使用手机。
15. 他举着照相机，照了周围的风景。
16. 她每天要开车去上班。
17. 师傅，我不知道怎么走，麻烦您给我指指路。
18. 谁知道这个题的答案? 请举手回答一下。
19. 我的朋友感冒了，所以上课时不停地咳嗽。
20. 她不小心把袋子弄破了。
21. 你试一下这件衣服，我觉得可能适合你。
22. 快尝尝，味道好极了。
23. 我们毕业好几年了，还保持联系。
24. 别养成抽烟的坏习惯。

형용사 제시어

1. 这些东西脏得要命，快收拾收拾。
2. 秋天到了，天变凉快了。
3. 我困得不得了，真想睡觉。
4. 这个东西看起来很轻，但拿起来很重。
5. 听到了这个消息，他激动得跳了起来。
6. 昨天的会议内容她记录得很详细。
7. 周末一个人呆在家里觉得很无聊。
8. 头疼得厉害，太难受了。
9. 这个盒子里书装得很满。
10. 这个药虽然苦，但对身体好。
11. 这个菜太咸了，我吃不下去。
12. 这个箱子是空的，没有你找的东西。
13. 爸爸耐心地给儿子读书。
14. 他做事很粗心，一点都不细心。
15. 老师经常表扬我女儿的动作很标准。
16. 他的腿受伤了，疼得厉害。

기타 품사

1. 这朵花儿很漂亮。
2. 公园里大约有几百棵树。
3. 今天要学的是第五课，请翻到第100页。
4. 今天你迟到了1分钟，这次原谅你，下次一秒都不行。
5. 这本书我看了好几遍，还是觉得很有意思。
6. 他每天读一篇文章。

실전 모의고사

제1부분

1. 他们俩的看法没什么区别。
2. 导游把那份申请寄出去了。
3. 这包饼干有点儿咸。
4. 这篇文章翻译得有点儿奇怪。
5. 他被外面的响声吵醒了。
6. 我已经逐渐适应了这里的气候。
7. 你也许对李护士的行动误会了。
8. 他们两个人的感情很让人羡慕。
9. 海洋污染问题被社会所重视。
10. 这份工作进行得越来越好。

제2부분

11. 别哭了，我给你擦眼泪。
12. 这位小姐很喜欢打扮自己。
13. 这本书又厚又沉。
14. 奶奶坐在沙发上看杂志。
15. 今天是我正式上班的第一天。

일단 합격

新HSK

한 권이면 —— 끝!

4급 필수 VOCA 쓰기노트

4급

동양북스

A
B
C
D

0001	爱 ài	동 사랑하다, 좋아하다	爱
0002	八 bā	수 8, 여덟	八
0003	爸爸 bàba	명 아빠, 아버지	爸 爸
0004	杯子 bēizi	명 컵, 잔	杯 子
0005	北京 Běijīng	명 베이징(중국의 수도)	北 京
0006	本 běn	양 권(책을 세는 단위)	本
0007	不 bù	부 동사·형용사·부사 앞에서 부정을 나타냄	不
0008	不客气 bú kèqi	천만에요, 별말씀을요	不 客 气
0009	菜 cài	명 요리, 음식, 채소	菜
0010	茶 chá	명 차	茶
0011	吃 chī	동 먹다	吃
0012	出租车 chūzūchē	명 택시	出 租 车
0013	打电话 dǎ diànhuà	전화를 걸다	打 电 话
0014	大 dà	형 크다, 많다	大
0015	的 de	조 ~한, ~의(관형어 뒤에 사용) 구조조사: 的、地、得	的
0016	点 diǎn	양 시(시간의 단위) 동 (음식을) 주문하다	点
0017	电脑 diànnǎo	명 컴퓨터	电 脑

0018 ☑	电视 diànshì	몡 텔레비전, TV	电 视
0019 ☐	电影 diànyǐng	몡 영화	电 影
0020 ☐	东西 dōngxi	몡 물건, 것	东 西
0021 ☐	都 dōu	빔 모두, 전부	都
0022 ☐	读 dú	통 읽다, 낭독하다	读
0023 ☐	对不起 duìbuqǐ	통 미안합니다, 죄송합니다	对 不 起
0024 ☐	多 duō	혱 (수량이) 많다 때 얼마나	多
0025 ☐	多少 duōshao	때 얼마	多 少
0026 ☐	儿子 érzi	몡 아들	儿 子
0027 ☐	二 èr	쥐 2, 둘	二
0028 ☐	饭店 fàndiàn	몡 호텔, 식당	饭 店
0029 ☐	飞机 fēijī	몡 비행기	飞 机
0030 ☐	分钟 fēnzhōng	먕 분(시간의 양을 세는 단위)	分 钟
0031 ☐	高兴 gāoxìng	혱 기쁘다, 즐겁다	高 兴
0032 ☐	个 gè	먕 개, 명(사람이나 사물을 세는 단위)	个
0033 ☐	工作 gōngzuò	통 일하다 몡 직업, 일자리	工 作
0034 ☐	狗 gǒu	몡 개(동물)	狗

H J K

번호	단어	뜻	쓰기
0035 ☑	汉语 Hànyǔ	몡 중국어	汉 语
0036 ☐	好 hǎo	톙 좋다	好
0037 ☐	号 hào	얭 번(차례, 순서를 나타내는 단위)	号
0038 ☐	喝 hē	됨 마시다	喝
0039 ☐	和 hé	젠 ~과(와)~	和
0040 ☐	很 hěn	분 매우, 대단히	很
0041 ☐	后面 hòumiàn	몡 뒤, 뒤쪽	后 面
0042 ☐	回 huí	됨 되돌아가다	回
0043 ☐	会 huì	조동 ~할 것이다(추측)	会
0044 ☐	几 jǐ	쉬 몇	几
0045 ☐	家 jiā	몡 집, 가정 얭 회사, 가게, 공장 등을 세는 단위	家
0046 ☐	叫 jiào	됨 ~라고 불리다 됨 ~하게 하다(사역동사)	叫
0047 ☐	今天 jīntiān	몡 오늘	今 天
0048 ☐	九 jiǔ	쉬 9, 아홉	九
0049 ☐	开 kāi	됨 (문을) 열다 (전자제품을) 켜다	开
0050 ☐	看 kàn	됨 보다	看
0051 ☐	看见 kànjiàn	됨 (목적한 것을) 보다 (동작의 결과를 나타냄)	看 见

0052	块 kuài	양 덩이, 조각(덩어리로 된 물건을 세는 단위)	块
0053	来 lái	동 오다	来
0054	老师 lǎoshī	명 선생님	老 师
0055	了 le	조 동사 또는 형용사 뒤에 쓰여 동작의 완료나 새로운 상황의 출현을 나타냄	了
0056	冷 lěng	형 춥다, 차다	冷
0057	里 lǐ	명 가운데, 안쪽	里
0058	六 liù	수 6, 여섯	六
0059	妈妈 māma	대 엄마, 어머니	妈 妈
0060	吗 ma	조 문장 끝에 쓰여 의문의 어기를 나타냄	吗
0061	买 mǎi	동 사다, 구매하다	买
0062	猫 māo	명 고양이	猫
0063	没关系 méi guānxi	괜찮다	没 关 系
0064	没有 méiyǒu	동 없다 부 ~하지 않다(과거 부정)	没 有
0065	米饭 mǐfàn	명 쌀밥	米 饭
0066	名字 míngzi	명 이름	名 字
0067	明天 míngtiān	명 내일	明 天
0068	哪 nǎ	대 어느, 어떤	哪

K
L
M
N

5

N P Q R

0069 ☑	哪儿 nǎr	때 어디	哪 儿
0070 ☐	那 nà	때 그(것), 저(것)	那
0071 ☐	呢 ne	조 문장 끝에 쓰여 동작·상황의 지 속 혹은 의문의 어기를 나타냄	呢
0072 ☐	能 néng	조동 ~할 줄 안다(능력) 조동 ~할 수 있다(가능성)	能
0073 ☐	你 nǐ	때 너, 당신	你
0074 ☐	年 nián	명 년, 해	年
0075 ☐	女儿 nǚ'ér	명 딸	女 儿
0076 ☐	朋友 péngyou	명 친구	朋 友
0077 ☐	漂亮 piàoliang	형 예쁘다, 아름답다	漂 亮
0078 ☐	苹果 píngguǒ	명 사과	苹 果
0079 ☐	七 qī	수 7, 일곱	七
0080 ☐	前面 qiánmiàn	명 앞쪽, 전면	前 面
0081 ☐	钱 qián	명 돈	钱
0082 ☐	请 qǐng	동 청하다, 부탁하다	请
0083 ☐	去 qù	동 가다	去
0084 ☐	热 rè	형 덥다, 뜨겁다	热
0085 ☐	人 rén	명 사람, 인간	人

R
S

0086 ☑	认识 rènshi	图 알다, 인식하다	认 识
0087 ☐	三 sān	仝 3, 셋	三
0088 ☐	商店 shāngdiàn	명 상점	商 店
0089 ☐	上 shàng	명 위, 위쪽	上
0090 ☐	上午 shàngwǔ	명 오전	上 午
0091 ☐	少 shǎo	형 (양이) 적다	少
0092 ☐	谁 shéi	대 누구	谁
0093 ☐	什么 shénme	대 무슨, 무엇	什 么
0094 ☐	十 shí	仝 10, 열	十
0095 ☐	时候 shíhou	명 때, 무렵	时 候
0096 ☐	是 shì	图 ~이다 형 맞다, 옳다	是
0097 ☐	书 shū	명 책	书
0098 ☐	水 shuǐ	명 물	水
0099 ☐	水果 shuǐguǒ	명 과일	水 果
0100 ☐	睡觉 shuìjiào	图 (잠을) 자다	睡 觉
0101 ☐	说 shuō	图 말하다	说
0102 ☐	四 sì	仝 4, 넷	四

7

S
T
W
X

0103	岁 suì	양 살, 세(나이를 세는 단위)	岁	
0104	他 tā	대 그(남자), 그 사람	他	
0105	她 tā	대 그녀, 그 여자	她	
0106	太 tài	부 매우, 아주	太	
0107	天气 tiānqì	명 날씨	天	气
0108	听 tīng	동 듣다	听	
0109	同学 tóngxué	명 학우, 동급생	同	学
0110	喂 wèi	감 이봐, 여보세요(부를 때) 4성 감 여보세요(전화상에서) 2성	喂	
0111	我 wǒ	대 나, 저	我	
0112	我们 wǒmen	대 우리(들)	我	们
0113	五 wǔ	수 5, 다섯	五	
0114	喜欢 xǐhuan	동 좋아하다	喜	欢
0115	下 xià	명 밑, 아래	下	
0116	下午 xiàwǔ	명 오후	下	午
0117	下雨 xiàyǔ	동 비가 내리다	下	雨
0118	先生 xiānsheng	명 선생님, 씨(성인 남성에 대한 경칭)	先	生
0119	现在 xiànzài	명 지금, 현재	现	在

X
Y

0120 ☑	想 xiǎng	조동 ~하고 싶다(바램) 동 생각하다	想	
0121 ☐	小 xiǎo	형 (크기가) 작다	小	
0122 ☐	小姐 xiǎojiě	명 아가씨, 젊은 여자	小	姐
0123 ☐	些 xiē	양 조금, 약간, 몇몇	些	
0124 ☐	写 xiě	동 (글씨를) 쓰다	写	
0125 ☐	谢谢 xièxie	동 감사합니다, 고맙습니다	谢	谢
0126 ☐	星期 xīngqī	명 요일, 주	星	期
0127 ☐	学生 xuésheng	명 학생	学	生
0128 ☐	学习 xuéxí	동 공부하다, 배우다	学	习
0129 ☐	学校 xuéxiào	명 학교	学	校
0130 ☐	一 yī	수 1, 하나	一	
0131 ☐	一点儿 yìdiǎnr	양 조금, 약간	一 点 儿	
0132 ☐	衣服 yīfu	명 옷, 의복	衣	服
0133 ☐	医生 yīshēng	명 의사	医	生
0134 ☐	医院 yīyuàn	명 병원	医	院
0135 ☐	椅子 yǐzi	명 의자	椅	子
0136 ☐	有 yǒu	동 있다, 소유하다	有	

Y
Z

0137 ☑	月 yuè	명 월, 달	月
0138 ☐	再见 zàijiàn	동 또 뵙겠습니다. 안녕히 계십시오	再 见
0139 ☐	在 zài	전 ~에(서)~ 부 ~하는 중이다	在
0140 ☐	怎么 zěnme	대 어떻게, 어째서	怎 么
0141 ☐	怎么样 zěnmeyàng	어떠하다	怎 么 样
0142 ☐	这 zhè	대 이, 이것	这
0143 ☐	中国 Zhōngguó	명 중국	中 国
0144 ☐	中午 zhōngwǔ	명 정오	中 午
0145 ☐	住 zhù	동 살다, 거주하다, 묵다	住
0146 ☐	桌子 zhuōzi	명 탁자, 테이블	桌 子
0147 ☐	字 zì	명 문자, 글자	字
0148 ☐	昨天 zuótiān	명 어제	昨 天
0149 ☐	坐 zuò	동 앉다, (교통수단을) 타다	坐
0150 ☐	做 zuò	동 하다, 만들다	做

MEMO

B
C
D

0151	吧 ba	조 문장 끝에 쓰여, 추측·제안·기대·명령 등의 어기를 나타냄	吧
0152	白 bái	형 하얗다	白
0153	百 bǎi	수 100, 백	百
0154	帮助 bāngzhù	동 돕다, 도와주다	帮 助
0155	报纸 bàozhǐ	명 신문	报 纸
0156	比 bǐ	전 ~에 비해~, ~보다~	比
0157	别 bié	부 ~하지 마라	别
0158	宾馆 bīnguǎn	명 호텔	宾 馆
0159	长 cháng	형 (길이·시간 등이) 길다	长
0160	唱歌 chànggē	동 노래 부르다	唱 歌
0161	出 chū	동 (안에서 밖으로) 나가다	出
0162	穿 chuān	동 (옷·신발·양말 등을) 입다, 신다	穿
0163	次 cì	양 차례, 번, 회	次
0164	从 cóng	전 ~부터~, ~을 기점으로~ (출발점)	从
0165	错 cuò	형 틀리다	错
0166	打篮球 dǎ lánqiú	농구를 하다	打 篮 球
0167	大家 dàjiā	대 모두, 다들	大 家

0168	到 dào	통 도착하다, 도달하다 전 ~까지~ (도착점)	到
0169	得 de	조 동사나 형용사 뒤에 쓰여 결과나 정도를 나타내는 보어와 연결시킴	得
0170	等 děng	통 기다리다	等
0171	弟弟 dìdi	명 남동생	弟 弟
0172	第一 dì-yī	수 제1, 첫번째	第 一
0173	懂 dǒng	통 알다, 이해하다	懂
0174	对 duì	형 맞다, 옳다 전 ~에 대하여~	对
0175	房间 fángjiān	명 방	房 间
0176	非常 fēicháng	부 대단히, 매우	非 常
0177	服务员 fúwùyuán	명 종업원	服 务 员
0178	高 gāo	형 높다, (키가) 크다	高
0179	告诉 gàosu	통 말하다, 알리다	告 诉
0180	哥哥 gēge	명 형, 오빠	哥 哥
0181	给 gěi	통 ~에게 ~을 주다 전 ~에게~	给
0182	公共汽车 gōnggòng qìchē	명 버스	公 共 汽 车
0183	公司 gōngsī	명 회사	公 司
0184	贵 guì	형 (가격이나 가치가) 높다, 비싸다	贵

D E F G

13

G
H
J

0185 ☑	过 guo	조 동사 뒤에 쓰여 경험을 나타냄	过
0186 ☐	还 hái	부 여전히, 아직도	还
0187 ☐	孩子 háizi	명 아이	孩 子
0188 ☐	好吃 hǎochī	형 맛있다	好 吃
0189 ☐	黑 hēi	형 검다, 어둡다	黑
0190 ☐	红 hóng	형 붉다, 빨갛다	红
0191 ☐	火车站 huǒchēzhàn	명 기차역	火 车 站
0192 ☐	机场 jīchǎng	명 공항	机 场
0193 ☐	鸡蛋 jīdàn	명 달걀	鸡 蛋
0194 ☐	件 jiàn	양 건, 개, 벌(물건·셔츠·사건 등을 세는 단위)	件
0195 ☐	教室 jiàoshì	명 교실	教 室
0196 ☐	姐姐 jiějie	명 누나, 언니	姐 姐
0197 ☐	介绍 jièshào	동 소개하다	介 绍
0198 ☐	进 jìn	동 (밖에서 안으로) 들어가다	进
0199 ☐	近 jìn	형 가깝다	近
0200 ☐	就 jiù	부 곧, 바로	就
0201 ☐	觉得 juéde	동 ~라고 생각하다, ~라고 여기다	觉 得

K
L
M

0202 ☑	咖啡 kāfēi	몡 커피	咖 啡
0203 ☐	开始 kāishǐ	동 시작되다, 개시하다	开 始
0204 ☐	考试 kǎoshì	동 시험을 치다 몡 시험	考 试
0205 ☐	可能 kěnéng	뷔 아마도 몡 가망, 가능성	可 能
0206 ☐	可以 kěyǐ	조동 ~해도 된다(허락)	可 以
0207 ☐	课 kè	몡 수업, 강의	课
0208 ☐	快 kuài	혱 빠르다	快
0209 ☐	快乐 kuàilè	혱 즐겁다, 행복하다	快 乐
0210 ☐	累 lèi	혱 지치다, 피곤하다	累
0211 ☐	离 lí	젠 ~로부터 ~까지~ (시간, 공간적 거리 간격)	离
0212 ☐	两 liǎng	쉬 2, 둘	两
0213 ☐	零 líng	쉬 0, 영	零
0214 ☐	路 lù	몡 길	路
0215 ☐	旅游 lǚyóu	동 여행하다	旅 游
0216 ☐	卖 mài	동 팔다, 판매하다	卖
0217 ☐	慢 màn	혱 느리다	慢
0218 ☐	忙 máng	혱 바쁘다	忙

15

M N P Q

0219 ☑	每 měi	대 매, 각, ~마다	每
0220 ☐	妹妹 mèimei	명 여동생	妹 妹
0221 ☐	门 mén	명 문, (출)입구	门
0222 ☐	面条儿 miàntiáor	명 국수, 면	面 条 儿
0223 ☐	男 nán	명 남자	男
0224 ☐	您 nín	대 당신(你의 존칭)	您
0225 ☐	牛奶 niúnǎi	명 우유	牛 奶
0226 ☐	女 nǚ	명 여성	女
0227 ☐	旁边 pángbiān	명 옆, 근처	旁 边
0228 ☐	跑步 pǎobù	동 달리다 명 구보, 조깅	跑 步
0229 ☐	便宜 piányi	형 (값이) 싸다	便 宜
0230 ☐	票 piào	명 표, 티켓	票
0231 ☐	妻子 qīzi	명 아내	妻 子
0232 ☐	起床 qǐchuáng	동 (잠자리에서) 일어나다	起 床
0233 ☐	千 qiān	수 1000, 천	千
0234 ☐	铅笔 qiānbǐ	명 연필	铅 笔
0235 ☐	晴 qíng	형 하늘이 맑다	晴

0236 ☑	去年 qùnián	몡 작년	去 年
0237 ☐	让 ràng	동 ~하게 시키다(사역)	让
0238 ☐	日 rì	몡 (특정한) 날, 일 양 일(날짜의 단위)	日
0239 ☐	上班 shàngbān	동 출근하다	上 班
0240 ☐	身体 shēntǐ	몡 몸, 신체	身 体
0241 ☐	生病 shēngbìng	동 병이 나다, 병에 걸리다	生 病
0242 ☐	生日 shēngrì	몡 생일	生 日
0243 ☐	时间 shíjiān	몡 시간, 틈, 여가	时 间
0244 ☐	事情 shìqing	몡 일	事 情
0245 ☐	手表 shǒubiǎo	몡 손목시계	手 表
0246 ☐	手机 shǒujī	몡 휴대 전화	手 机
0247 ☐	说话 shuōhuà	동 말하다, 이야기하다	说 话
0248 ☐	送 sòng	동 보내다, 선물하다 동 배웅하다, 바래다 주다	送
0249 ☐	虽然…但是… suīrán…dànshì…	접 비록 ~하지만	虽 然 但 是
0250 ☐	它 tā	떼 그, 그것(사람 이외의 것을 가리킴)	它
0251 ☐	踢足球 tī zúqiú	축구를 하다	踢 足 球
0252 ☐	题 tí	몡 문제	题

Q R S T

W
X

0253 ☑	跳舞 tiàowǔ	동 춤을 추다	跳 舞
0254 ☐	外 wài	명 바깥, ~이외에	外
0255 ☐	完 wán	동 마치다, 끝나다	完
0256 ☐	玩 wán	동 놀다	玩
0257 ☐	晚上 wǎnshang	명 저녁	晚 上
0258 ☐	往 wǎng	전 ~쪽으로~, ~을 향해~	往
0259 ☐	为什么 wèi shénme	대 왜, 어째서(원인, 이유를 물음)	为 什 么
0260 ☐	问 wèn	동 묻다, 질문하다	问
0261 ☐	问题 wèntí	명 문제	问 题
0262 ☐	西瓜 xīguā	명 수박	西 瓜
0263 ☐	希望 xīwàng	동 희망하다, 바라다	希 望
0264 ☐	洗 xǐ	동 씻다, 빨다	洗
0265 ☐	小时 xiǎoshí	명 ~동안(시간의 양)	小 时
0266 ☐	笑 xiào	동 웃다	笑
0267 ☐	新 xīn	형 새롭다	新
0268 ☐	姓 xìng	명 성, 성씨	姓
0269 ☐	休息 xiūxi	동 휴식하다, 쉬다	休 息

X
Y

0270	雪 xuě	명 눈	雪
0271	颜色 yánsè	명 색, 색깔	颜 色
0272	眼睛 yǎnjing	명 눈(신체 부위)	眼 睛
0273	羊肉 yángròu	명 양고기	羊 肉
0274	药 yào	명 약	药
0275	要 yào	조동 ~하려고 하다(적극적 의지) 동 원하다	要
0276	也 yě	부 ~도, 역시	也
0277	一起 yìqǐ	부 같이, 함께	一 起
0278	一下 yíxià	양 한 번 ~해보다, 좀~하다	一 下
0279	已经 yǐjīng	부 이미, 벌써	已 经
0280	意思 yìsi	명 의미, 뜻	意 思
0281	因为…所以… yīnwèi…suǒyǐ…	접 ~하기 때문에 그래서	因 为 所 以
0282	阴 yīn	형 흐리다	阴
0283	游泳 yóuyǒng	동 수영하다	游 泳
0284	右边 yòubian	명 오른쪽, 우측	右 边
0285	鱼 yú	명 물고기, 생선	鱼
0286	远 yuǎn	형 멀다	远

0287 ☑	运动 yùndòng	통 운동하다 명 운동	运 动
0288 ☐	再 zài	부 다시, 재차, 또(미발생)	再
0289 ☐	早上 zǎoshang	명 아침	早 上
0290 ☐	丈夫 zhàngfu	명 남편	丈 夫
0291 ☐	找 zhǎo	통 찾다, 구하다	找
0292 ☐	着 zhe	조 동사 뒤에 쓰여 진행을 나타냄	着
0293 ☐	真 zhēn	부 정말, 참으로	真
0294 ☐	正在 zhèngzài	부 지금 ~하고 있는 중이다	正 在
0295 ☐	只 zhī	양 마리(작은 동물) 양 짝(쌍으로 이룬 것 중 하나)	只
0296 ☐	知道 zhīdào	통 알다	知 道
0297 ☐	准备 zhǔnbèi	통 준비하다	准 备
0298 ☐	走 zǒu	통 걷다, 걸어가다 통 떠나다, 출발하다	走
0299 ☐	最 zuì	부 가장, 제일	最
0300 ☐	左边 zuǒbian	명 왼쪽, 좌측	左 边

MEMO

A
B

0301 ☑	阿姨 āyí	몡 아주머니, 이모	阿 姨
0302 ☐	啊 a	조 문장 끝에 쓰여 긍정·감탄·찬탄의 어기를 나타냄	啊
0303 ☐	矮 ǎi	혱 (키가) 작다, 낮다	矮
0304 ☐	爱好 àihào	몡 취미, 애호	爱 好
0305 ☐	安静 ānjìng	혱 조용하다, 고요하다	安 静
0306 ☐	把 bǎ	전 ~을(를)~, ~ 을 가지고~ (처치문)	把
0307 ☐	班 bān	몡 반, 학급	班
0308 ☐	搬 bān	동 옮기다, 운반하다	搬
0309 ☐	办法 bànfǎ	몡 방법, 방식	办 法
0310 ☐	办公室 bàngōngshì	몡 사무실	办 公 室
0311 ☐	半 bàn	수 절반, 2분의 1	半
0312 ☐	帮忙 bāngmáng	동 일(손)을 돕다, 도움을 주다	帮 忙
0313 ☐	包 bāo	동 (종이나 천으로) 싸다 몡 보따리, 가방	包
0314 ☐	饱 bǎo	혱 배부르다	饱
0315 ☐	北方 běifāng	몡 북방, 북쪽	北 方
0316 ☐	被 bèi	전 ~에게 ~을 당하다~ (피동문)	被
0317 ☐	鼻子 bízi	몡 코	鼻 子

B
C

0318 ☑	比较 bǐjiào	🔢 비교적, 상대적으로 🔢 비교하다	比 较
0319 ☐	比赛 bǐsài	🔢 경기, 시합	比 赛
0320 ☐	笔记本 bǐjìběn	🔢 노트, 수첩	笔 记 本
0321 ☐	必须 bìxū	🔢 반드시, 꼭	必 须
0322 ☐	变化 biànhuà	🔢 변화하다 🔢 변화	变 化
0323 ☐	别人 biérén	🔢 타인, 다른 사람	别 人
0324 ☐	冰箱 bīngxiāng	🔢 냉장고	冰 箱
0325 ☐	不但…而且… búdàn…érqiě…	🔢 ~할 뿐만 아니라 게다가	不 但 而 且
0326 ☐	菜单 càidān	🔢 메뉴	菜 单
0327 ☐	参加 cānjiā	🔢 참가하다, 가입하다	参 加
0328 ☐	草 cǎo	🔢 풀	草
0329 ☐	层 céng	🔢 층, 겹(중첩·누적된 물건을 세는 단위)	层
0330 ☐	差 chà	🔢 부족하다, 모자라다 🔢 다르다, 차이가 나다	差
0331 ☐	尝 cháng	🔢 맛보다	尝
0332 ☐	超市 chāoshì	🔢 마트, 슈퍼마켓	超 市
0333 ☐	衬衫 chènshān	🔢 셔츠, 블라우스	衬 衫
0334 ☐	成绩 chéngjì	🔢 성적	成 绩

C
D

0335 ☑	城市 chéngshì	몡 도시	城 市
0336 ☐	迟到 chídào	동 지각하다	迟 到
0337 ☐	除了 chúle	젠 ~을 제외하고~	除 了
0338 ☐	船 chuán	몡 배, 선박	船
0339 ☐	春 chūn	몡 봄	春
0340 ☐	词典 cídiǎn	몡 사전	词 典
0341 ☐	聪明 cōngmíng	휑 똑똑하다, 총명하다	聪 明
0342 ☐	打扫 dǎsǎo	동 청소하다	打 扫
0343 ☐	打算 dǎsuàn	동 ~하려고 하다, 계획하다 몡 생각, 계획	打 算
0344 ☐	带 dài	동 (몸에) 지니다, 휴대하다	带
0345 ☐	担心 dānxīn	동 염려하다, 걱정하다	担 心
0346 ☐	蛋糕 dàngāo	몡 케이크	蛋 糕
0347 ☐	当然 dāngrán	閉 당연히, 물론 휑 당연하다	当 然
0348 ☐	地 de	조 ~하게(동사, 형용사 앞에서 부사 역할을 함)	地
0349 ☐	灯 dēng	몡 등, 램프	灯
0350 ☐	地方 dìfang	몡 장소, 곳	地 方
0351 ☐	地铁 dìtiě	몡 지하철	地 铁

0352 ☑	地图 dìtú	몡 지도	地　图
0353 ☐	电梯 diàntī	몡 엘리베이터	电　梯
0354 ☐	电子邮件 diànzǐ yóujiàn	몡 이메일	电　子　邮　件
0355 ☐	东 dōng	몡 동쪽	东
0356 ☐	冬 dōng	몡 겨울	冬
0357 ☐	动物 dòngwù	몡 동물	动　物
0358 ☐	短 duǎn	혱 짧다	短
0359 ☐	段 duàn	양 (시간, 거리의) 한 단락	段
0360 ☐	锻炼 duànliàn	동 단련하다	锻　炼
0361 ☐	多么 duōme	뷔 얼마나, 어느 정도	多　么
0362 ☐	饿 è	혱 배고프다	饿
0363 ☐	耳朵 ěrduo	몡 귀	耳　朵
0364 ☐	发 fā	동 보내다, 발송하다, 교부하다	发
0365 ☐	发烧 fāshāo	동 열이 나다	发　烧
0366 ☐	发现 fāxiàn	동 발견하다, 알아차리다	发　现
0367 ☐	方便 fāngbiàn	혱 편리하다	方　便
0368 ☐	放 fàng	동 놓다, 넣다	放

F
G

0369 ☑	放心 fàngxīn	동 마음을 놓다, 안심하다	放 心
0370 ☐	分 fēn	양 (시간의) 분 동 나누다, 분배하다	分
0371 ☐	附近 fùjìn	명 부근, 근처	附 近
0372 ☐	复习 fùxí	동 복습하다	复 习
0373 ☐	干净 gānjìng	형 깨끗하다, 청결하다	干 净
0374 ☐	感冒 gǎnmào	동 감기에 걸리다 명 감기	感 冒
0375 ☐	感兴趣 gǎn xìngqù	관심이 있다, 흥미가 있다	感 兴 趣
0376 ☐	刚才 gāngcái	명 지금 막, 방금	刚 才
0377 ☐	个子 gèzi	명 (사람의) 키	个 子
0378 ☐	根据 gēnjù	전 ~에 근거하여~ 명 근거	根 据
0379 ☐	跟 gēn	전 ~와(과)~	跟
0380 ☐	更 gèng	부 더욱, 훨씬	更
0381 ☐	公斤 gōngjīn	양 킬로그램(kg)	公 斤
0382 ☐	公园 gōngyuán	명 공원	公 园
0383 ☐	故事 gùshi	명 이야기, 옛날이야기	故 事
0384 ☐	刮风 guāfēng	동 바람이 불다	刮 风
0385 ☐	关 guān	동 (문을) 닫다, (전자제품을) 끄다	关

G
H

0386 ☑	关系 guānxi	명 관계	关 系
0387 ☐	关心 guānxīn	동 관심을 갖다	关 心
0388 ☐	关于 guānyú	전 ~에 관해서~	关 于
0389 ☐	国家 guójiā	명 국가, 나라	国 家
0390 ☐	过 guò	동 건너다, 지나가다, 경과하다	过
0391 ☐	过去 guòqù	명 과거	过 去
0392 ☐	还是 háishi	부 여전히, 아직도 접 또는, 아니면(의문문에 쓰임) A 还是 B?	还 是
0393 ☐	害怕 hàipà	동 겁내다, 무서워하다	害 怕
0394 ☐	黑板 hēibǎn	명 칠판	黑 板
0395 ☐	后来 hòulái	명 그 후, 그다음	后 来
0396 ☐	护照 hùzhào	명 여권	护 照
0397 ☐	花 huā	동 쓰다, 소비하다	花
0398 ☐	花 huā	명 꽃	花
0399 ☐	画 huà	동 (그림을) 그리다 명 그림	画
0400 ☐	坏 huài	형 나쁘다, (음식이) 상하다, (전자제품이) 고장 나다	坏
0401 ☐	欢迎 huānyíng	동 환영하다, 기쁘게 맞이하다	欢 迎
0402 ☐	还 huán	동 갚다	还

27

0403 ☐	环境 huánjìng	명 환경	环 境
0404 ☐	换 huàn	동 교환하다, 바꾸다	换
0405 ☐	黄河 Huáng Hé	명 황허(강)	黄 河
0406 ☐	回答 huídá	동 대답하다	回 答
0407 ☐	会议 huìyì	명 회의	会 议
0408 ☐	或者 huòzhě	접 ~인가 아니면 (선택관계 평서 문에 쓰임) A 或者 B。	或 者
0409 ☐	几乎 jīhū	부 거의	几 乎
0410 ☐	机会 jīhuì	명 기회	机 会
0411 ☐	极 jí	부 아주, 극히, 매우	极
0412 ☐	记得 jìde	동 기억하고 있다	记 得
0413 ☐	季节 jìjié	명 계절	季 节
0414 ☐	检查 jiǎnchá	동 검사하다, 점검하다	检 查
0415 ☐	简单 jiǎndān	형 간단하다, 단순하다	简 单
0416 ☐	见面 jiànmiàn	동 만나다	见 面
0417 ☐	健康 jiànkāng	형 건강하다 명 건강	健 康
0418 ☐	讲 jiǎng	동 말하다, 설명하다	讲
0419 ☐	教 jiāo	동 가르치다	教

J

0420	角 jiǎo	몡 모서리, 귀퉁이	角
0421	脚 jiǎo	몡 발	脚
0422	接 jiē	됭 마중하다, (전화를) 받다	接
0423	街道 jiēdào	몡 거리, 큰길	街 道
0424	节目 jiémù	몡 프로그램, 종목	节 目
0425	节日 jiérì	몡 기념일, 명절	节 日
0426	结婚 jiéhūn	됭 결혼하다 / 몡 결혼	结 婚
0427	结束 jiéshù	됭 끝나다, 마치다	结 束
0428	解决 jiějué	됭 해결하다	解 决
0429	借 jiè	됭 빌리다, 빌려주다	借
0430	经常 jīngcháng	뭐 자주, 종종, 항상	经 常
0431	经过 jīngguò	됭 (장소, 시간, 동작을) 거치다	经 过
0432	经理 jīnglǐ	몡 (기업의) 경영 관리 책임자, 사장	经 理
0433	久 jiǔ	혱 오래다, 시간이 길다	久
0434	旧 jiù	혱 낡다, 오래다	旧
0435	句子 jùzi	몡 문장	句 子
0436	决定 juédìng	됭 결정하다 / 몡 결정	决 定

0437 ☑	可爱 kě'ài	형 귀엽다, 사랑스럽다	可	爱
0438 ☐	渴 kě	형 목마르다, 갈증 나다	渴	
0439 ☐	刻 kè	양 15분	刻	
0440 ☐	客人 kèrén	명 손님, 방문객	客	人
0441 ☐	空调 kōngtiáo	명 에어컨	空	调
0442 ☐	口 kǒu	양 명(식구를 세는 단위)	口	
0443 ☐	哭 kū	동 (소리내어) 울다	哭	
0444 ☐	裤子 kùzi	명 바지	裤	子
0445 ☐	筷子 kuàizi	명 젓가락	筷	子
0446 ☐	蓝 lán	형 남색의, 파란색의	蓝	
0447 ☐	老 lǎo	형 늙다, 낡은	老	
0448 ☐	离开 líkāi	동 떠나다	离	开
0449 ☐	礼物 lǐwù	명 선물	礼	物
0450 ☐	历史 lìshǐ	명 역사	历	史
0451 ☐	脸 liǎn	명 얼굴	脸	
0452 ☐	练习 liànxí	동 연습하다, 익히다 명 연습	练	习
0453 ☐	辆 liàng	양 대, 량(탈 것을 세는 단위)	辆	

0454	聊天儿 liáotiānr	툉 잡담하다, 수다 떨다	聊 天 儿
0455	了解 liǎojiě	툉 자세하게 알다, 이해하다	了 解
0456	邻居 línjū	몡 이웃집, 이웃 사람	邻 居
0457	留学 liúxué	툉 유학하다	留 学
0458	楼 lóu	몡 건물, 빌딩 양 층	楼
0459	绿 lǜ	혱 푸르다, 초록색의	绿
0460	马 mǎ	몡 말	马
0461	马上 mǎshàng	틧 곧, 즉시	马 上
0462	满意 mǎnyì	툉 만족하다	满 意
0463	帽子 màozi	몡 모자	帽 子
0464	米 mǐ	양 미터(m)	米
0465	面包 miànbāo	몡 빵	面 包
0466	明白 míngbai	툉 알다, 이해하다 혱 분명하다, 명백하다	明 白
0467	拿 ná	툉 쥐다, 잡다, 가지다	拿
0468	奶奶 nǎinai	몡 할머니	奶 奶
0469	南 nán	몡 남쪽	南
0470	难 nán	혱 어렵다, 힘들다	难

N
P
Q

0471	难过 nánguò	형 괴롭다, 힘들다	难	过
0472	年级 niánjí	명 학년	年	级
0473	年轻 niánqīng	형 젊다, 어리다	年	轻
0474	鸟 niǎo	명 새	鸟	
0475	努力 nǔlì	형 노력하다, 열심히 하다	努	力
0476	爬山 páshān	동 등산하다, 산을 오르다	爬	山
0477	盘子 pánzi	명 쟁반, 큰접시	盘	子
0478	胖 pàng	형 뚱뚱하다, 살찌다	胖	
0479	皮鞋 píxié	명 가죽 구두	皮	鞋
0480	啤酒 píjiǔ	명 맥주	啤	酒
0481	瓶子 píngzi	명 병	瓶	子
0482	其实 qíshí	부 사실은, 실은	其	实
0483	其他 qítā	대 기타, 다른 사람(사물), 그 외	其	他
0484	奇怪 qíguài	형 기이하다, 이상하다	奇	怪
0485	骑 qí	동 (동물이나 자전거 등에 기마 자세로) 타다	骑	
0486	起飞 qǐfēi	동 이륙하다	起	飞
0487	起来 qǐlái	동 일어나다, 일어서다	起	来

0488	清楚 qīngchu	형 분명하다, 뚜렷하다	清 楚
0489	请假 qǐngjià	동 휴가를 신청하다	请 假
0490	秋 qiū	명 가을	秋
0491	裙子 qúnzi	명 치마	裙 子
0492	然后 ránhòu	접 그런 후에, 그다음에	然 后
0493	热情 rèqíng	형 친절하다, 열정적이다 명 친절, 열정	热 情
0494	认为 rènwéi	동 ~라 여기다, 생각하다	认 为
0495	认真 rènzhēn	형 진지하다, 착실하다	认 真
0496	容易 róngyì	형 쉽다, 용이하다	容 易
0497	如果 rúguǒ	접 만약 ~라면	如 果
0498	伞 sǎn	명 우산	伞
0499	上网 shàngwǎng	동 인터넷을 하다	上 网
0500	生气 shēngqì	동 화내다, 성나다	生 气
0501	声音 shēngyīn	명 소리, 목소리	声 音
0502	世界 shìjiè	명 세계, 세상	世 界
0503	试 shì	동 시험 삼아 해보다	试
0504	瘦 shòu	형 마르다, 여위다	瘦

Q
R
S

33

0505	叔叔 shūshu	몡 삼촌, 아저씨	叔　叔
0506	舒服 shūfu	혱 (몸·마음이) 편안하다, 안락하다	舒　服
0507	树 shù	몡 나무, 수목	树
0508	数学 shùxué	몡 수학	数　学
0509	刷牙 shuāyá	동 이를 닦다	刷　牙
0510	双 shuāng	양 짝, 켤레, 쌍(짝을 이룬 물건을 세는 단위)	双
0511	水平 shuǐpíng	몡 수준, 능력	水　平
0512	司机 sījī	몡 운전 기사	司　机
0513	太阳 tàiyáng	몡 태양, 해	太　阳
0514	特别 tèbié	혱 특별하다, 특이하다 뷔 특별히, 아주	特　别
0515	疼 téng	혱 아프다	疼
0516	提高 tígāo	동 향상시키다, 높이다	提　高
0517	体育 tǐyù	몡 체육, 스포츠	体　育
0518	甜 tián	혱 달다, 달콤하다	甜
0519	条 tiáo	양 벌(바지나 치마를 세는 단위)	条
0520	同事 tóngshì	몡 동료	同　事
0521	同意 tóngyì	동 동의하다, 찬성하다	同　意

T
W
X

0522 ☑	头发 tóufa	몡 머리카락	头 发
0523 ☐	突然 tūrán	혱 (상황이) 갑작스럽다 뮈 갑자기	突 然
0524 ☐	图书馆 túshūguǎn	몡 도서관	图 书 馆
0525 ☐	腿 tuǐ	몡 다리	腿
0526 ☐	完成 wánchéng	동 완성하다, 끝내다	完 成
0527 ☐	碗 wǎn	얭 그릇, 공기 몡 그릇, 사발	碗
0528 ☐	万 wàn	쥐 10000, 만	万
0529 ☐	忘记 wàngjì	동 잊어버리다	忘 记
0530 ☐	为 wèi	젠 ~을 위하여~, ~에 대해서~	为
0531 ☐	为了 wèile	젠 ~을 위하여~	为 了
0532 ☐	位 wèi	얭 명, 분(사람을 공손하게 표현 하여 세는 단위)	位
0533 ☐	文化 wénhuà	몡 문화	文 化
0534 ☐	西 xī	몡 서쪽	西
0535 ☐	习惯 xíguàn	동 습관이 되다, 익숙해지다 몡 습관, 버릇	习 惯
0536 ☐	洗手间 xǐshǒujiān	몡 화장실	洗 手 间
0537 ☐	洗澡 xǐzǎo	동 샤워하다, 몸을 씻다	洗 澡
0538 ☐	夏 xià	몡 여름	夏

X
Y

0539	先 xiān	🔲 우선, 먼저	先
0540	相信 xiāngxìn	🔲 믿다, 신임하다	相 信
0541	香蕉 xiāngjiāo	🔲 바나나	香 蕉
0542	向 xiàng	🔲 ~을 향하여~, ~쪽으로~	向
0543	像 xiàng	🔲 비슷하다, 닮다, ~와 같다	像
0544	小心 xiǎoxīn	🔲 조심하다, 주의하다	小 心
0545	校长 xiàozhǎng	🔲 교장	校 长
0546	新闻 xīnwén	🔲 뉴스	新 闻
0547	新鲜 xīnxiān	🔲 신선하다, 싱싱하다	新 鲜
0548	信用卡 xìnyòngkǎ	🔲 신용 카드	信 用 卡
0549	行李箱 xínglixiāng	🔲 여행용 가방, 트렁크	行 李 箱
0550	熊猫 xióngmāo	🔲 판다(동물)	熊 猫
0551	需要 xūyào	🔲 필요하다, 요구되다	需 要
0552	选择 xuǎnzé	🔲 선택하다 🔲 선택	选 择
0553	要求 yāoqiú	🔲 요구하다, 요망하다 🔲 요구, 요망	要 求
0554	爷爷 yéye	🔲 할아버지	爷 爷
0555	一般 yìbān	🔲 일반적으로 🔲 일반적이다, 보통이다	一 般

Y

0556 ☑	一边 yìbiān	접 한편으로, ~하면서 ~하다	一 边
0557 ☐	一定 yídìng	부 반드시, 꼭 형 어느 정도의, 상당한	一 定
0558 ☐	一共 yígòng	부 모두, 전부, 토탈	一 共
0559 ☐	一会儿 yíhuìr	수 잠깐(시간의 양)	一 会 儿
0560 ☐	一样 yíyàng	형 같다, 동일하다	一 样
0561 ☐	一直 yìzhí	부 계속, 줄곧	一 直
0562 ☐	以前 yǐqián	명 이전, 과거	以 前
0563 ☐	音乐 yīnyuè	명 음악	音 乐
0564 ☐	银行 yínháng	명 은행	银 行
0565 ☐	饮料 yǐnliào	명 음료	饮 料
0566 ☐	应该 yīnggāi	조동 마땅히 ~해야 한다(당위성)	应 该
0567 ☐	影响 yǐngxiǎng	동 영향을 주다(끼치다) 명 영향	影 响
0568 ☐	用 yòng	동 쓰다, 사용하다	用
0569 ☐	游戏 yóuxì	명 게임, 놀이	游 戏
0570 ☐	有名 yǒumíng	형 유명하다	有 名
0571 ☐	又 yòu	부 또, 다시 (이미 발생)	又
0572 ☐	遇到 yùdào	동 (우연히) 마주치다, 만나다	遇 到

0573 ☑	元 yuán	양 위안(중국 화폐 단위)	元
0574 ☐	愿意 yuànyì	동 바라다, 희망하다	愿 意
0575 ☐	月亮 yuèliang	명 달	月 亮
0576 ☐	越 yuè	부 점점 ~하다	越
0577 ☐	站 zhàn	동 서다, 멈추다 / 명 정류장, 역	站
0578 ☐	张 zhāng	양 장(종이나 가죽처럼 얇고 평평한 것을 세는 단위)	张
0579 ☐	长 zhǎng	동 (사람, 생물이) 성장하다, 자라다, 생기다	长
0580 ☐	着急 zháojí	형 조급해하다, 초조해하다	着 急
0581 ☐	照顾 zhàogù	동 보살피다, 돌보다	照 顾
0582 ☐	照片 zhàopiàn	명 사진	照 片
0583 ☐	照相机 zhàoxiàngjī	명 사진기	照 相 机
0584 ☐	只 zhǐ	부 단지, 다만	只
0585 ☐	只有…才… zhǐyǒu…cái…	접 단지 ~해야지만이 비로소 ~하다 (유일한 조건)	只 有 才
0586 ☐	中间 zhōngjiān	명 중간, 가운데	中 间
0587 ☐	中文 Zhōngwén	명 중국어, 중문	中 文
0588 ☐	终于 zhōngyú	부 마침내, 결국	终 于
0589 ☐	种 zhǒng	양 종류, 부류	种

0590	重要 zhòngyào	형 중요하다	重 要
0591	周末 zhōumò	명 주말	周 末
0592	主要 zhǔyào	형 주요한, 주된	主 要
0593	注意 zhùyì	동 주의하다, 조심하다	注 意
0594	自己 zìjǐ	대 자기, 자신	自 己
0595	自行车 zìxíngchē	명 자전거	自 行 车
0596	总是 zǒngshì	부 늘, 언제나, 항상	总 是
0597	嘴 zuǐ	명 입	嘴
0598	最后 zuìhòu	명 최후, 끝	最 后
0599	最近 zuìjìn	명 최근, 요즈음	最 近
0600	作业 zuòyè	명 숙제, 과제	作 业

A
B

0601 ☑	爱情 àiqíng	몡 애정, 남녀 간의 사랑	爱 情
0602 ☐	安排 ānpái	동 안배하다, 배치하다 몡 안배	安 排
0603 ☐	安全 ānquán	혱 안전하다 몡 안전	安 全
0604 ☐	按时 ànshí	뷔 제때에, 시간에 맞추어	按 时
0605 ☐	按照 ànzhào	젠 ~에 따라~, ~에 의거하여~	按 照
0606 ☐	百分之 bǎifēnzhī	퍼센트(%)	百 分 之
0607 ☐	棒 bàng	혱 훌륭하다, (수준이) 높다	棒
0608 ☐	包子 bāozi	몡 (소가 든) 찐빵	包 子
0609 ☐	保护 bǎohù	동 보호하다	保 护
0610 ☐	保证 bǎozhèng	동 보장하다, 장담하다	保 证
0611 ☐	报名 bàomíng	동 신청하다, 등록하다	报 名
0612 ☐	抱 bào	동 안다, 포옹하다	抱
0613 ☐	抱歉 bàoqiàn	혱 미안하게 생각하다	抱 歉
0614 ☐	倍 bèi	양 배, 곱절	倍
0615 ☐	本来 běnlái	뷔 본래, 원래	本 来
0616 ☐	笨 bèn	혱 멍청하다, 우둔하다	笨
0617 ☐	比如 bǐrú	동 예를 들어	比 如

0618 ☑	毕业 bìyè	통 졸업하다 명 졸업	毕 业
0619 ☐	遍 biàn	양 번, 차례(동작의 처음부터 끝까지)	遍
0620 ☐	标准 biāozhǔn	명 표준 형 표준의, 표준적이다	标 准
0621 ☐	表格 biǎogé	명 표, 양식	表 格
0622 ☐	表示 biǎoshì	통 나타내다(말이나 행동으로 생각이나 태도를 나타냄)	表 示
0623 ☐	表演 biǎoyǎn	통 공연하다, 연기하다 명 공연	表 演
0624 ☐	表扬 biǎoyáng	통 칭찬하다	表 扬
0625 ☐	饼干 bǐnggān	명 비스킷, 과자	饼 干
0626 ☐	并且 bìngqiě	접 게다가, 또한(=而且)	并 且
0627 ☐	博士 bóshì	명 박사(학위)	博 士
0628 ☐	不得不 bùdébù	부 어쩔 수 없이	不 得 不
0629 ☐	不管 bùguǎn	접 ~을 막론하고, ~에 관계없이	不 管
0630 ☐	不过 búguò	접 그런데, 하지만	不 过
0631 ☐	不仅 bùjǐn	접 ~뿐만 아니라	不 仅
0632 ☐	部分 bùfen	명 (전체 중의) 부분, 일부분	部 分
0633 ☐	擦 cā	통 닦다	擦
0634 ☐	猜 cāi	통 추측하다, 알아맞히다	猜

C

0635 ☑	**材料** cáiliào	몡 재료, 자료	材 料
0636 ☐	**参观** cānguān	동 참관하다, 견학하다	参 观
0637 ☐	**餐厅** cāntīng	몡 음식점, 레스토랑	餐 厅
0638 ☐	**厕所** cèsuǒ	몡 화장실, 변소	厕 所
0639 ☐	**差不多** chàbuduō	혱 비슷하다, 큰 차이가 없다 뫼 거의, 대체로	差 不 多
0640 ☐	**长城** Chángchéng	몡 만리장성	长 城
0641 ☐	**长江** Cháng Jiāng	몡 장강(양쯔강)	长 江
0642 ☐	**场** chǎng	먕 회, 번, 차례	场
0643 ☐	**超过** chāoguò	동 초과하다	超 过
0644 ☐	**成功** chénggōng	동 성공하다, 이루다 몡 성공	成 功
0645 ☐	**成为** chéngwéi	동 ~이 되다, ~으로 되다	成 为
0646 ☐	**诚实** chéngshí	혱 진실하다, 성실하다	诚 实
0647 ☐	**乘坐** chéngzuò	동 (자동차·배·비행기 등을) 타다	乘 坐
0648 ☐	**吃惊** chījīng	동 놀라다	吃 惊
0649 ☐	**重新** chóngxīn	뫼 다시, 재차	重 新
0650 ☐	**抽烟** chōuyān	동 담배를 피우다, 흡연하다	抽 烟
0651 ☐	**出差** chūchāi	동 출장 가다	出 差

C
D

0652	出发 chūfā	동 출발하다	出 发
0653	出生 chūshēng	동 출생하다, 태어나다	出 生
0654	出现 chūxiàn	동 출현하다, 나타나다	出 现
0655	厨房 chúfáng	명 주방	厨 房
0656	传真 chuánzhēn	명 팩스	传 真
0657	窗户 chuānghu	명 창문	窗 户
0658	词语 cíyǔ	명 단어, 어휘	词 语
0659	从来 cónglái	부 지금까지, 여태껏	从 来
0660	粗心 cūxīn	형 세심하지 못하다, 소홀하다	粗 心
0661	存 cún	동 맡겨두다, 보관하다 동 저축하다	存
0662	错误 cuòwù	명 착오, 잘못	错 误
0663	答案 dá'àn	명 답안, 답	答 案
0664	打扮 dǎban	동 화장하다, 치장하다	打 扮
0665	打扰 dǎrǎo	동 방해하다, 지장을 주다	打 扰
0666	打印 dǎyìn	동 인쇄하다, 프린트하다	打 印
0667	打招呼 dǎ zhāohu	동 인사하다	打 招 呼
0668	打折 dǎzhé	동 할인하다, 가격을 깎다	打 折

D

0669	打针 dǎzhēn	동 주사를 놓다	打 针
0670	大概 dàgài	부 아마도, 대개	大 概
0671	大使馆 dàshǐguǎn	명 대사관	大 使 馆
0672	大约 dàyuē	부 대개는, 대략	大 约
0673	大夫 dàifu	명 의사	大 夫
0674	戴 dài	동 (모자, 안경 등을 신체에) 착용 하다, 쓰다	戴
0675	当 dāng	동 맡다, 담당하다	当
0676	当时 dāngshí	명 당시, 그때	当 时
0677	刀 dāo	명 칼	刀
0678	导游 dǎoyóu	명 관광 안내원, 가이드	导 游
0679	到处 dàochù	부 도처에, 곳곳에	到 处
0680	到底 dàodǐ	부 도대체, 대관절	到 底
0681	倒 dào	부 거꾸로 동 (물, 술 등을) 따르다, 쏟다, 붓다	倒
0682	道歉 dàoqiàn	동 사과하다, 사죄하다	道 歉
0683	得意 déyì	동 마음에 들다, 의기양양하다	得 意
0684	得 děi	조동 ~해야만 한다(당위성)	得
0685	登机牌 dēngjīpái	명 탑승권	登 机 牌

D
E

0686	等 děng	동 기다리다 조 등, 따위(그 밖에도 더 있음을 나타냄	等	
0687	低 dī	형 낮다	低	
0688	底 dǐ	명 밑, 바닥	底	
0689	地点 dìdiǎn	명 지점, 장소, 위치	地	点
0690	地球 dìqiú	명 지구	地	球
0691	地址 dìzhǐ	명 주소, 소재지	地	址
0692	调查 diàochá	동 조사하다 명 조사	调	查
0693	掉 diào	동 떨어지다, 떨어뜨리다	掉	
0694	丢 diū	동 잃다, 잃어버리다	丢	
0695	动作 dòngzuò	명 동작, 행동	动	作
0696	堵车 dǔchē	동 교통이 꽉 막히다	堵	车
0697	肚子 dùzi	명 배, 복부	肚	子
0698	短信 duǎnxìn	명 문자 메시지	短	信
0699	对话 duìhuà	동 대화하다 명 대화	对	话
0700	对面 duìmiàn	명 맞은편, 건너편	对	面
0701	对于 duìyú	전 ~에 대해서~	对	于
0702	儿童 értóng	명 아동, 어린이	儿	童

E
F

0703	而 ér	접 ~하고도, 그리고 (순접) 접 그러나 (역접)	而
0704	发生 fāshēng	동 발생하다, 생기다	发 生
0705	发展 fāzhǎn	동 발전하다 명 발전	发 展
0706	法律 fǎlǜ	명 법률	法 律
0707	翻译 fānyì	동 번역하다, 통역하다 명 번역사, 통역가	翻 译
0708	烦恼 fánnǎo	형 걱정하다, 고민하다	烦 恼
0709	反对 fǎnduì	동 반대하다	反 对
0710	方法 fāngfǎ	명 방법, 수단	方 法
0711	方面 fāngmiàn	명 방면, 분야	方 面
0712	方式 fāngshì	명 방식, 방법	方 式
0713	方向 fāngxiàng	명 방향	方 向
0714	房东 fángdōng	명 집주인	房 东
0715	放弃 fàngqì	동 포기하다	放 弃
0716	放暑假 fàng shǔjià	여름 방학을 하다	放 暑 假
0717	放松 fàngsōng	동 긴장을 풀다	放 松
0718	份 fèn	양 부, 통, 권(신문·잡지·문건 등 을 세는 단위)	份
0719	丰富 fēngfù	형 많다, 풍부하다	丰 富

0720	否则 fǒuzé	쩝 만약 그렇지 않으면	否 则
0721	符合 fúhé	동 부합하다, 일치하다	符 合
0722	父亲 fùqīn	명 부친, 아버지	父 亲
0723	付款 fùkuǎn	동 돈을 지불하다	付 款
0724	负责 fùzé	동 책임지다	负 责
0725	复印 fùyìn	동 복사하다	复 印
0726	复杂 fùzá	형 복잡하다	复 杂
0727	富 fù	형 풍부하다, 부유하다	富
0728	改变 gǎibiàn	동 변화하다, 고치다, 바뀌다	改 变
0729	干杯 gānbēi	동 건배하다	干 杯
0730	赶 gǎn	동 뒤쫓다, 따라가다	赶
0731	敢 gǎn	조동 감히 ~하다	敢
0732	感动 gǎndòng	동 감동하다	感 动
0733	感觉 gǎnjué	동 느끼다, 여기다 / 명 느낌, 감각	感 觉
0734	感情 gǎnqíng	명 감정	感 情
0735	感谢 gǎnxiè	동 고맙다, 감사하다	感 谢
0736	干 gàn	동 (어떤 일을) 하다	干

47

G

0737	刚 gāng	閅 방금, 막, 바로	刚			
0738	高速公路 gāosù gōnglù	뎽 고속도로	高	速	公	路
0739	胳膊 gēbo	뎽 팔	胳	膊		
0740	各 gè	덶 각, 여러 가지	各			
0741	工资 gōngzī	뎽 월급, 임금	工	资		
0742	公里 gōnglǐ	양 킬로미터(km)	公	里		
0743	功夫 gōngfu	뎽 (투자한) 시간, 노력	功	夫		
0744	共同 gòngtóng	혱 공동의, 공통의	共	同		
0745	购物 gòuwù	동 물품을 구입하다	购	物		
0746	够 gòu	혱 충분하다, 넉넉하다, 족하다	够			
0747	估计 gūjì	동 추측하다, 짐작하다	估	计		
0748	鼓励 gǔlì	동 격려하다, (용기를) 북돋우다	鼓	励		
0749	故意 gùyì	閅 고의로, 일부러	故	意		
0750	顾客 gùkè	뎽 고객, 손님	顾	客		
0751	挂 guà	동 (벽에) 걸다 동 (전화를) 끊다	挂			
0752	关键 guānjiàn	뎽 관건, 키포인트	关	键		
0753	观众 guānzhòng	뎽 관중	观	众		

G
H

0754	管理 guǎnlǐ	통 관리하다	管 理
0755	光 guāng	명 빛	光
0756	广播 guǎngbō	통 방송하다	广 播
0757	广告 guǎnggào	명 광고	广 告
0758	逛 guàng	통 돌아다니다, 구경하다	逛
0759	规定 guīdìng	명 규정, 규칙	规 定
0760	国籍 guójí	명 국적	国 籍
0761	国际 guójì	형 국제의, 국제적인	国 际
0762	果汁 guǒzhī	명 과일 주스	果 汁
0763	过程 guòchéng	명 과정	过 程
0764	海洋 hǎiyáng	명 해양, 바다	海 洋
0765	害羞 hàixiū	형 부끄러워하다, 수줍어하다	害 羞
0766	寒假 hánjià	명 겨울 방학	寒 假
0767	汗 hàn	명 땀	汗
0768	航班 hángbān	명 (배, 비행기) 운행표	航 班
0769	好处 hǎochù	명 이로운 점, 장점	好 处
0770	好像 hǎoxiàng	부 마치 통 마치 ~인 것 같다	好 像

H
J

0771	号码 hàomǎ	몡 번호	号 码
0772	合格 hégé	혱 규격에 맞다, 합격이다	合 格
0773	合适 héshì	혱 적합하다, 알맞다	合 适
0774	盒子 hézi	몡 작은 상자	盒 子
0775	后悔 hòuhuǐ	동 후회하다, 뉘우치다	后 悔
0776	厚 hòu	혱 두껍다, 두텁다	厚
0777	互联网 hùliánwǎng	몡 인터넷	互 联 网
0778	互相 hùxiāng	믄 서로, 상호	互 相
0779	护士 hùshi	몡 간호사	护 士
0780	怀疑 huáiyí	동 의심하다, 의심을 품다	怀 疑
0781	回忆 huíyì	동 회상하다, 추억하다 몡 회상, 추억	回 忆
0782	活动 huódòng	동 활동하다, 움직이다 몡 활동, 행사, 모임	活 动
0783	活泼 huópō	혱 활발하다, 활기차다	活 泼
0784	火 huǒ	몡 불, 화염	火
0785	获得 huòdé	동 얻다, 획득하다	获 得
0786	积极 jījí	혱 적극적이다, 열성적이다	积 极
0787	积累 jīlěi	동 쌓이다, 축적하다	积 累

0788	基础 jīchǔ	몡 기초, 토대	基 础
0789	激动 jīdòng	동 감격하다, 감동하다, 흥분하다	激 动
0790	及时 jíshí	뿌 제때에, 적시에 혱 시기적절하다, 때맞다	及 时
0791	即使 jíshǐ	젭 설령 ~할지라도	即 使
0792	计划 jìhuà	동 계획하다 몡 계획	计 划
0793	记者 jìzhě	몡 기자	记 者
0794	技术 jìshù	몡 기술	技 术
0795	既然 jìrán	젭 기왕 이렇게 된 바에	既 然
0796	继续 jìxù	동 계속하다, 끊임없이 하다	继 续
0797	寄 jì	동 (우편으로) 부치다, 보내다	寄
0798	加班 jiābān	동 야근하다, 초과 근무를 하다	加 班
0799	加油站 jiāyóuzhàn	몡 주유소	加 油 站
0800	家具 jiājù	몡 가구	家 具
0801	假 jiǎ	혱 거짓의, 가짜의	假
0802	价格 jiàgé	몡 가격, 값	价 格
0803	坚持 jiānchí	동 끝까지 버티다, 포기하지 않다	坚 持
0804	减肥 jiǎnféi	동 살을 빼다, 다이어트하다	减 肥

J

0805	减少 jiǎnshǎo	동 감소하다, 줄이다	减 少
0806	建议 jiànyì	동 제안하다, 건의하다 명 제안, 제의	建 议
0807	将来 jiānglái	명 장래, 미래	将 来
0808	奖金 jiǎngjīn	명 상금, 보너스	奖 金
0809	降低 jiàngdī	동 내려가다, 인하하다	降 低
0810	降落 jiàngluò	동 착륙하다	降 落
0811	交 jiāo	동 건네다, 제출하다	交
0812	交流 jiāoliú	동 서로 소통하다, 교류하다	交 流
0813	交通 jiāotōng	명 교통	交 通
0814	郊区 jiāoqū	명 (도시의) 변두리, 교외	郊 区
0815	骄傲 jiāo'ào	형 오만하다, 거만하다	骄 傲
0816	饺子 jiǎozi	명 만두	饺 子
0817	教授 jiàoshòu	명 교수	教 授
0818	教育 jiàoyù	명 교육	教 育
0819	接受 jiēshòu	동 받아들이다, 받다	接 受
0820	接着 jiēzhe	부 이어서, 잇따라	接 着
0821	节 jié	명 기념일, 명절, (식물) 마디	节

0822	节约 jiéyuē	图 절약하다, 줄이다	节 约
0823	结果 jiéguǒ	图 결과, 결실	结 果
0824	解释 jiěshì	图 설명하다, 해명하다	解 释
0825	尽管 jǐnguǎn	젭 비록 ~라 하더라도(=虽然)	尽 管
0826	紧张 jǐnzhāng	圈 긴장하다, 불안하다	紧 张
0827	进行 jìnxíng	图 진행하다	进 行
0828	禁止 jìnzhǐ	图 금지하다, 불허하다	禁 止
0829	京剧 jīngjù	图 경극	京 剧
0830	经济 jīngjì	图 경제	经 济
0831	经历 jīnglì	图 (몸소) 체험하다 图 경력(몸소 겪은 일)	经 历
0832	经验 jīngyàn	图 경험(행동을 통해 얻은 지식과 기능)	经 验
0833	精彩 jīngcǎi	圈 뛰어나다, 훌륭하다	精 彩
0834	景色 jǐngsè	图 풍경, 경치	景 色
0835	警察 jǐngchá	图 경찰	警 察
0836	竞争 jìngzhēng	图 경쟁하다 图 경쟁	竞 争
0837	竟然 jìngrán	图 뜻밖에도, 의외로	竟 然
0838	镜子 jìngzi	图 거울	镜 子

J K

0839	究竟 jiūjìng	图 도대체, 대관절(=到底)	究 竟
0840	举 jǔ	图 들다, 들어 올리다	举
0841	举办 jǔbàn	图 개최하다	举 办
0842	举行 jǔxíng	图 (행사 등을) 거행하다	举 行
0843	拒绝 jùjué	图 거절하다, 거부하다	拒 绝
0844	距离 jùlí	图 거리, 간격	距 离
0845	聚会 jùhuì	图 모임, 집회	聚 会
0846	开玩笑 kāi wánxiào	图 농담하다, 웃기다, 놀리다	开 玩 笑
0847	开心 kāixīn	图 기쁘다, 즐겁다	开 心
0848	看法 kànfǎ	图 견해, 생각	看 法
0849	考虑 kǎolǜ	图 고려하다, 생각하다	考 虑
0850	烤鸭 kǎoyā	图 오리구이	烤 鸭
0851	科学 kēxué	图 과학	科 学
0852	棵 kē	图 그루, 포기(식물을 세는 단위)	棵
0853	咳嗽 késou	图 기침하다	咳 嗽
0854	可怜 kělián	图 불쌍하다	可 怜
0855	可是 kěshì	图 그러나, 하지만	可 是

K
L

0856	可惜 kěxī	형 아쉽다, 섭섭하다	可　惜
0857	客厅 kètīng	명 거실, 응접실	客　厅
0858	肯定 kěndìng	부 확실히, 틀림없이	肯　定
0859	空 kōng	형 (속이) 텅 비다	空
0860	空气 kōngqì	명 공기	空　气
0861	恐怕 kǒngpà	부 아마 ~일 것이다 (부정적 결과 추측)	恐　怕
0862	苦 kǔ	형 (맛이) 쓰다	苦
0863	矿泉水 kuàngquánshuǐ	명 생수	矿　泉　水
0864	困 kùn	형 졸리다	困
0865	困难 kùnnan	형 빈곤하다, 어렵다 명 빈곤, 곤란	困　难
0866	垃圾桶 lājītǒng	명 쓰레기통	垃　圾　桶
0867	拉 lā	동 끌다, 당기다	拉
0868	辣 là	형 맵다	辣
0869	来不及 láibují	동 제시간에 댈 수 없다	来　不　及
0870	来得及 láidejí	동 늦지 않다	来　得　及
0871	来自 láizì	동 ~로부터 오다, ~에서 생겨나다	来　自
0872	懒 lǎn	형 게으르다, 나태하다	懒

L

0873	浪费 làngfèi	동 낭비하다, 허비하다	浪 费
0874	浪漫 làngmàn	형 낭만적이다, 로맨틱하다	浪 漫
0875	老虎 lǎohǔ	명 호랑이	老 虎
0876	冷静 lěngjìng	형 냉정하다, 침착하다	冷 静
0877	礼拜天 lǐbàitiān	명 일요일(=星期天)	礼 拜 天
0878	礼貌 lǐmào	명 예의	礼 貌
0879	理发 lǐfà	동 이발하다, 머리를 깎다	理 发
0880	理解 lǐjiě	동 알다, 이해하다	理 解
0881	理想 lǐxiǎng	명 이상, 꿈	理 想
0882	力气 lìqi	명 힘, 역량	力 气
0883	厉害 lìhai	형 대단하다, 심하다	厉 害
0884	例如 lìrú	동 예를 들다	例 如
0885	俩 liǎ	수량 두 사람(=两个人)	俩
0886	连 lián	전 ~조차도~, ~마저도~	连
0887	联系 liánxì	동 연락하다, 연결하다	联 系
0888	凉快 liángkuai	형 시원하다, 서늘하다	凉 快
0889	零钱 língqián	명 잔돈, 푼돈	零 钱

L
M

0890	另外 lìngwài	때 다른(그 외의) 사람이나 사물 접 이 외에, 이 밖에	另 外
0891	留 liú	동 남기다, 머무르다	留
0892	流利 liúlì	형 (말이) 유창하다, 막힘이 없다	流 利
0893	流行 liúxíng	동 유행하다, 성행하다	流 行
0894	旅行 lǚxíng	동 여행하다	旅 行
0895	律师 lǜshī	명 변호사	律 师
0896	乱 luàn	형 어지럽다, 무질서하다	乱
0897	麻烦 máfan	동 귀찮게 하다, 폐를 끼치다	麻 烦
0898	马虎 mǎhu	형 대강하다, 조심성이 없다	马 虎
0899	满 mǎn	형 가득 차다	满
0900	毛 máo	양 마오(중국의 화폐 단위로 1위안(元)의 1/10)	毛
0901	毛巾 máojīn	명 수건, 타월	毛 巾
0902	美丽 měilì	형 아름답다, 예쁘다	美 丽
0903	梦 mèng	명 꿈	梦
0904	迷路 mílù	동 길을 잃다	迷 路
0905	密码 mìmǎ	명 비밀번호	密 码
0906	免费 miǎnfèi	동 돈을 받지 않다, 무료로 하다	免 费

0907 ☑	秒 miǎo	양 초(시간의 단위)	秒	
0908 ☐	民族 mínzú	명 민족	民	族
0909 ☐	母亲 mǔqīn	명 모친, 어머니	母	亲
0910 ☐	目的 mùdì	명 목적	目	的
0911 ☐	耐心 nàixīn	형 참을성이 있다, 인내심이 강하다	耐	心
0912 ☐	难道 nándào	부 설마 ~란 말인가?	难	道
0913 ☐	难受 nánshòu	형 견딜 수 없다, 괴롭다	难	受
0914 ☐	内 nèi	명 안, 속, 내부	内	
0915 ☐	内容 nèiróng	명 내용	内	容
0916 ☐	能力 nénglì	명 능력	能	力
0917 ☐	年龄 niánlíng	명 연령, 나이	年	龄
0918 ☐	弄 nòng	동 하다, 행하다	弄	
0919 ☐	暖和 nuǎnhuo	형 따뜻하다, 따사롭다	暖	和
0920 ☐	偶尔 ǒu'ěr	부 때때로, 이따금(=有时候)	偶	尔
0921 ☐	排队 páiduì	동 줄 서다, 순서대로 정렬하다	排	队
0922 ☐	排列 páiliè	동 배열하다, 정렬하다	排	列
0923 ☐	判断 pànduàn	동 판단하다	判	断

P
Q

0924 ☑	陪 péi	동 모시다, 동반하다	陪
0925 ☐	批评 pīpíng	동 비평하다, 나무라다, 꾸짖다	批 评
0926 ☐	皮肤 pífū	명 피부	皮 肤
0927 ☐	脾气 píqi	명 성격	脾 气
0928 ☐	篇 piān	양 편(글을 세는 단위)	篇
0929 ☐	骗 piàn	동 속이다, 기만하다	骗
0930 ☐	乒乓球 pīngpāngqiú	명 탁구	乒 乓 球
0931 ☐	平时 píngshí	명 평소, 평상시	平 时
0932 ☐	破 pò	동 찢어지다, 깨지다	破
0933 ☐	葡萄 pútao	명 포도	葡 萄
0934 ☐	普遍 pǔbiàn	형 보편적인, 일반적인	普 遍
0935 ☐	普通话 pǔtōnghuà	명 보통화, 표준어	普 通 话
0936 ☐	其次 qícì	대 다음, 그다음	其 次
0937 ☐	其中 qízhōng	명 그중에	其 中
0938 ☐	气候 qìhòu	명 기후	气 候
0939 ☐	千万 qiānwàn	부 절대, 결코, 제발	千 万
0940 ☐	签证 qiānzhèng	명 비자	签 证

Q
R

0941	敲 qiāo	동 두드리다, 치다	敲
0942	桥 qiáo	명 다리, 교량	桥
0943	巧克力 qiǎokèlì	명 초콜릿	巧 克 力
0944	亲戚 qīnqi	명 친척	亲 戚
0945	轻 qīng	형 가볍다	轻
0946	轻松 qīngsōng	형 수월하다, 편안하다	轻 松
0947	情况 qíngkuàng	명 상황, 정황	情 况
0948	穷 qióng	형 빈곤하다, 가난하다	穷
0949	区别 qūbié	명 구별, 차이	区 别
0950	取 qǔ	동 (소포, 세탁, 예금 등 맡겨 놓은 것을) 찾다	取
0951	全部 quánbù	명 전부, 전체	全 部
0952	缺点 quēdiǎn	명 단점, 부족한 점	缺 点
0953	缺少 quēshǎo	동 부족하다, 모자라다	缺 少
0954	却 què	부 도리어, 오히려	却
0955	确实 quèshí	부 절대로, 확실히, 틀림없이	确 实
0956	然而 rán'ér	접 그러나, 하지만(=可是)	然 而
0957	热闹 rènao	형 번화하다, 시끌벅적하다	热 闹

0958	任何 rènhé	대 어떠한, 무슨	任 何
0959	任务 rènwu	명 임무	任 务
0960	扔 rēng	동 던지다, 내버리다	扔
0961	仍然 réngrán	부 변함없이, 여전히	仍 然
0962	日记 rìjì	명 일기	日 记
0963	入口 rùkǒu	명 입구	入 口
0964	散步 sànbù	동 산책하다, 산보하다	散 步
0965	森林 sēnlín	명 숲, 산림	森 林
0966	沙发 shāfā	명 소파	沙 发
0967	伤心 shāngxīn	동 상심하다, 슬퍼하다	伤 心
0968	商量 shāngliang	동 상의하다, 의논하다	商 量
0969	稍微 shāowēi	부 조금, 약간	稍 微
0970	勺子 sháozi	명 숟가락, 국자	勺 子
0971	社会 shèhuì	명 사회	社 会
0972	申请 shēnqǐng	동 신청하다	申 请
0973	深 shēn	형 깊다	深
0974	甚至 shènzhì	접 심지어	甚 至

S

0975 ☑	生活 shēnghuó	동 생활하다 명 생활	生 活
0976 ☐	生命 shēngmìng	명 생명, 목숨	生 命
0977 ☐	生意 shēngyi	명 장사, 사업	生 意
0978 ☐	省 shěng	동 절약하다, 아끼다 명 성(중국의 행정 구역)	省
0979 ☐	剩 shèng	동 남다, 남기다	剩
0980 ☐	失败 shībài	동 실패하다	失 败
0981 ☐	失望 shīwàng	형 실망하다, 낙담하다	失 望
0982 ☐	师傅 shīfu	명 기사님, 선생님(기예·기능을 가진 사람에 대한 존칭)	师 傅
0983 ☐	十分 shífēn	부 아주, 대단히	十 分
0984 ☐	实际 shíjì	형 실제의	实 际
0985 ☐	实在 shízài	부 확실히, 참으로	实 在
0986 ☐	使 shǐ	동 ～에게 ～하게 하다(=叫, 让)	使
0987 ☐	使用 shǐyòng	동 사용하다, 쓰다	使 用
0988 ☐	世纪 shìjì	명 세기	世 纪
0989 ☐	是否 shìfǒu	부 ～인지 아닌지	是 否
0990 ☐	适合 shìhé	동 적합하다(≠ 형 合适)	适 合
0991 ☐	适应 shìyìng	동 적응하다	适 应

S

0992	收 shōu	통 받다, 거두어들이다	收		
0993	收入 shōurù	명 수입, 소득	收	入	
0994	收拾 shōushi	통 정돈하다, 수습하다	收	拾	
0995	首都 shǒudū	명 수도	首	都	
0996	首先 shǒuxiān	대 첫째로, 먼저	首	先	
0997	受不了 shòubuliǎo	견딜 수 없다, 참을 수 없다	受	不	了
0998	受到 shòudào	통 (사랑, 환영, 칭찬, 교육 등을) 받다	受	到	
0999	售货员 shòuhuòyuán	명 판매원, 점원	售	货	员
1000	输 shū	통 패배하다, 지다(↔ 赢 이기다)	输		
1001	熟悉 shúxī	통 익숙하다, 충분히 잘 알다	熟	悉	
1002	数量 shùliàng	명 수량	数	量	
1003	数字 shùzì	명 숫자	数	字	
1004	帅 shuài	형 잘생기다, 멋지다	帅		
1005	顺便 shùnbiàn	부 ~하는 김에, 겸사겸사	顺	便	
1006	顺利 shùnlì	형 순조롭다, 일이 잘 되어가다	顺	利	
1007	顺序 shùnxù	명 순서, 차례	顺	序	
1008	说明 shuōmíng	통 설명하다, 해설하다 명 설명, 해설	说	明	

S
T

1009	硕士 shuòshì	명 석사(학위)	硕 士
1010	死 sǐ	동 죽다, 생명을 잃다	死
1011	速度 sùdù	명 속도	速 度
1012	塑料袋 sùliàodài	명 비닐봉지	塑 料 袋
1013	酸 suān	형 시큼하다, 시다	酸
1014	随便 suíbiàn	부 마음대로, 좋을 대로 형 제멋대로 하다	随 便
1015	随着 suízhe	전 ~함에 따라서~	随 着
1016	孙子 sūnzi	명 손자	孙 子
1017	所有 suǒyǒu	형 모든, 전부의	所 有
1018	台 tái	양 대(기계·차량·설비 등을 세는 단위)	台
1019	抬 tái	동 (두 사람 이상이) 맞들다, 함께 들다	抬
1020	态度 tàidu	명 태도	态 度
1021	谈 tán	동 말하다, 이야기하다	谈
1022	弹钢琴 tán gāngqín	피아노를 치다	弹 钢 琴
1023	汤 tāng	명 탕, 국	汤
1024	糖 táng	명 설탕, 사탕	糖
1025	躺 tǎng	동 눕다	躺

1026 ☑	趟 tàng	양 차례, 번(왕래한 횟수를 세는 데 쓰임)	趟
1027 ☐	讨论 tǎolùn	동 토론하다	讨 论
1028 ☐	讨厌 tǎoyàn	동 싫어하다, 미워하다	讨 厌
1029 ☐	特点 tèdiǎn	명 특징, 특색	特 点
1030 ☐	提 tí	동 끌어올리다, 들다(쥐다), 제시하다	提
1031 ☐	提供 tígōng	동 제공하다, 공급하다	提 供
1032 ☐	提前 tíqián	동 (예정된 시간·위치를) 앞당기다	提 前
1033 ☐	提醒 tíxǐng	동 일깨우다, 주의를 환기시키다	提 醒
1034 ☐	填空 tiánkòng	동 빈칸을 채우다, 괄호를 채우다	填 空
1035 ☐	条件 tiáojiàn	명 조건	条 件
1036 ☐	停 tíng	동 정지하다, 멈추다	停
1037 ☐	挺 tǐng	부 매우, 아주	挺
1038 ☐	通过 tōngguò	동 통과하다 전 ~을 거쳐~, ~를 통해~	通 过
1039 ☐	通知 tōngzhī	동 통지하다, 알리다 명 통지, 통지서	通 知
1040 ☐	同情 tóngqíng	동 동정하다	同 情
1041 ☐	同时 tóngshí	부 동시에	同 时
1042 ☐	推 tuī	동 밀다	推

1043 ☑	推迟 tuīchí	동 연기하다, 미루다	推　迟
1044 ☐	脱 tuō	동 (옷, 신발, 양말 등을) 벗다	脱
1045 ☐	袜子 wàzi	명 양말	袜　子
1046 ☐	完全 wánquán	부 완전히, 전부	完　全
1047 ☐	网球 wǎngqiú	명 테니스	网　球
1048 ☐	网站 wǎngzhàn	명 웹사이트	网　站
1049 ☐	往往 wǎngwǎng	부 자주, 종종	往　往
1050 ☐	危险 wēixiǎn	형 위험하다 명 위험	危　险
1051 ☐	卫生间 wèishēngjiān	명 화장실(=洗手间)	卫　生　间
1052 ☐	味道 wèidào	명 맛	味　道
1053 ☐	温度 wēndù	명 온도	温　度
1054 ☐	文章 wénzhāng	명 글, 문장	文　章
1055 ☐	污染 wūrǎn	동 오염되다, 오염시키다 명 오염	污　染
1056 ☐	无 wú	동 없다(=没有)	无
1057 ☐	无聊 wúliáo	형 무료하다, 지루하다	无　聊
1058 ☐	无论 wúlùn	접 ~을 막론하고, ~에 상관없이 (=不管, 不论)	无　论
1059 ☐	误会 wùhuì	동 오해하다 명 오해	误　会

X

1060 ☑	西红柿 xīhóngshì	몡 토마토	西 红 柿
1061 ☐	吸引 xīyǐn	동 끌어당기다, 매료(매혹) 시키다	吸 引
1062 ☐	咸 xián	혱 (맛이) 짜다	咸
1063 ☐	现金 xiànjīn	몡 현금	现 金
1064 ☐	羡慕 xiànmù	동 부러워하다	羡 慕
1065 ☐	相反 xiāngfǎn	혱 상반되다	相 反
1066 ☐	相同 xiāngtóng	혱 서로 같다, 똑같다	相 同
1067 ☐	香 xiāng	혱 (냄새가) 향기롭다	香
1068 ☐	详细 xiángxì	혱 상세하다, 자세하다	详 细
1069 ☐	响 xiǎng	동 소리가 나다, 울리다	响
1070 ☐	橡皮 xiàngpí	몡 지우개	橡 皮
1071 ☐	消息 xiāoxi	몡 소식, 뉴스	消 息
1072 ☐	小吃 xiǎochī	몡 간단한 먹을거리, 간식	小 吃
1073 ☐	小伙子 xiǎohuǒzi	몡 젊은이, 청년	小 伙 子
1074 ☐	小说 xiǎoshuō	몡 소설	小 说
1075 ☐	笑话 xiàohua	몡 우스갯소리, 농담	笑 话
1076 ☐	效果 xiàoguǒ	몡 효과	效 果

新HSK 4급

X
Y

번호	단어	뜻	쓰기
1077	心情 xīnqíng	몡 심정, 감정, 기분	心 情
1078	辛苦 xīnkǔ	혱 고생스럽다, 수고롭다	辛 苦
1079	信封 xìnfēng	몡 편지 봉투	信 封
1080	信息 xìnxī	몡 소식, 정보	信 息
1081	信心 xìnxīn	몡 자신(감), 확신, 신념	信 心
1082	兴奋 xīngfèn	혱 흥분하다	兴 奋
1083	行 xíng	혱 좋다, 괜찮다 / 혱 대단하다	行
1084	醒 xǐng	동 깨다, 깨어나다	醒
1085	幸福 xìngfú	혱 행복하다 / 몡 행복	幸 福
1086	性别 xìngbié	몡 성별	性 别
1087	性格 xìnggé	몡 성격	性 格
1088	修理 xiūlǐ	동 수리하다, 수선하다	修 理
1089	许多 xǔduō	혱 매우 많다	许 多
1090	学期 xuéqī	몡 학기	学 期
1091	压力 yālì	몡 스트레스, 압력	压 力
1092	牙膏 yágāo	몡 치약	牙 膏
1093	亚洲 Yàzhōu	몡 아시아	亚 洲

68

Y

1094 ☑	呀 ya	조 문장 끝에 쓰여 놀람·유감을 나타냄	呀
1095 ☐	严格 yángé	형 엄격하다, 엄하다	严 格
1096 ☐	严重 yánzhòng	형 심각하다, 중대하다	严 重
1097 ☐	研究 yánjiū	동 연구하다	研 究
1098 ☐	盐 yán	명 소금	盐
1099 ☐	眼镜 yǎnjìng	명 안경	眼 镜
1100 ☐	演出 yǎnchū	동 공연하다 명 공연	演 出
1101 ☐	演员 yǎnyuán	명 배우, 연기자	演 员
1102 ☐	阳光 yángguāng	명 햇빛	阳 光
1103 ☐	养成 yǎngchéng	동 (습관을) 양성하다, 기르다	养 成
1104 ☐	样子 yàngzi	명 모양, 모습	样 子
1105 ☐	邀请 yāoqǐng	동 초청하다, 초대하다	邀 请
1106 ☐	要是 yàoshi	접 만약 ~라면(=如果)	要 是
1107 ☐	钥匙 yàoshi	명 열쇠	钥 匙
1108 ☐	也许 yěxǔ	부 아마도(=可能)	也 许
1109 ☐	叶子 yèzi	명 잎, 잎사귀	叶 子
1110 ☐	页 yè	양 면, 쪽, 페이지	页

Y

1111 ☑	一切 yíqiè	때 일체, 전부	一 切
1112 ☐	以 yǐ	쩐 ~으로써~, ~을 가지고~	以
1113 ☐	以为 yǐwéi	동 ~라고 (잘못) 여기다, 착각하다	以 为
1114 ☐	艺术 yìshù	명 예술	艺 术
1115 ☐	意见 yìjiàn	명 견해, 의견	意 见
1116 ☐	因此 yīncǐ	쩝 이로 인하여, 그래서(=所以)	因 此
1117 ☐	引起 yǐnqǐ	동 야기하다, 일으키다	引 起
1118 ☐	印象 yìnxiàng	명 인상	印 象
1119 ☐	赢 yíng	동 이기다, 승리하다	赢
1120 ☐	应聘 yìngpìn	동 초빙에 응하다, 지원하다	应 聘
1121 ☐	永远 yǒngyuǎn	부 영원히, 항상	永 远
1122 ☐	勇敢 yǒnggǎn	형 용감하다	勇 敢
1123 ☐	优点 yōudiǎn	명 장점, 우수한 점	优 点
1124 ☐	优秀 yōuxlù	형 아주 뛰어나다, 우수하다	优 秀
1125 ☐	幽默 yōumò	형 유머러스한 명 유머	幽 默
1126 ☐	尤其 yóuqí	부 더욱이, 특히	尤 其
1127 ☐	由 yóu	쩐 ~로부터~ (출발점 강조) ~가~ (행위의 주최자 강조)	由

Y

1128	由于 yóuyú	웹 ~때문에~ (=因为)	由 于
1129	邮局 yóujú	몡 우체국	邮 局
1130	友好 yǒuhǎo	혱 우호적이다	友 好
1131	友谊 yǒuyì	몡 우정, 우의	友 谊
1132	有趣 yǒuqù	혱 재미있다, 흥미가 있다	有 趣
1133	于是 yúshì	웹 그래서, 이 때문에	于 是
1134	愉快 yúkuài	혱 기쁘다, 유쾌하다, 즐겁다	愉 快
1135	与 yǔ	젠 ~와 함께~ (=跟, 和)	与
1136	羽毛球 yǔmáoqiú	몡 배드민턴	羽 毛 球
1137	语法 yǔfǎ	몡 어법	语 法
1138	语言 yǔyán	몡 언어, 말	语 言
1139	预习 yùxí	통 예습하다 몡 예습	预 习
1140	原来 yuánlái	흼 원래, 알고 보니	原 来
1141	原谅 yuánliàng	통 용서하다, 양해하다	原 谅
1142	原因 yuányīn	몡 원인	原 因
1143	约会 yuēhuì	몡 약속	约 会
1144	阅读 yuèdú	통 열독하다, (책이나 신문을) 보다	阅 读

Y
Z

1145	云 yún	명 구름	云	
1146	允许 yǔnxǔ	동 허락하다, 허가하다	允	许
1147	杂志 zázhì	명 잡지	杂	志
1148	咱们 zánmen	대 (청자와 화자를 포함한) 우리들	咱	们
1149	暂时 zànshí	명 잠깐, 잠시, 일시	暂	时
1150	脏 zāng	형 더럽다, 지저분하다	脏	脏
1151	责任 zérèn	명 책임	责	任
1152	增加 zēngjiā	동 증가하다, 더하다	增	加
1153	占线 zhànxiàn	동 통화 중이다	占	线
1154	招聘 zhāopìn	동 모집하다, 채용하다	招	聘
1155	照 zhào	동 (거울 따위에) 비추다, (물에) 비치다	照	
1156	真正 zhēnzhèng	형 진정한, 참된	真	正
1157	整理 zhěnglǐ	동 정리하다	整	理
1158	正常 zhèngcháng	형 정상적인	正	常
1159	正好 zhènghǎo	형 딱 맞다, 꼭 맞다 부 마침	正	好
1160	正确 zhèngquè	형 정확하다, 올바르다	正	确
1161	正式 zhèngshì	형 정식의, 공식의	正	式

Z

1162	证明 zhèngmíng	동 증명하다 명 증명	证 明
1163	之 zhī	조 ~의	之
1164	支持 zhīchí	동 지지하다	支 持
1165	知识 zhīshi	명 지식	知 识
1166	直接 zhíjiē	형 직접적인	直 接
1167	值得 zhídé	동 ~할 만하다, ~할 만한 가치가 있다	值 得
1168	职业 zhíyè	명 직업	职 业
1169	植物 zhíwù	명 식물	植 物
1170	只好 zhǐhǎo	부 어쩔 수 없이, 부득이(=不得不)	只 好
1171	只要 zhǐyào	접 ~하기만 하면	只 要
1172	指 zhǐ	동 가리키다, 지시하다	指
1173	至少 zhìshǎo	부 적어도, 최소한	至 少
1174	质量 zhìliàng	명 질, 품질	质 量
1175	重 zhòng	형 무겁다	重
1176	重点 zhòngdiǎn	명 중점, 핵심	重 点
1177	重视 zhòngshì	동 중시하다, 중요시하다	重 视
1178	周围 zhōuwéi	명 주위, 주변	周 围

1179	主意 zhǔyi	몡 방법, 아이디어	主 意
1180	祝贺 zhùhè	동 축하하다 몡 축하	祝 贺
1181	著名 zhùmíng	혱 저명하다, 유명하다	著 名
1182	专门 zhuānmén	부 특별히, 일부러	专 门
1183	专业 zhuānyè	몡 전공	专 业
1184	转 zhuǎn	동 돌다, 회전하다, 맴돌다	转
1185	赚 zhuàn	동 (돈을) 벌다	赚
1186	准确 zhǔnquè	혱 확실하다, 정확하다	准 确
1187	准时 zhǔnshí	부 정시에, 제때에 혱 정확한 시간이다	准 时
1188	仔细 zǐxì	혱 세심하다, 자세하다	仔 细
1189	自然 zìrán	몡 자연 혱 자연스럽다	自 然
1190	自信 zìxìn	몡 자신, 자신감	自 信
1191	总结 zǒngjié	동 총결산하다, 총괄하다 몡 총결산, 총괄	总 结
1192	租 zū	동 빌리다, 임대하다	租
1193	最好 zuìhǎo	부 제일 좋기로는	最 好
1194	尊重 zūnzhòng	동 존중하다	尊 重
1195	左右 zuǒyòu	몡 가량, 내외, 쯤	左 右

1196 ☑	作家 zuòjiā	몡 (문학, 예술 작품의) 작가, 자작자, 창작자	作 家
1197 ☐	作用 zuòyòng	몡 작용, 효과	作 用
1198 ☐	作者 zuòzhě	몡 저자, 지은이	作 者
1199 ☐	座 zuò	몡 좌석, 자리 양 좌, 동, 채(부피가 크거나 고정 된 물체를 세는 단위)	座
1200 ☐	座位 zuòwèi	몡 좌석, 자리	座 位

MEMO

동양북스

외국어 출판 40년의 신뢰
외국어 전문 출판 그룹
동양북스가 만드는 책은 다릅니다.

40년의 쉼 없는 노력과 도전으로 책 만들기에 최선을 다해온 동양북스는
오늘도 미래의 가치에 투자하고 있습니다.
대한민국의 내일을 생각하는 도전 정신과 믿음으로 최선을 다하겠습니다.

동양북스

📖 동양북스 추천 교재

회화 코스북

일본어뱅크 다이스키
STEP 1·2·3·4·5·6·7·8

일본어뱅크
좋아요 일본어 1·2·3·4·5·6

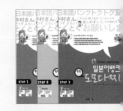

일본어뱅크 도모다찌
STEP 1·2·3

분야서

일본어뱅크
좋아요 일본어 독해 STEP 1·2

일본어뱅크
일본어 작문 초급

일본어뱅크
사진과 함께하는
일본 문화

일본어뱅크
항공 서비스 일본어

가장 쉬운 독학
일본어 현지회화

수험서

일취월장 JPT
독해·청해

일취월장 JPT
실전 모의고사 500·700

일단 합격하고 오겠습니다
JLPT 일본어능력시험
N1·N2·N3·N4·N5

일단 합격하고 오겠습니다
JLPT 일본어능력시험
실전모의고사 N1·N2·N3·N4/5

단어·한자

특허받은
일본어 한자 암기박사

일본어 상용한자 2136
이거 하나면 끝!

일본어뱅크
좋아요 일본어 한자

가장 쉬운 독학
일본어 단어장

일단 합격하고 오겠습니다
JLPT 일본어능력시험
단어장 N1·N2·N3

중국어 교재의 최강자, 동양북스 추천 교재

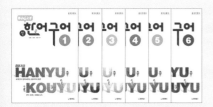

중국어뱅크 북경대학 신한어구어
1·2·3·4·5·6

중국어뱅크 스마트중국어
STEP 1·2·3·4

중국어뱅크 집중중국어
STEP 1·2·3·4

중국어뱅크
뉴! 버전업 사진으로
보고 배우는 중국문화

중국어뱅크
문화중국어 1·2

중국어뱅크
관광 중국어 1·2

중국어뱅크
여행실무 중국어

중국어뱅크
호텔 중국어

중국어뱅크
판매 중국어

중국어뱅크
항공 실무 중국어

정반합 新HSK
1급·2급·3급·4급·5급·6급

일단 합격 新HSK 한 권이면 끝
3급·4급·5급·6급

버전업! 新HSK
VOCA 5급·6급

가장 쉬운 독학
중국어 단어장

중국어뱅크
중국어 간체자 1000

특허받은
중국어 한자 암기박사

📖 동양북스 추천 교재

중고급 학습

첫걸음 끝내고 보는
프랑스어
중고급의 모든 것

첫걸음 끝내고 보는
스페인어
중고급의 모든 것

첫걸음 끝내고 보는
독일어
중고급의 모든 것

첫걸음 끝내고 보는
태국어
중고급의 모든 것

첫걸음 끝내고 보는
베트남어
중고급의 모든 것

단어장

버전업! 가장 쉬운
프랑스어 단어장

버전업! 가장 쉬운
스페인어 단어장

버전업! 가장 쉬운
독일어 단어장

가장 쉬운 독학
베트남어 단어장

여행 회화

NEW 후다닥
여행 중국어

NEW 후다닥
여행 일본어

NEW 후다닥
여행 영어

NEW 후다닥
여행 독일어

NEW 후다닥
여행 프랑스어

NEW 후다닥
여행 스페인어

NEW 후다닥
여행 베트남어

NEW 후다닥
여행 태국어

수험서 · 교재

한 권으로 끝내는 DELE
어휘 · 쓰기 · 관용구편 (B2~C1)

수능 기초 베트남어
한 권이면 끝!

버전업!
스마트 프랑스어

일단 합격하고 오겠습니다
독일어능력시험
A1 · A2 · B1 · B2